[创业第一书]

老板是怎样炼成的

辛保平　程欣乔　宗春霞　著

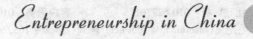

Entrepreneurship in China

清华大学出版社

北　京

图书在版编目（CIP）数据

老板是怎样炼成的/辛保平，程欣乔，宗春霞著.—北京：清华大学出版社，2005.2
ISBN 7-302-10129-9

Ⅰ.老…　Ⅱ.①辛…②程…③宗…　Ⅲ.企业管理—经验—中国　Ⅳ.F279.23

中国版本图书馆 CIP 数据核字（2004）第 130818 号

出 版 者：清华大学出版社　　　　　　　　　地　　　址：北京清华大学学研大厦
　　　　　　http://www.tup.com.cn　　　　　　邮　　　编：100084
　　　　　　社 总 机：010-62770175　　　　　　客户服务：010-62776969
策划编辑：毛尧飞（maorui555@263.net）陈莉（clpear@163.com）
文稿编辑：陈　莉
封面设计：王　岚
版式设计：王　岚
印 刷 者：北京大中印刷厂
装 订 者：三河市金元装订厂
发 行 者：新华书店总店北京发行所
开　　本：160×240　印张：20　字数：358 千字
版　　次：2005 年 2 月第 1 版　2005 年 4 月第 3 次印刷
书　　号：ISBN 7-302-10129-9/F·1032
印　　数：13501～18000
定　　价：28.00 元

序　言

十九年走了三个国家部委，如果就这样坚持走下去，这辈子也可能走得比较平顺，不但自己有保障，而且可能连儿孙都有保障，但心中总感觉缺少点儿什么。当一个人在三十几岁的时候就能看见自己七十几岁甚至八十几岁的光景，会不会觉得有点恐惧？于是选择了逃离。先是自己创业，然后和几个志同道合的朋友合伙创业。先是为了自己的创业研究别人的创业，以便借鉴成功者的经验，吸取失败者的教训，以后陆续将这些研究体会发表在一本名为《科学投资》的杂志上。这本杂志被有些读者称为"国内最好的个人创业、投资、理财及中小企业运营实战指导杂志"，当然不是谬得虚誉。时间长了，于是就有了这本书《老板是怎样炼成的》。

这本书与现在市面上通常所见的创业书籍有所不同。目前市面上的创业类书籍，大体有两种，一种可称为舶来品，主要是翻译作品，有很好的架构，精致的笔触和创新的思维，读来很能给人予启发，但因为是外来的东西，主要来自欧、美、日本。这些国家与国内创业的氛围包括软环境与硬环境都颇有不同，有些在国外行之有效的方法，拿到国内来，不但于事无补，反而常常坏事。所以，在有些读者看来，像这样一些舶来的创业指导读物，总有些隔山打牛、隔靴搔痒的感觉，很不解渴。另一类则是国内一些作者的作品，大多为"编著"，抄袭拼凑之作。读这样一些作品，经常会发现，很多问题连作者自己都没有搞清楚，就在那里夸夸其谈，给别人传道授业解惑，实在是误人子弟。你现在所看到的这本书，部分来自作者的亲身实践，一些则来自作者对其他创业人士的亲身走访。所提供的经验与方法，都有实践佐证，被证明是行之有效，拿来就可以用的；所提供的失败教训，亦同样有现实的案例为基础，通过案例提供"活体"证明，可加深理解。

这一本书，涉及创业的方方面面。它是成体例的，或者说我们尽力在使它成体例，但又不同于一般的学院派作品或某些"舶来"品，只重视"形而上"的架构，而忽视其实用功能；或只注重理论上的正确和逻辑上的完美，深文大意，而忽视实践不能完全包容于理论。理论上正确的，实践中却往往显示错误。这是一本为"用"而写的书，不是一本为"读"而写的书。阅读这样一本书，在文字上我们是有自信的，但如果你感兴趣的只是理论，希望喝一杯纯粹的"理论牛奶"，在理论上升华一下自己，那么，这本书很可能会令你失望。相反，如果你是一位正在创业道路上艰难跋涉的创业者，或者你有计划自己创业却感到茫然无措，不知从何下手，也有可能你只是希望在未来创业的过程中少受一些磨难，更快一些接近成功，那么，这本书就正是你所需要的。这是一本可以为你提供多方面指导，帮助你解决实际问题的书。当然，如果你是一位理论工作者，这本书也可以为你提供丰富可靠的一手资料，为你在相关理论上的研究提供帮助。另一方面，如果你只是希望寻找一些有味道的谈资，或满足你对成功、对财富、对当老板的幻想，刺激你在职场上、在打工生活中日趋麻木的神经，那么，这本书也可以为你提供某种程度上的帮助。

作者

2004 年 12 月于北京

目　　录

[第一章]

创业当老板，先掂分量

权力与金钱，是人类历史上两个永恒的话题。圣贤如孔子，在学有所成之后，不也驾着马车，周游列国，一心想谋个一官半职吗？但是，孔老夫子说，当官要有"命"，那么做老板呢？也许不必有"命"，但一定要有素质。

在我们对北京海淀区的一所小学做的一个随机调查显示，长大后想当老板与想当官、想成为科学家、教师、工程师、解放军的学生几乎是一半对一半；换了同一地区的一所中学做调查，结果将来想当老板与想做官的学生一样多，而想成为科学家、教师、工程师的学生则寥寥无几，想成为解放军、打工者的学生几乎没有。想当老板的学生如此之多，而成为老板的途径却极为有限。目前来看，成为老板的有效途径不过 3 条，第一，传承。像周海江之于周耀庭、鲁伟鼎之于鲁冠球、徐永安之于徐文荣、梁昭贤之于梁庆德、茅忠群之于茅理翔，这是儿子接老子的班，儿子接替老子当老板；第二，先加入一个企业，当打工者，依靠自己的勤奋努力和才能，慢慢升格为合伙人，成为合伙制的老板，或在实力养成后，收购本企业或外部企业，成为老板；第三，自己创业做老板。三条途径有利有弊，而且条件要求各不相同。第一条途径，你首先得有一个好爸爸，能开创事业，做大事业，并且愿意将事业传递给你守成。这十分难得，可遇而不可求，对大多数人来说，只能是一个梦想；第二条途径，很多人依循这条途径成为了老板，但是过程漫长，对人的耐力、才华有超高的要求，而且这种才华不但是做企业的才华，还要有"做社会"的才华，是企业家，同时也是社会活动家；第三种是最简单的，也是最直接、最干脆的。开一个小门脸，投资一两万，你就可以当老板了。对大多数人来说，第三种途径是成为老板最现实的途径，也是最为可靠的途径，换句话说，就是创业是你实现老板梦的捷径。

有人说，除了以上 3 条途径，成为老板还有另外的途径。比如，通过政府任命，成为某个企业的管理人，从而成为这个企业的老板，但这种老板其实不过是个高级打工者。连同那些所谓的职业经理人，包括名人吴仕宏、王惟尊等在内，他们既不能主宰自己的命运，也不能主宰他们所管理的企业的命运。对于他们所管理的企业来说，他们只是一些客人，是外来者。其中或许有一些特别有能耐的人，可以通过 MBO 之类的方式，将别人的企业变成自己的企业，从而使自己从名义上的老板变成真正意义上的老板。确实是有这样的情况，而且人们已屡见不鲜，像刘瑞旗"MBO"恒源祥、何享健"MBO"美的，最新的还有郎咸平指责张瑞敏"MBO"海尔，但即便是这样，也不过是我们所说成为老板的第二条途径，并不能算得上是什么独辟蹊径。

自我创业是实现老板梦的最佳途径，也是最便捷、最可靠的途径。

成为老板的道路虽然有若干条，可供人们自由选择，但综合起来看，对于想圆老板梦的朋友来说，自我创业是最佳途径，也是最便捷最可靠的途径。需要说明的是，我们这里所说的创业，是指以企业为载体、以正当手段获得更多金钱为目标的活动，而非从政、从军、从事科学研究，开创个人政治、学术等事业的创业。

从我们所研究的国内数千个创业案例和3年来亲身走访的数百名创业者的实际情况来看，我们认为目前国内的创业者大致可以分成以下几种类型。

第一种：生存型。创业者大多为下岗工人、失去土地或因为种种原因不愿困守乡村的农民，以及刚刚毕业找不到工作的大学生。这是中国数量最大的一拨创业人群。清华大学的一份调查报告支持我们的观点。该调查报告说，生存型创业者，占中国创业者总数的90%。其中许多人是被逼上梁山，为了谋生混口饭吃。一般创业范围均局限于商业贸易，少量从事实业，也基本是小打小闹的加工业。当然也有因为机遇成长为大中型企业的，但数量极少，因为现在国内市场已经不像20多年前，像刘永好兄弟、鲁冠球、南存辉他们那个创业时代，物质短缺，机制混乱，机遇遍地。如今这个时代，多的是每天一睁眼就满世界找钱的主儿，少的是赚钱的机会。用句俗话来说，就是狼多肉少，仅仅想依靠机遇成就大业，早已经是不切实际的幻想了。

第二种：变现型。就是过去在党、政、军、行政、事业单位掌握一定权力，或者在国企、民营企业当经理人期间聚拢了大量资源的人，在机会适当的时候，跷足下海，开公司办企业，实际是将过去的权力和市场关系变现，将无形资源变现为有形的货币。在上世纪80年代末至90年代中期，第一类变现者最多，现在则以第二类变现者居多。但第一类变现者当前又有抬头的趋势，而且相当部分受到地方政府的鼓励，如一些地方政府出台鼓励公务员带薪下海、允许政府官员创业失败之后重新回到原工作岗位的政策，都在为第一类变现型创业者推波助澜。这是一种公然破坏市场经济环境、人为制造市场不平等竞争的行为。

第三种：**主动型**。其中又可分为以下两种，一种是盲动型创业者，一种是冷静型创业者。前一种创业者大多极为自信，做事冲动。有人说，这种类型的创业者，大多同时是博彩爱好者，喜欢买彩票，喜欢赌，而不太喜欢检讨成功概率。这样的创业者很容易失败，但一旦成功，往往就是一番大事业。冷静型创业者是创业者中的精华，其特点是谋定而后动，不打无准备之仗，或是掌握资源，或是拥有技术，一旦行动，成功概率通常很高。

调查还发现有一类奇怪的创业者。除了赚钱，他们没有什么明确的目标。就是喜欢创业，喜欢做老板的感觉。他们不计较自己能做什么，会做什么，可能今天在做着这样一件事，明天又在做着那样一件事，他们做的事情之间可以完全不相干。其中有一些人，甚至连对赚钱都没有明显的兴趣，也从来不考虑自己创业的成败得失。奇怪的是，这一类创业者中赚钱的并不少，创业失败的概率也并不比那些兢兢业业、勤勤恳恳的创业者高。而且，这一类创业者大多过得很快乐。我们曾经想努力探求其中的道理，后来发现我们离事实核心总是差那么一点儿。这种现象无从解释，看来只有从"积极、放松的心态"对外界变化更敏感、更容易发现商机来理解。

就像萝卜、白菜一样，虽然营养成分、味道各不相同，但它们都是蔬菜，都可以供人们充饥填饱，滋养身体，这是它们的共性。创业者也有其共性。研究其共性，并把握这些共性，是一件非常有意义的事情。

有人统计，中国创业者3年生存比例不到20%，5年生存比例则仅有5%~10%，也就是说100个人去创业，3年后剩下的不到20个，5年后能剩下的则只有5到10个。这个数字也许不那么准确，但在我们持续数年的研究中，发现失败的案例实在太多太多。正如托尔斯泰所言："幸福的家庭都是相同的，不幸的家庭则各有各的不幸。"套用这句话，我们也可以说："成功的创业者都是相同的，失败的创业者则各有各的原因。"通过研究掌握那些成功创业者的共性，并以这些共性反观自己，人们至少可以明了自己是否适合创业。如果创业，成功与失败的几率各有多少。这是我们进行这项研究的目的，也是我们这项研究工作的真正意义之所在。

就目前的情况来看，国内的创业环境与国外一些发达国家创业者所处环境有很大不同，创业者在价值取向上亦有很大区别。国外创业者一般为机会型创业，此类创业者一般要占到创业者总数的80%以上，而国内创业者目前尚主要为解决生存问题而创业，属于生存型创业。生存型创业者一般要占到国内创业者总数的 90％以上。因为环境与目的的不同，所以对创业者的素质亦提出了迥然不同的要求。生存型创业者更加经不起失败，所以，在动手创业之前，在踏上老板道路之前，最好能对自己进行一番仔细考量，从各方面检讨自己，看看自己是否真的适合创业。有些人，也许天生就是一个打工者，根本不具备做老板的素质，创业的后果可以预见只有一个：那就是失败。如果是这样，虽然会令人感到很痛苦，我们依然劝其放弃创业的打算，放弃做老板的梦想。

说了这么多，那么在国内目前的环境下，创业者究竟需要具备一些怎样的素质，才能有较大的希望获得成功？通过我们对手头数千个创业案例的研究，和 3 年多来对数百名创业者的亲身走访，我们觉得以下这些素质，对国内的创业者是目前最为需要的，多具备其中一项，便多一份成功希望，有心者可以对照检查。需要说明的是，我们的研究并不表明我们认为，一个人不具备我们所说的这些素质便不可能取得创业成功。创业成功需要"天时、地利、人和"三因素的有效聚合，我们在这里所研究的，只是三因素中的"人和"，而且只是"人和"中的创业者本身。有些人，或者只是依靠一时有利的"天时"或者一时有利的"地利"就一夜暴富，"创业"成功，这样的故事人们天天都在讲，但我们相信，这种成功只是一种"偶然"的成功，不能够成为人们学习的榜样。我们想研究的，是成功的必然因素，是可以为创业者所支配，并且为旁观者所学习的那样一些因素。

欲望——推动创业成功的火车头

我们将"欲望"列在创业者素质的第一位，你是不是觉得很奇怪？佛经上有一句话，叫做"无欲则刚"，意思是说，一个人如果没有什么欲望，他什么也不想要，什么也不想得到，那么他也就什么都不怕，什么都不必怕了。人家都说和尚参得透，道士清静无为，修炼功夫到家，但是和尚在寺院里"参"了一辈子，想透了生死，但临到末了，却没有一个不想上西天的；道士整日闭关打坐，希望清静无为，顺其自然，临到末了，却没有一个不想白日飞升得道成仙的，可见虽然"无欲则刚"，但要做到"无欲"是一件多么困难的事。

创业小贴士

创业者的欲望往往伴随着行动力和牺牲精神。

"欲",实际就是一种生活目标,一种人生理想。创业者的欲望与普通人欲望的不同之处在于,他们的欲望往往超出他们的现实,往往需要打破他们现在的立足点,打破眼前的樊笼,才能够实现。所以,创业者的欲望往往伴随着行动力和牺牲精神。这不是普通人能够做得到的。你到任何一个政府机关门口一站,都可以发现那样一种人:他们表情木然,行动萧索,心态落寞,他们惟一的心愿,就是眼前的局面能够维持。他们祈愿的就是机构改革千万不要改到自己的身上,再就是每月工资能够按时足额发放。他们本来是有足够的学识,有足够的能力以及资源来开创一番事业的,但是没有这样的欲望,他们觉得眼前的生活就足够好。这些人并不限于机关,任何一个有人群的地方都有这样的人,你如何能够指望他去创业?

我们说的创业者的欲望是不安分的,是高于现实的,需要掂起脚才能够得着,有的时候需要跳起来才能够得着。上海有一个文峰国际集团,老板姓陈名浩,是一个40多岁的男人。1995年,陈浩挟着20万块钱来到上海,从一个小小的美容店做起,现在已经在上海拥有了30多家大型美容院、一家生物制药厂、一家化妆品厂和一所美容美发职业培训学校,并在全国建立了300多家连锁加盟店,据说个人资产超过亿元。陈浩有一句话:"一个人的梦想有多大,他的事业就会有多大。"所谓梦想,不过是欲望的别名。你可以想象欲望对一个人的推动作用有多大。

在我们的研究中发现,成功创业者的欲望有许多是来源于现实世界的刺激,是在外力的作用下产生的,而且往往不是正面的鼓励型。刺激的发出者经常让承受者感到屈辱、痛苦。这种刺激经常在被刺激者心中激起一种强烈的愤懑、愤恨与反抗情绪,从而使他们做出一些"超常规"的行动,焕发起"超常规"的能力,这大概就是孟子说的"知耻而后勇"。一些创业者在创业成功后往往会说:"我自己也没有想到自己竟然还有这两下子。"

因为想得到,而凭自己现在的身份、地位、财富得不到,所以要去创业,要靠创业改变身份,提高地位,积累财富,这便构成了许多创业者的人生"三部曲"。做家具生意的吉盛伟邦在上海有很大的名声,它的老板叫邹文龙。邹文龙来自北方冰雪之国的长春,在一向瞧不起"外地佬"、尤其是"北方佬"的上海打出了一片天地,身家要以若干个亿元计算。邹文龙在接受媒体采访时说，自己的创业动力来自"三大差别"。这"三大差别"不是他自己提的，是他现在的岳父给他提的。邹文龙说自己早恋，高二就开始谈恋爱，身体又不好，后来女朋友考上了大学，他却落了榜。他女朋友的父亲就对他说：你和我的女儿有三大差别。第一是城乡差别。女朋友是城市户口而邹文龙却来自贫穷的农村。第二是脑力劳动与体力劳动的差别。邹文龙的女朋友已经考上了大学，而邹却不得不接一个亲戚的班，到一个小杂货店搬油盐酱醋，出卖劳动力。第三是健康上的差别。邹文龙因为身体不好影响到大学都没考上，难以想象一个身体不好的人以后怎么靠体力活儿吃饭，你怎么能够养得活我的女儿？所以，你和我的女儿谈恋爱，坚决不成！

要想不放弃自己的女朋友，那就只有一条路，就是想方设法去消灭与女朋友之间的"三大差别"。在这种情况下，邹文龙开始了自己的创业行动，并且一举获得了成功。现在，女朋友早已变成了老婆，邹文龙还是喜欢对老婆说："我都是为你做的。"实际上，邹文龙说错了，他不是什么"为你做的"，而是"为了得到你做的。"这就是欲望的作用，再辅之以出色的行动力，邹文龙终于如愿以偿，"抱得美人归"。

无独有偶，大名鼎鼎的张树新女士的创业亦是源于一种刺激。只不过，这种刺激比邹文龙的"女朋友"来得更为刻骨铭心，因为关系到父亲的生死。张树新回忆说："我记得 1989 年我父亲患癌症来北京，到 1992 年去世，我们几乎倾其所有，最后想做很多的事情，却总是囊中羞涩做不了。那个时候社会上已经有很多人下海，大街上有很多不同的人的生活状态，你就会觉得你没有能力改变自己的生活状态，不用去讲那么多的大道理。"俗话说，哀莫大于心死。张树新就是在这样一种状态

张树新

下，由报社记者而下海创业，成为一个创业者。创业的目的很简单，就是没有钱，想有钱，要赚钱。后来张因为创办瀛海威，第一个大张旗鼓将互联网引入中国而声名雀起。现在张是联和运通投资公司的老板，已经由一个成功的创业者，发展为一个用自己的钱投资的职业投资家。

因为欲望，而不甘心，而创业，而行动，而成功，这是大多数白手起家的创业者走过的共同道路。丝宝集团的梁亮胜现在很有名，上了《福布斯》中国富豪榜，但寻究当年，梁也不过是一打工仔。只是这个打工仔有点儿与众不同。1982年，梁带着他的太太，和所在内地工厂的其他40多名青工一道被派往香港工作。当时"（梁亮胜）一家在香港只有四五平方米的住房。那是一间不到30平方米的房子，住了三家人，除去公用厨房、洗手间、走道，房间之小难以想象。他两口子住厅，另两家人各租了一间房，因为别人白天上班时要走厅，他就从厅里拉一块塑料布，留一个过道，他们夫妻两人只能挤在沙发上睡。那时，梁的梦想就是想有个楼花。"

即使是在这样艰苦的条件下，梁还是每天晚上坚持去上学。在香港的3年时间里，梁系统学习了航运、英语、国际贸易和经济管理等课程。后来梁就依靠做国际贸易，向国内贩卖檀香木材淘到了第一桶金，再后来，就办起了丝宝集团，出品舒蕾、风影洗发水等。现在梁站在成功者的角度说："回头来看，一起到香港的40多人现在都还在工厂里做工，因为他们满足现状，觉得现在做工比原来在国内做工好多了。"梁这话的意思就是说，是欲望促使了他的成功。因为他觉得自己可以做得更好，赚更多的钱，过更好的生活，他要给自己当老板，做自己的主人。而原来一起随他到香港做工的40多个工友，却没有他这样的欲望，所以他们20年前给别人做工友，20年后仍然只能给别人做工友，为别人赚钱。

做杉杉西服的郑永刚与梁亮胜如出一辙。郑总是不满足，在部队里不满足，退伍之后仍不满足。从一个公司到一个公司，从一个工厂到一个工厂，他总是觉得自己能做更大的事，应该拥有更大的舞台。他就在这样的不满足中，将自己的事业一步一步推向前进。现在他终于使"杉杉西服"成为"中国西服第一品牌"，同时也使自己成为了一个亿万富翁。

创业小贴士

欲望是创业的最大推动力。

关于人的欲望，地产商冯仑有一段很精辟的论述。他说：地主的生活最愉快，企业家的生活最有成就感，奴隶主的生活最有权威。"地主地里能打多少粮食，预期很清楚，一旦预期清楚，欲望就会被自然约束，也就用不着再努力，所以，会过得很愉快。企业家不同，企业家的预期和他的努力相互作用，预期越高努力越大，努力越大预期越高，这两个作用力交替起作用，逼着企业家往前冲。"如果用"创业家"代替冯仑这段话里的"企业家"，你会发现它同样贴切，或许我们可以套用一句伟人的话："欲望是创业的最大推动力。"

一个真正的创业者一定是强烈的欲望者。他们想拥有财富，想出人头地，想获得社会地位，想得到别人的尊重。有人一谈起这些东西就觉得很庸俗，甚至一些成功者亦不愿提起这样的话题，特别是一涉及到钱，便变得很敏感、很禁忌，其实完全不必如此。禁"欲"的时代早已经结束，除非你一定要"自阉"，那谁也没有办法，否则，你完全可以轰轰烈烈、堂堂正正地去追求自己的所欲所愿。圣人如孔子一旦学有所成，不也周游列国，急着求个一官半职么？可见，在有些事情上，是无所谓俗与不俗的。

忍耐——不仅是一种美德

中华文明五千年，醇厚文字如美酒一般醉人。有一句成语"艰难困苦，玉汝于成"，还有一个词"筚路蓝缕"，都是专门用来形容创业之不易的。不易在哪里呢？首先是要忍受肉体上和精神上的折磨。肉体上的折磨还好办一些，挺一挺就过去了，就像发明 KV 杀毒软件的王江民。王江民 40 多岁到中关村创业，靠卖杀毒软件，几乎一夜间就变成了百万富翁，几年后又变成了亿万富翁，他曾被称为中关村百万富翁第一人。王江民的成功看起来很容易，不费吹灰之力。其实不然。王江民困难的时候，曾经一次被人骗走了 500 万元。王的成功，可以说是偶然之中蕴含着必然。王江民 3 岁的时候患过小儿麻痹症，落下终身残疾。他从来没有进过正规大学的校门，20 多岁还在一个街道小厂当技术员，38 岁之前不知道电脑为何物。王江民的成功，在于他对痛苦的忍受力，从上中学起，他就开始有意识地磨练意志，"比如说爬山，我经常去爬山，五百米高很快就爬上去了，慢慢地爬上去也就不感觉得累。再一个就是下海游泳，从不会游泳到喝海水，最后到会游泳，一直到很冷的天也要下水游泳，去锻炼自己在冰冻的海水里提高忍受力。比如，别人要游到一千米、二千米，那么我也要游到一千米、二千米，游到二三千米以后再上岸的时候都不会走路了，累得站不起来了。就这样锻炼自己，来磨练自己的意志。"他 40 多岁辞职来到中关村，面对欺骗，面对商业对手不择手段的打击，都能够坦然面对。所以，中关村能人虽多，倒让这样一个外来的残疾人拔了百万富翁的头筹。

中关村还有一个人可与王江民一比，年纪却比王江民小得多，这人就是华旗资讯的老总冯军。冯军是清华大学的高材生，读大学时就在北京有名的"外贸一条街"秀水街给倒货的留学生当翻译赚外快。毕业后他找到了一份好工作，有机会直接到外国赚洋钱，他却因为不愿意受管束而拒绝了。为了追求自由自在，他宁愿跑到"村里"自己打江山。冯军在中关村是从小生意做起的，有个"冯五块"的外号，因为他在推销东西的时候，老是对人说：这个东西我只赚你 5 块钱。有媒体曾经这样描述冯军在村里的生活，"冯军一次用三轮车载四箱键盘和机箱去电子市场，但他一次只能搬两箱，他将两箱搬到他能看到的地方，折回头再搬另外两箱。就这样，他将四箱货从一楼搬到二楼，再从二楼搬到三楼，如此往复。"这样的生活，有时会让人累得瘫在地上坐不起来，但更需要承受的，是心理上的落差。冯军在中关村创业，一要丢掉清华大学高材生的面子。俗话说，"物以类聚，人以群分"。在中关村和冯军干一样活儿的人，大多数是来自安徽、河南的农民，如中关村的 CPU 批发生意，60％以上都由来自安徽霍邱县冯井镇的农民把持着。一个清华大学的高材生，要成天与这样一些人打交道，与这样一些人厮混在一起，让这样一些人认可自己，并不是一件容易的事，需要撕去"伪装"，真正与群众打成一片。其次，为了让人家代理自己的产品，"村里"那些摊主儿不论大小都是自己的爷，见人就得点头哈腰，赔笑脸说好话。中关村那些摊主儿的素质尽人皆知，好听的话不会多。从"冯五块"这样一个绰号，可以看出冯军当时在中关村的"江湖"地位。

后来冯军总算发达起来了，不料又遇到了新的难题，就是与郎科的优盘专利权纷争。郎科的创始人邓国顺也是一个传奇人物，从一个打工仔成长为亿万富翁，邓国顺只用了短短几年时间，中间亦经受了无数的折磨。"那种煎熬是一般人不能承受的，可是我们没想过放弃。即使是累得快趴下，钱快花光的时候，我们也不过是想：没钱了，再回新加坡打工，赚了钱又继续搞。"邓国顺说的是他和创业伙伴成晓华几年前一起开发优盘时的情景。现在邓国顺的朗科拥有优盘的专利，冯军的华旗却想来分一杯羹。邓国顺不答应，两家就起了纷争。冯军息事宁人想和解，天天给邓国顺打电话，但是邓国顺一听是冯军的声音就撂电话，逼得冯军不得不换着号码给他打。冯军大小也是个老板，华旗在中关村虽然比不上联想、方正鼎鼎大名，可也不是寂寂无名之辈，这样低声下气地让人不待见，还不都是为了公司的生意。这是创业者需要忍受的另一种精神折磨。

但是冯军所受的折磨，与俞敏洪比起来，只能算是小巫见大巫。俞敏洪是国内英语培训的头牌学校新东方的创始人。对俞敏洪的创业经历，中国青年报记者卢跃刚在《东方马车——从北大到新东方的传奇》中，有详细记录。其中令人印象尤深的是对俞敏洪一次醉酒经历的描述，看了令人不禁想落泪。

俞敏洪那次醉酒，缘起于新东方的一位员工贴招生广告时被竞争对手用刀子捅伤。俞敏洪意识到自己在社会上混，应该结识几个警察，但又没有这样的门道。最后通过报案时仅有一面之缘的那个警察，将刑警大队的一个政委约出来"坐一坐"。卢跃刚是这样描述的：

他兜里揣了 3000 块钱，走进香港美食城。在中关村十几年，他第一次走进这么好的饭店。他在这种场面交流有问题，一是他那口江阴普通话，别别扭扭，跟北京警察对不上牙口；二是找不着话说。为了掩盖自己内心的尴尬和恐惧，劝别人喝，自己先喝。不会说话，只会喝酒。因为不从容，光喝酒不吃菜，喝着喝着，俞敏洪失去了知觉，钻到桌子底下去了。老师和警察把他送到医院，抢救了两个半小时才活过来。医生说，换一般人，喝成这样，回不来了。俞敏洪喝了一瓶半的高度五粮液，差点喝死。

他醒过来喊的第一句话是："我不干了！"学校的人背他回家的路上，一个多小时，他一边哭，一边撕心裂肺地喊着："我不干了！再也不干了！把学校关了！把学校关了！我不干了！……"

他说："那时，我感到特别痛苦，特别无助，四面漏风的破办公室，没有生源，没有老师，没有能力应付社会上的事情，同学都在国外，自己正在干着一个没有希望的事业……"

他不停地喊，喊得周围的人发怵。

哭够了，喊累了，睡着了，睡醒了，酒醒了，晚上 7 点还有课，他又像往常一样，背上书包上课去了。

实际上，酒醉了很难受，但相对还好对付，然而精神上的痛苦就不那么容易忍受了。当年"戊戌六君子"谭嗣同变法失败以后，被押到菜市口去砍头的前一夜，说自己乃"明知不可为而为之"，有几个人能体会其中深沉的痛苦。醉了、哭了、喊了、不干了……可是第二天醒来仍旧要硬着头皮接着干，仍旧要硬着头皮挟起皮包给学生上课去，眼角的泪痕可以不干，该干的事却不能不干。拿"观察家"卢跃刚的话说："不办学校，干嘛去？"

俞敏洪还有一件下跪的事，在新东方学校也是尽人皆知。那是当着几十个人，当着自己的同学、同事，当着在饭店吃饭的不相干的外人，俞敏洪"扑嗵"一声就给母亲跪下了。起因是，俞母将俞敏洪的姐夫招来新东方干事，先管食堂财务，后管发行部，但有人不愿意，不知谁偷偷把俞敏洪姐夫的办公设备搬走了。俞母大怒，也不管俞敏洪正和王强、徐小平两个新东方骨干在饭店包间里商量事，搬把凳子便堵在包间门口破口大骂。王强和徐小平看见俞敏洪站起来"大义凛然"地向门外走去，还以为他是要去跟母亲做坚决的斗争呢，谁知这位新东方学校的校长、万人景仰的中国留学"教父"，"扑嗵"一声，当着大伙儿的面，给母亲跪下了。弄得王强和徐小平面面相觑，目瞪口呆。

王强事后回忆说："我们期待着俞敏洪能堂堂正正从母亲面前走过去，可是他跪下了。顿时让我崩溃了！人性崩溃了！尊严崩溃了！非常痛苦！"一个外人看见这样的场景尚且觉得"崩溃"，觉得"非常痛苦"，那么，作为当事人和下跪者的俞敏洪会是什么样的感觉呢？！

现在大家都知道俞敏洪是千万富豪、亿万富翁，但又有谁知道俞敏洪这样一类创业者是怎样成为千万富翁、亿万富翁的呢？他们在成为千万富翁、亿万富翁的道路上，付出了怎样的代价，付出了怎样的努力，忍受了多少别人不能够忍受的屈辱、憋闷、痛苦，有多少人愿意付出与他们一样的代价，获取与他们今天一样的财富？更有甚者，当初江苏名佳企业董事长张正基创业时，因为违逆了父亲的意思，甚至被父亲告到税务局，说他偷税漏税，父子因此而3年断绝往来，你知道其时张正基的心情吗？

对一般人来说，忍耐是一种美德，对创业者来说，忍耐却是必须具备的品格。电话大王吴瑞林（侨兴老板）当初创业失败，"走在路上，平时笑脸相迎的乡邻竟然一夜之间形同陌路，不断有人在我身后指指

创业小贴士

对创业者来说，忍耐却是必须具备的品格。

点点。没多久，孩子们就哭着回家告诉我，老师把他们的位子从第一排调到最后一排去了，学校里的同学也不和他们玩了。"吴瑞林不得不带着家人，"选择了在一个月黑风高的深夜悄悄离开"，离开了生他养他的故乡。指甲钳大王梁伯强一次次创业，一次次辛苦累积财富，而每一次点滴积累的财富最后总是被各种各样"莫名其妙的原因"剥夺，搁一般人早发疯了，可梁伯强都忍下了。现在他是一个成功者。

老话说"吃得菜根，百事可做"。对创业来说，肉体上的折磨算不得什么，精神上的折磨才是致命的，如果有心自己创业，一定要先在心里问一问自己，面对从肉体到精神上的全面折磨，你有没有那样一种宠辱不惊的"定力"与"精神力"。如果没有，那么一定要小心。对有些人来说，一辈子给别人打工，做一个打工仔，是一个更合适的选择。

眼界——总是睁着眼睛的人更容易发现机会

名人老总佘德发是个非常有意思的人，据说这个人不管走到哪里，随身都会带着两样宝贝：一样是手提电脑，因为这位名人在全国设有许多的分部、分公司，佘德发带着电脑走到哪里，那里就是公司的总部；另一样是一个旅行箱，里面全是各种各样的报纸，佘德发走到哪里，就读到哪里，他将一箱一箱的报纸当成了精神粮食。

人们都喜欢夸耀自己见多识广，对于创业者来说，就不是夸耀，而是要真正见多识广。广博的见识，开阔的眼界，可以很有效地拉近自己与成功的距离，使创业活动少走弯路。

我们研究了上千创业案例，其中亲自走访的创业者不下数百，发现这些创业者的创业思路有几个共同来源。

第一，职业。俗话说，不熟不做，由原来所从事的职业下海，对行业的运作规律、技术、管理都非常熟悉，人头、市场也熟悉，这样的创业活动成功的几率很大。这是最常见的一种创业思路的来源。

老板是怎样炼成的

王传福

第二，阅读，包括阅读书、报纸、杂志等等。比亚迪老总王传福的创业灵感来自一份国际电池行业动态，一份简报似的东西。1993年的一天，王传福在一份国际电池行业动态上读到，日本宣布本土将不再生产镍镉电池，王传福立刻意识到这将引发镍镉电池生产基地的国际大转移，意识到自己创业的机会来了。果然，随后的几年，王传福利用日本企业撤出留下的市场空隙，加之自己原先在电池行业多年的技术和人脉基础，做得顺风顺水，财富像涨水似地往上冒。他于2002年进入了《福布斯》中国富豪榜。另一位财富英雄郑永刚，据说将企业做起来后，已经不太过问企业的事情，每天大多时间都花在读书、看报，思考企业战略上面。很多人将读书与休闲等同，对创业者来说，阅读就是工作，是工作的一部分，一定要有这样的意识。

第三，行路。俗话说，"读万卷书，行千里路"。行路，各处走走看看，是开阔眼界的好方法。《福布斯》中国富豪里面少有的女富豪之一沈爱琴，说自己最喜欢的就是出国。出国不是为了玩，而是去增长见识，更好地领导企业。

在我们研究的案例中，有二成以上创业者最初的创业创意来自于他们在国外的旅行、参观、学习。像刘力 1995 年创立北京大众人拓

沈爱琴

展训练有限公司，将拓展训练当成自己创业的主要落脚点，灵感就来自于其在英国、瑞典等国考察时，对拓展训练的接触。"当初的震撼非文字所能够表达。"回国后刘力便照猫画虎弄了这么个东西，效果非常好。现在有空到哪儿上一堂拓展训练课，已经成了都市有产阶级的时尚玩意儿，北

大等学校在帮助企业训练企业领袖时，拓展训练是其中一项重要的手段。

还有西岸的黄勇。西岸是中国最好的几家公关公司之一，前两年因为和奥美的合并闹得沸沸扬扬而被众人所知。西岸的创始人黄勇原来是一名比较成功的科技记者，有关媒体这样描述黄勇的创业："1992 年，黄勇在香港偶然参观了博雅公司在香港的分公司。这次香港之行最后改变了黄勇的命运。博雅的业务让黄勇感觉很有意思，他没想到公关也能成为一种专门的行业。"结果就是，黄勇利用自己做记者时积累的大量资源，先人一步在国内开办起了公关公司。西岸，大概是中国最早的完全市场化运作的公关公司之一，后来因为代理微软公司的"维纳斯"（一种机顶盒）在国内公关界一举成名。记者在北京西单时代广场看到，西岸在这个豪华写字楼租赁的办公场所不下千余平方米。

行路意味着什么，或者换句话说，眼界意味着什么？如果你是一个创业者，开阔的眼界意味着你不但在创业伊始可以有一个比别人更好的起步，有时候它甚至可以挽救你和你企业的命运。眼界的作用，不仅表现在创业者的创业之初，它会一直贯穿于创业者的整个创业历程。"一个人的心胸有多广，他的世界就会有多大。"我们也可以说，"一个创业者的眼界有多宽，他的事业也就会有多大。"

一个人的心胸有多广，他的世界就会有多大；一个创业者的眼界有多宽，他的事业也就会有多大。

比如，科宝整体厨房如今在国内非常有名，但是科宝在起步时，并不是做整体厨房的，专业是抽油烟机。后来科宝的创始人蔡明，发现不少顾客在买了抽油烟机以后，还会向他们订做几格吊柜、厨柜，以便放置一些厨房用品甚至是冰箱等电器。这时候科宝才开始有意识地向整体厨房方面转型。"那时我们理解的整体厨柜就是做几个柜子，把燃气灶和其他厨房用具放在一块就行了。这种状况一直持续到 1999 年 5 月。我去德国科隆参加每两年举行一次的家具配件展，算是开了眼界。看了展会，我发现自己以前做的东西，那哪能叫整体厨房，简直就是垃圾。"

展会后，蔡明从德国直接去了意大利，雇了一个意大利司机，从北边的威尼斯出发一直南下。"我让那司机帮我安排好路线，一路上，只要门上写着 Cucina（意大利语厨房），我就进去看。看了几十个厂家，每个厂家都有几十个甚至是上百个款式。古典的，现代的，大众的，前卫的，各种流派都看了个遍。到最后，看到 Cucina 我就想吐。"

这一路看了 20 多天，蔡明回到国内，下令把他们以前做的东西全部推倒重来。欧洲的各种流派、款式，融进自己的理念。科宝，或者说蔡明，在做整体厨房若干年后，一直到 1999 年的欧洲之行，才明白什么叫真正的整体厨房。这就是行千里路的作用。开阔眼界后的老板，将原本平庸的企业带入了一个全新的境界。与此同时，老板自己也进入了一个新境界，发现了一个新天地。

第四，交友。很多创业者最初的创业 IDEA（主意）是在朋友启发下产生，或干脆就是由朋友直接提出的。所以，这些人在创业成功后，都会更加积极地保持与从前的朋友联系，并且广交天下友，不断地开拓自己的社交圈子。时尚蜡烛领头羊山东金王集团创始人陈索斌的创业 IDEA，便来自于一次在朋友家中的闲谈。昆明赫赫有名的"云南王"、新晟源（昆明最大的汽车配件公司）老板何新源有两大爱好，至今仍保持着和朋友在茶楼酒馆喝茶谈天的爱好。何新源称其为"头脑风暴"。这样的头脑风暴，使他能够不断地有新思路、新点子，生意越做越大，越做越好。都说广东人是天生的生意人，你看一看，广东人里面有几个是不好泡茶楼的？泡茶楼，喝茶是一方面，交朋友谈生意是更重要的另一方面。原来北京人不太爱喝茶，现在北京的茶馆却多过米铺。这与近几年来北京的商业气味越来越浓不无关系，茶馆里面的人，十有八九是在交朋友谈生意。

四大创业 IDEA 的来源，也就是四大开阔眼界的有效方法。见钱眼开，莫如说眼开见钱，眼界开阔才能看见更多的钱，赚到更多的钱。我们奉劝创业者，有空一定要到处多走一走，多和朋友谈一谈天，多阅读，多观察，多思考。"机遇只垂青有准备的头脑"，让自己"眼界大开"就是最好的准备。

明势——顺风行船才能走得快

明势的意思分两层，作为一个创业者，一要明势，二要明事。我们先来说明势。

势，就是趋向。做过期货的人都知道，要想赚钱，关键是要做对方向，这个方向就是势。比方说，大势向空，你偏做多；或者大势利多，你偏做空，你不赔钱谁赔钱！反过来说，你就是不想赚钱都难。

势分大势、中势、小势。创业的人，一定要跟对形势，要研究政策。这是大势。很多创业者是不太注意这方面工作的，认为政策研究"假、大、虚、空"，没有意义。实则不然。对一个创业者来说，大到国家领导人的更迭，小到一个乡镇芝麻小官的去留，都会对自己有影响。在政策方面，国家鼓励发展什么，限制发展什么，对创业之成败更有莫大关系。做对了方向，顺着国家鼓励的层面努力，可能事半功倍；做反了方向，比如说，某个行业、某类型企业，国家正准备从政策层面进行限制、淘汰，你偏赶在这时懵懵懂懂一头撞了进去，一定会鸡飞蛋打。

澳瑞特健康产业集团位于山西长治，是由做过矿工的郭瑞平在一个破产的小自行车厂基础上组建的，时间只有短短 10 来年，年产值现在已超过上亿元。郭瑞平发财的秘诀便是顺势而为。本来山西长治地区是个穷地方，一些人连饭都吃不饱，哪里有心思搞什么健身。在毫无经验的基础上，将创业定位于在本地毫无市场的健身器材上，在当地许多人看来等于找死。但是郭瑞平有一个很好用的头脑，他利用了当时国家竞技体育与群众体育两手抓、两手都要硬的政策大势，将创业目标定位于"群众喜欢用群众乐用的健身器材"，避开了与国内众多专业竞技体育器材生产厂的竞争，又利用国家发行体育彩票，其中一部分收入指定用于群众健身器材投资的机会，利用一直以来精心与国家体育总局官员建立并保持的良好关系，首先将一整套"群众性体育健身器材"安装在了国家体育总局龙潭湖家属院，然后又从这个家属院走向了中国。你现在走到北京街头看一看，都是这种刷成黄色、红色、橙色的健身器，一组下来少的也有 10 来件，上面都标着"澳瑞特"的字样，仅这一单生意，就让郭瑞平赚了个盆满钵满。

顺势而作，就是顺水行舟。李白诗"朝辞白帝彩云间，千里江陵一日还。"那是指顺水行舟。苏东坡坐船回老家，走得和李太白是同一条路，却整整花了 3 个月。原因无他，太白顺水，东坡逆水。创业的道理也是一样。观察政府，研究政策，是为了明大势。

中势，指的就是市场机会。市场上现在时兴什么，流行什么，人们现在喜欢什么，不喜欢什么，可能就标明了你创业的方向。俞敏洪如果不是赶上全国性的英语热和出国潮，他就是使再大的劲，洒再多的泪，流再多的汗，也不会有今天的成功。

在得风气之先的珠三角，现在还包括长三角，许多中小创业者都非常懂得借势的道理。不少人依靠借势发了家。借什么势呢？借外资企业在本地投资的势，比如说，一个台湾的电脑主板厂家在内地建厂，他不可能什么都自己生产，有一些零配件，包括一些生活供应，都要依靠当地人解决。这就是势，有人称之为"为淘金者卖水"。其实不是卖水，而是大家一起淘金，只不过有人淘的金块大一些，成色足一些；有人淘的金块小一些，成色差一些，但最后大家都有钱赚。在一个地方，大家都在做 IT，你偏要去炼铁，你不赔钱谁赔钱？和市场主导一样，这就有一个产业主导的概念。不管做什么，你一定要和身处环境合拍，创业才容易获得成功。我们传授一个诀窍，假如你准备创业，而你的资金不足，经验又不足，那么，你可以看看周围的人都在做什么，大家一起做的，你跟着做，一定没有错，虽然不可能赚到大钱，但赔本的机会少，风险也小，较适合于那些风险承受能力较弱的创业者。能赚平均利润，对于小本经营的创业者就不错了，通过这样的锻炼，可以慢慢学习赚大钱的本领，慢慢积累赚大钱的资本，一旦机会来临，是龙翔九天，还是凤舞歧山，还不是由你说了算？假如你的本钱雄厚，风险承受能力强，你当然可以从创业伊始就去剑走偏锋，寻冷门，赚大钱，只是这样的创业者不多。

小势，就是个人的能力、性格、特长。创业者在选择创业项目时，一定要找那些适合自己能力、契合自己兴趣、可以发挥自己特长的项目，这样才有利于你做持久性的全身心的投入。创业是一项折磨人的活动，创业者要有受罪的心理准备。

明势的另一层含义，就是明事，一个创业者要懂得人情事理。老话说："世事洞明皆学问，人情练达即文章。"创业的首要目的是为了合理合法地赚钱，不是为了改造社会。改造社会是等你发达以后，还需要你有那样的兴趣。创业更不是为了要跟谁赌气，你非要如何如何，非要让对方觉得你这个人如何如何，你才觉得心里舒服，你那是自己为自己设绊。

创业者一定要明势，不但要明政事、商事，还要明世事、人事，这是一个创业者的基本素质。

孙大午是河北的一个富翁，后来被警察抓了，很多人在网上为孙大午抱打不平。一些法律、金融专家就对当地政府指责孙大午私自揽储、非法集资不以为然，觉得以孙大午的作为，远远够不上私自揽储、非法集资，扰乱金融秩序更谈不上。当地税务部门指责孙大午偷税漏税亦迄今拿不出有力证据。但这不是我们关心的内容，我们关心的是孙大午落入今日的局面，由千万富翁沦为阶下囚，有无其自身的原因。

孙大午被抓后，有人说了一句话：孙大午被抓，是因为孙大午不会说话，不会办事。大午集团从1000只鸡、50头猪起家，至今已发展成集养殖业、种植业、加工业、工业、教育业为一体的大型科技民营企业，固定资产过亿元。说孙大午不会办事，肯定不是指他不会办企业。

那么，孙大午不会办的是什么事呢？一是"抠"。大午集团在对外交往上，每年基本没有什么招待费。孙大午从来不请客。就算逢年过节给一些单位送点年礼，也都是十几元一箱的鸡蛋。二是"傲"。平时孙大午只喜欢和学术名流、社会名流来来往往，对政界人士却不屑一顾，不愿意打交道，使一些"当官的"感觉孙这个人很高傲、很狂，看见他心里就不舒服。三是"轴"，这是北京话，意思是说一个人不懂人情世故。孙大午就是这样一个人，与地方政府的关系搞得非常僵，和地方的税务局、工商局、土地局等多个权力部门都发生过冲突，打过官司。通过大午集团的举报，当地税务部门的一位重要领导还曾遭到过检察机关的拘捕。

孙大午的企业发展要用钱，而从银行和有关金融机构又贷不到钱，于是走上"非法集资"的道路。反观当地另一家与大午集团差不多的企业，人家也缺钱，也需要融资，但采取的方法却与大午集团迥然不同。就在孙大午出事后不久，就有媒体报道报道说，通过县委书记的亲自"协调"，该企业又获得了银行1亿2千万元的贷款额度。媒体报道说："该企业在当地以与政府关系密切著称。"二者形成了鲜明对比。

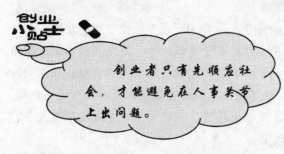

创业是一个在夹缝里求生存的活动，尤其处于社会转轨时期，各项制度、法律环境都不十分健全，创业者只有先顺应社会，才能避免在人事关节上出问题。作为对照，很多原先很牛气的外资企业，认为本地人才这样不行，那样不行，只有外来和尚才能念好经，现在也都认识到了人才本地化的重要。人才为什么要本地化？因为本地的人才更熟悉本地的情况，能够按照"本地的规矩"做事，也就是说更能入乡

创业小贴士

创业者只有先顺应社会，才能避免在人事关节上出问题。

随俗。创业者一定要明势，不但要明政事、商事，还要明世事、人事，这应该是一个创业者的基本素质。

敏感——在机会面前总能先人一步

敏感不是神经过敏。神经过敏的人，像琼瑶小说里的那些角色，可以当花瓶，可以做茶余饭后的消遣，惟独不适合创业。

创业者的敏感，是对外界变化的敏感，尤其是对商业机会的快速反应。

潘石屹现在是商场的红人，潘石屹成为红人有他成为红人的理由。有谁能够从别人的一句话里听出 8 亿元的商机，而且是隔着桌子的一句话，是几个不相干之人的一句话？别人不能，但潘石屹能。别人没有这个本事，潘石屹有这个本事。

1992 年，潘石屹还在海南万通集团任财务部经理。万通集团由冯仑、王功权等人于 1991 年在海南创立。冯仑、王功权都曾在南德集团做过事，当年都是"中国首富"牟其中的手下谋士。万通成立的头两年，通过在海南炒楼赚了不少钱。1992 年，随着海南楼市泡沫的破灭，冯仑等人决定将万通移师北京，派潘石屹打前锋。潘石屹奉冯仑的将令，带着 5 万元差旅费来到了北京。

潘石屹

这天，他（潘石屹）在怀柔县政府食堂吃饭，听旁边吃饭的人说北京市给了怀柔 4 个定向募集资金的股份制公司指标，但没人愿意做。在深圳待过的潘石屹知道指标就是钱，他不动声色地跟怀柔县体改办主任边吃边聊："我们来做一个行不行？"体改办主任说："好哇，可是现在来不及了，要准备 6 份材料，下星期就报上去。"

潘石屹立即将这个信息告诉了冯仑，冯仑马上让他找北京市体改委的一位负责人。这位领导说："这是件好事，你们愿意做就是积极支持改革，可以给你们宽限几天。"做定向募集资金的股份制公司，按要求需要找两个"中"字头的发起单位。通过各种关系，潘石屹最后找到中国工程学会联合会和中国煤炭科学研究院作为发起单位。万事俱备，潘石屹用刚刚买的 4 万元一部的手机打电话问冯仑："准备做多大？"冯仑说："要和王功权商量一下。"王功权说："咱们现在做事情，肯定要上亿。"

潘石屹在电话那边催促冯仑快做决定："这边还等着上报材料呢。"冯仑就在电话那头告诉潘石屹："8 最吉利，就注册 8 个亿吧。"北京万通就这样，在什么都没做的情况下，拿到了 8 个亿的现金融资。

以上这段文字出自某 IT 名记的手笔，很生动。这也就是潘石屹那个"一言 8 亿"的传奇故事。后来万通在海南做赔了本，多亏了潘石屹这一耳朵"听"来的 8 个亿，才有了万通的今天。后来兄弟几个又闹分家，于是诞生了潘石屹现在的红石和北京大北窑旁边的现代城。

潘石屹能赚到这笔钱不是出自偶然，而是源于他的商业敏感。我们前面说过陈索斌。陈索斌是一个"海归"，在美国留过学，有经济学硕士的头衔。陈索斌所学与蜡烛无关，在创业之前他亦从未与蜡烛行业有过任何接触。为什么他会选择时尚蜡烛作为自己的创业方向呢？原来 1993 年的一天晚上，陈到一位朋友家中谈事，突然遇到停电，朋友的妻子赶紧找出一截红蜡烛点上，烛光下红彤彤的蜡烛一股股地冒着黑烟，忽明忽暗。朋友的妻子在旁边抱怨说："如今卫星都能上天了，怎么这蜡烛还是老样子，谁要是能捣鼓出不冒黑烟的蜡烛，说不定能得个诺贝尔奖什么的。"就是这样一句话触动了陈索斌，于是不久就有了"金王"。再不久，"金王"成了中国的时尚蜡烛之王。随着"金王"的成功，陈索斌自然而然也就成了亿万富翁。对蜡烛黑烟的抱怨，相信不只陈索斌一个人听到过，为什么只有他抓住了这个机会呢？这只能归结于陈索斌比一般人更为强烈的商业敏感。

如果说潘石屹、陈索斌最初的财富都是用耳朵"听"来的，那么夏明宪最初的财富就是用眼睛"看"来的。1989 年，在山城重庆开着一家小五金杂货店的夏明宪，忽然发现来买水管接头（一种钢管）的人多了起来。他觉得很奇怪，这些人买这么多水管接头干什么用？后来一打听，才发现是一些先富起来的山城人，为了自身和家庭财产的安全，开始加固家里的门窗。买水管接头，就是为了将它们焊接起来，做成铁门防盗（那时候还没有防盗门的概念）。夏明宪发现这个秘密后，立即意识到自己的机会来了。他马上租了一个废置的防空洞，买来相应的工具，刨、锯、焊、磨地干了起来。一个多星期，他就做了 20 多扇"铁棍门"，赚了一大笔钱。后来顺着这个思路不断发展，就有了现在的"美心防盗门"，与盼盼防盗门一起，成为中国防盗门行业两块响当当的品牌。原来的五金店小老板变成了现在的防盗门大老板，成为山城重庆数得着的一个财主。

这样的故事还有很多。上海有名的亿万富翁、洗浴业和餐饮业大佬施有毅(现任上海云海实业股份有限公司董事长)也是依靠过人的商业敏感发达起来的。施有毅这样叙述自己的经历："1995年，我从美国夏威夷坐飞机到东京……朋友带我到一个浴场去……通过洗这个澡，我茅塞顿开，觉得这个搬到中国非常好。"就是这样的一个日本浴，后来洗出了施有毅的万贯家财。施有毅敏感到什么程度？公安部发布法令，严禁驾驶员过度疲劳驾驶车辆：从事公路客运的驾驶员，一次连续驾驶车辆不得超过3个小时；24小时内实际驾驶时间累计不得超过8小时。他得知后的第一反应，就是决定到高速公路旁边去修汽车旅馆。

一些人的商业敏感来自耳朵，一些人的商业敏感来自眼睛，还有一些人的商业敏感来自于自己的两条腿。北京人都很熟悉什刹海边那些拉洋车的，黑红两色的装饰，非常显眼。这些人都是一个叫徐勇的

一些人的商业敏感来自耳朵，一些人的商业敏感来自眼睛，还有一些人的商业敏感来自于自己的两条腿。

年轻人的部下。1990年，爱好摄影的徐勇出版了一本名叫《胡同101像》的摄影集，有对中国民俗感兴趣的外国朋友看到这本影集，就开始请徐勇带自己去胡同参观，讲解胡同文化历史。徐勇立刻意识到这里有机会。不久他的以北京"坐三轮逛胡同"为主题的旅游公司办了起来。当初徐勇将自己的想法告诉朋友和家人的时候，几乎遭到了所有人的一致反对，北京可看的东西太多了，故宫、长城、颐和园……哪一个不比胡同更吸引人，有多少到北京来的人会有兴趣去看那破破烂烂的胡同，北京本地人更不会有兴趣。政府有关部门当时也不看好他的主意。现在，徐勇的"胡同游"却日进斗金，让所有人大跌眼镜。

北京人说一个人不懂事，会说他"没有眼力见儿"，意思是看不出好歹。其实，面对每天在眼前溜来溜去的商业机会，有几个人是有"眼力见儿"的？张维仰和北大名教授张维迎就差一个字，现在是深圳市东江环保股份有限公司董事长。这家公司是国内第一家在香港上市的民营环保企业。1987

年以前，张只是深圳市城管部门的一个普通员工。一天，深圳蛇口的一家外资企业找到深圳市城管部门，提出以每吨 500 港币的高价，请求帮忙处置其公司产生的工业垃圾。城管部门派人拉回来两三吨废物，却不知如何处理。一位工作人员将这些垃圾拿到实验室化验，发现废物中铜的含量很高，经过技术手段加以综合处理，可以制成广泛应用于工业和农业的化工原料硫酸铜。这件事当时谁也没有留意，却被旁边的张维仰默默记在了心里。不久，张维仰辞职创业，从为深圳企业处理垃圾做起，后来发展到垃圾的无害化处理和变废为宝。当时适逢国家大力倡导环保，张维仰好风凭借力，一下子便发达了起来。应该说，当时这个机会摆在张维仰的每一个同事面前，大家机会是均等的。但最后只有张维仰抓住了这个机会，因为他的商业感觉更好，再辅之以强大的行动力，所以，他能够最后胜出毫不奇怪。

谈及商业敏感，梁伯强不能不谈。在财富道路上，梁伯强不是一个幸运儿。他曾经几次被命运打倒在地，但最后又倔犟地爬起来。他积累的财富几度灰飞烟灭，但又一次次在他"再来一次"的喊声中重新聚拢。

有些人的商业感觉是天生的，如胡雪岩，更多人的商业感觉则依靠后天培养。

1998 年，或许是出于感动，命运改变了对梁伯强的态度，开始对他眷顾起来。这年 4 月的一天，梁伯强在一张别人用来包东西的旧报纸上，偶然读到一篇文章。这篇文章的名字叫做《话说指甲钳》。文章说，1997 年 10 月 27 日，时任国务院副总理的朱镕基，在中南海会见全国轻工企业第五届职工代表时说："（你们）要盯住市场缺口找活路，比如指甲钳，我们生产的指甲钳，剪了两天就剪不动指甲了，使大劲也剪不断。"文章说，当时朱总理还特意带来 3 把台湾朋友送给他的指甲钳，向与会代表展示其过硬的质量、美观的造型和实用的功能，并以此为例，激励大家要对产品质量高度重视，希望科技进步和技术创新，开发更多更好的新产品，把产品档次、质量尽快提高上去。

梁伯强读到这篇文章，眼前一亮。他再一了解，得知这件事令当时国家轻工部压力很大，为此成立了专案小组。轻工部还联合五金制品协会在江浙开了几次会议，寻求突破这个问题的方案，但都没有根本解决问题。梁伯强得知这些情况后非常兴奋，因为他做了十多年的五金制品，这正是他擅长的事情。他知道机会来了。梁伯强的"非常小器·圣雅伦"指甲钳就是在这种背景下产生的，现在，梁伯强号称"世界指甲钳大王"。一个一向不顺的创业者，在蹉跎了半辈子后，终于靠自己的一次敏悟改变了命运。当然，梁伯强的成功还有很重要的一点，就是他懂得前文所讲的明势与借势。他借的是朱镕基讲话之势，借的是轻工部"老房子着火"之势，因而一举成功，一鸣惊人。

有些人的商业感觉是天生的，如胡雪岩，更多人的商业感觉则依靠后天培养。如果你有心做一个商人，你就应该像训练猎犬一样训练自己的商业感觉。良好的商业感觉，是创业者成功的最好保证。

人脉——有钱比不过"有人"

创业不是引"无源之水"，栽"无本之木"。每一个人创业，都必然有其凭依的条件，也就是其拥有的资源。一个创业者的素质如何，看一看其建立和拓展资源的能力就可以知道。

创业者的资源，可分为外部资源和内部资源两种。内部资源主要是创业者个人的能力，其所占有的生产资料及知识技能，也就是人们通常所说有形资产及无形资产，只不过这种有形资产和无形资产属于个人罢了。创业者的家族资源也可以看作创业者内部资源的一部分。拥有一份良好的内部资源，对创业者个人来说无疑是重要的，但因为其中大部分不是通过创业者个人努力获取，而是自然存在的，具有天然属性，我们在此不作重点讨论。

创业小贴士

人脉资源的积累就是构建人际关系和社会网络。

我们在此讨论的是创业者外部资源的创立。其中最重要的一点是人脉资源的创业，即创业者构建其人际网络或社会网络的能力。一个创业者如果不能在最短时间之内建立自己最广泛的人际网络，那他的创业一定会非常艰难，即使初期能够依靠领先技术或者自身素质，比如吃苦耐劳或精打细算，获得某种程度上的成功，但也可以断言他的事业一定做不大。除非他像比尔·盖茨那样，能开发出一个 WINDOWS，前无古人，无可取代，只好由他独霸市场。

创业者的人际资源，按其重要性来看，**第一是同学资源**。现在社会上同学会很盛行，仅北京大学，各种各样的同学会就不下几十个，据说其中有一个由金融投资家进修班学员组成的同学会，仅有 200 余人，控制的资金却高达 1200 个亿，殊为惊人。据说中国最好的工商管理学院之一的上海中欧工商管理学院，除了在上海本部有一个学友俱乐部外，在北京还有个学友俱乐部分部。人大、北大、清华等名牌大学在北京、上海、广州、深圳都有同学会或校友会分会，在这些地方，形形色色的同学会多如恒河之沙。

周末的时候，到北大、清华、人大等校园走走，会发现有很多看上去不像学生的人在里面穿梭。其中有许多人是花了大价钱从全国各地来进修的。学知识是一方面的原因，交朋友是更重要的原因。对于那些"成年人班"，如企业家班、金融家班、国际 MBA 班等班级的学生，交朋友可能比学知识更加重要，有些人惟一的目的就是交朋友。一些学校也看清了这一点，在招生简章上明白无误地告诉对方：拥有学校的同学资源，将是你一生最宝贵的财富。

胡成中

在我们研究的数千个创业者案例以及亲身走访过的数百名创业者中，在许多成功者的身后都可以清楚地看到他们同学的身影，有的是少年时代的同学，有的是大学时代的同学，还有各种成人班级如进修班、研修班上的同学。

赫赫有名的《福布斯》中国富豪南存辉和胡成中就是小学和中学时的同学，一个是班长，一个是体育委员，后来两人合伙创业，在企业做大以后才分了家，分别成立正泰集团和德力西集团。一位创业者在接受我们的采访时说，他到中关村创立公司前，曾经花了半年时间到北大企业家特训班上学、交朋友。他开始的十几单生意，都是在同学之间做的，或是由同学帮着做的。同学的帮助，在他创业的起步阶段起了很大的作用。

实际上，同学之间本来就有守望相助的义务，在现今这个时代，带着商业或功利的目的走进学堂，也并没有什么不妥当。

同学之间因为接触比较密切，彼此比较了解，同时因为少年人不存在利害冲突，成年人则大多数从五湖四海走到一起，彼此也甚少存在利害冲突，所以友谊一般都较可靠，纯洁度更高。对于创业者来说，是值得珍惜的最重要的外部资源之一。

　　与同学相似的，是战友；可以与同学和战友相提并论的，是同乡。共同的人文地理背景，使老乡有一种天然的亲近感。曾国藩用兵只喜欢用湖南人，中国历史上最成功两大商帮——徽商和晋商不管走到哪里，都是老乡拉帮结派，成群结伙的。正是同乡之间互为犄角，互为支援，才成就了晋商和徽商历史上的辉煌。在很长一段时间内，中国几乎所有商业繁盛之地，其最惹眼、最气派的建筑不是徽商会馆，就是晋商会馆。会馆者，老乡交游约会之馆也。如今，一个人要外出创业，比如一个湖南人要到深圳创业，或者一个福建人要到纽约创业，老乡众多仍然是最有利条件之一。这是近年来各地同乡会风起云涌的原因。同学资源和同乡资源，可并称为创业者最重要的两大外部资源。

同学资源、职业资源和朋友资源是创业者人际资源的三大来源。

宋郑还

　　第二是职业资源。对创业者来说，效用最明显首推职业资源。所谓职业资源，即创业者在创业之前，为他人工作时所建立的各种资源，主要包括项目资源和人际资源。充分利用职业资源，从职业资源入手创业，符合创业活动"不熟不做"的教条。尤其是在国内目前还没有像美国或欧洲国家一样普遍认同和执行"竞业避止"法则的情况下，选择从职业资源入手进行创业，已经成为了许多人创业成功的捷径和法宝。如昆明的"云南汽车配件之王"何新源，在创办新晟源汽配公司之前，就在省供销社从事相同工作；有名的宝供物流，其创始人刘武原来也是汕头供销社的一名"社员"，被单位派到广州火车站从事货物转运工作，后来承包转运站，再后来利用工作中建立的各种关系，创立了宝供，通过为宝洁公司做物流配送商，一举成为国内物流业之翘楚。前中学数学教师、"好孩子"创始人、《福布斯》中国富豪宋郑还通过一位学生的家长，得到了第一批童车订货，这才知道世界上原来还有童车这样一个赚钱玩意儿的。同时，宋郑还做童车的第一笔资金也是通过一位在银行做主任的学生家长获得的。如果没有学生家长的帮助，宋郑还可能会一事无成。而万通的冯仑和王功权原来则是同事，两人曾一起在南德工作过，后来两人离开南德，携手海南打天下，才有了现在的兴旺发达。冯仑和王功权在事业上是一对绝配，仿佛《封神演义》里面的哼哈二将，一个弹，一个唱，配合得天衣无间。

据调查，国内离职下海创业的人员，90%以上利用了原先在工作中积累的资源和关系。

第三是朋友资源。朋友应该是一个总称。同学是朋友，战友也是朋友。老乡是朋友，同事一样是朋友。一个创业者，三教九流的朋友都要交，谈得来，交得上，就好像十八般兵刃，到时候不定就用上了哪般。朋友尤如资本金，对创业者来说是多多益善。"在家靠父母，出门靠朋友"、"多一个朋友多一条路"乃是至理名言。一个创业者如果不能交朋友，没有几个朋友，肯定只有死路一条。俞敏洪为跟警察交朋友，喝酒喝到差点死过去，但他后来发现，自己这"差点一死"，值！我们认为，建构人际关系的能力应列在创业者素质的第一位。

谋略——创业不是打架，需要多用脑子而不是力气

楚霸王之所以不值得人们同情，一在于他的有勇无谋，二在于他的妇人之仁。商场如战场，一个有勇无谋的人，早晚会成为别人的盘中餐。

可口可乐成功30法则，条条光明正大，那是因为它做到了现在这么大，如果它当初创业，就推出30法则，恐怕早就被敌人吃掉了。

创业是一个斗体力的活动，更是一个斗心力的活动。创业者的智谋，将在很大程度上决定其创业成败。尤

创业小贴士

创业是一个斗体力的活动，更是一个斗心力的活动。创业者不但要能够守正，更要有能力出奇。

其是在目前产品日益同质化，市场有限，竞争激烈的情况下，创业者不但要能够守正，更要有能力出奇。

奥普浴霸现在是国内浴室取暖产品的第一品牌。其创始人、杭州奥普电器有限公司董事长方杰，在1993年将浴霸产品引入中国的时候，国人尚没有在浴室吊顶的概念。方杰想了一个办法，将浴霸定位为时尚产品，并且专门针对那些二十来岁的漂亮姑娘进行营销。方杰的说辞是："我是国外留学回来的海归派。在国外作为一个白领能不能在家洗个澡，是一个时髦的生活方式，是你家里面生活状态的一个标志。"海派小姑娘的标志就是崇洋媚外，瞧不起"自己人"，如果有任何东西能够将她们同周围土里土气的"自己人"区分开来，她们愿意付出任何代价。方杰就巧妙地利用了上海人的这种"海派"心理，将奥普浴霸在上海滩一炮打响。

冯仑

现在很多人都很佩服冯仑，觉得这个人能做能侃，很了不起。冯仑不是有了钱才有本事，他是因为有了本事才有了钱。1991年，冯仑和王功权南下海南创业的时候，兜里总共才有3万块钱。3万块钱要做房地产，即使在海南也是天方夜谭。但是冯仑想了一个办法。信托公司是金融机构，有钱。他就找到一个信托公司的老板，先给对方讲一通自己的经历。冯仑的经历很耀眼，对方不敢轻视；再跟对方讲一通眼前商机，自己手头有一单好生意，包赚不赔，说得对方怦然心动；然后提出：不如这样，这单生意咱们一起做，我出1300万元，你出500万元，你看如何？这样好的生意，对方又是这样一个人，有这样的经历，有什么不放心？好吧！于是该老板慷慨地甩出了500万元。冯仑就拿着这500万元，让王功权到银行做现金抵押，又贷出了1300万元。他们就用这1800万元，买了8幢别墅，略作包装一转手，赚了300万元，这就是冯仑和王功权在海南淘到的第一桶金。冯仑的说法："做大生意必须先有钱，第一次做大生意又谁都没有钱。在这个时候，自己可以知道自己没钱，但不能让别人知道。当大家都以为你有钱的时候，都愿意和你合作做生意的时候，你就真的有钱了。"冯仑初到海南，尽管没钱，也一定要将自己和公司上下都收拾得整整齐齐，言谈举止让人一眼看上去就是很有实力的样子。

　　《福布斯》中国富豪陈金义当年也有过这么一番经历。陈金义在没有发迹前，有机会做一个蜂蜜加工厂。建一个蜂蜜加工厂需要30万元，但当时陈金义手头仅有3万元。他将这3万元存入银行，随后又利用这3万元做抵押，从银行贷出6万元，又用6万元做抵押，贷出12万元，如此一直到贷出办工厂所需的30万元。蜂蜜加工厂办起来后，陈金义的事业也逐渐走上正道。现在这成为民营企业家的"原罪"。有人说他们这是空手套白狼，其实不然，最多他们是利用了银行制度上的缺陷。有能力利用现存制度的缺陷，是一种智慧的表现。市场经济的假设基础，就是人都是自私的，每个人都想将自己的个人利益最大化，而结果是人们在利己的同时达到了利人的目的，个人利益与社会效益都达到最大化。说到钻空子，商人的天性就在于找空子、钻空子。有人钻空子不奇怪，如果眼见着空子在那里没有人去钻，那才是奇怪的事情。谈到空手套白狼，哪一个白手起家的创业者不需要经过一个空手套白狼的阶段呢？空手而能套到狼，不是智慧又是什么呢！

　　著名经济学家吴敬琏写过一篇文章《何处寻找大智慧》，对创业者来说，无所谓大智慧小智慧，能把事情做好，能赚到钱就是好智慧。京城白领没有几个没有吃过丽华快餐的，京城的大街小巷，经常能看见漆着丽华快餐标志的自行车送餐队。丽华快餐由一个叫蒋建平的人创立，起家地是江苏常州，开始不过是常州丽华新村里的一个小作坊，在蒋建平的精心打理下，很快发展为常州第一快餐公司。几年前，当蒋建平决定进军北京时，北京快餐业市场已近饱和。蒋建平剑走偏锋，从承包中科院电子所的食堂做起，做职工餐兼做快餐，这样投入少而见效快；由此推而广之，好像星火燎原，迅速将丽华快餐打入了北京市。假如蒋建平当初进入北京依循常规，租门面招员工拉开架式从头做起，恐怕丽华快餐不会有今天。

　　对创业者来说，无所谓大智慧小智慧，能把事情做好，能赚到钱就是好智慧。

谈到商业谋略，梁伯强是最令人敬佩的一个。梁伯强想做指甲钳，在国内却找不到过硬的技术，找来找去，他发现韩国人在这方面行，技术好。可是韩国人一向抠门，对自己的技术看得很严。

公开向韩国人讨要技术肯定不行，出钱买人家也未必肯卖。为了从韩国人那里偷师学艺，梁伯强想了一个"曲线救国"的办法。第一步，他先想办法成为韩国人的代理商，为其在中国内地批发销售指甲钳。这样既建立了自己的指甲钳销售网络，又取得了韩国人的信任。第二步，在取得韩国人的信任后，梁伯强便开始找借口，说韩国人的货这不行那不行，质量不过关，产品老崩口，天天找韩国人的麻烦，把自高自大的韩国人气得不行。最后为了证明自己的产品质量过关，韩国人竟在一怒之下，将产品生产材料和工艺流程都告诉了他。梁伯强一听大喜过望，立刻自己开打，"非常小器·圣雅伦"于是呼啸出山，一亮相就获得满堂彩。

梁伯强偷艺的故事，不禁让人想起华人第一首富李嘉诚。李嘉诚当年未发迹时，为了获得塑料花的生产工艺，也曾到意大利演了这么一出。看来，财富强人有时在财富智慧上也是惊人的相似。

谋略或者说智慧，时时贯穿于创业者的每一个创业行动中。王传福做比亚迪，别人都是用整套的机器代替人力，他偏偏反其道而行之，用大量的人力代替机器，只在不得不用机器的少数几个环节才使用少量的机器。原因在于，王传福知道，作为一个劳动力供应的大国，中国工人的人力成本远低于购买成套机器设备的成本。使用人力代替机器，虽然使比亚迪的工厂变得不那么好看，显得不那么现代化，但却把比亚迪的生产成本一下子降了下来，低于主要竞争对手日本人 40%。凭借价格优势，比亚迪在世界市场横扫千军，将日本人打得稀里哗啦。王传福也在短短数年之内，积累了巨大的财富，进入了《福布斯》中国富豪榜，2002 年排名第 41 位。

谋略，说白了就是一种思维方式，一种处理问题和解决问题的方法。当韦尔奇和通用的"6 个西格玛"席卷中国企业界，中国企业界人人奉韦尔奇为神灵，奉"6 个西格玛"为圭臬时，一位创业家说了话。他说："在我的企业里，在我目前这种状况下，我只需

谢圣明

要 3 个西格玛、4 个西格玛就足够用了，如果一定要我在我的企业里推行 6 个西格玛，那么我的企业必死无疑。"现在，这家伙的企业做得很不错。

对于创业者来说，智慧是不分等级的，它没有好坏、高明不高明的区别，只有好用不好用、适用不适用的问题。当年谢圣明带着红桃 K 一帮人，在农村的猪圈、厕所上大刷广告时，遭到了多少人的嘲笑。但是，如今在猪圈上刷广告的谢圣明已经成为了亿万富翁，而当年那些讪笑他的人呢，当年怎样贫穷，如今依然怎样贫穷。我们归结创业者智慧：不拘一格，出奇制胜。作为创业者，你的思维是否至今依然因循守旧呢？

胆量——赌徒最适合创业或许不是开玩笑

问一个问题：什么样的人最适合创业？

答案是：赌徒。

道理很简单，创业本身就是一项冒险活动。赌徒最有胆量，敢下注，想赢也敢输，所以，他们最适合创业。科学研究发现，赌徒的心理承受能力远远强过普通人，而创业正是最需要强大心理承受能力的一项活动。

大凡成功人士都有某种程度的赌性，企业界人士尤然。

我们在研究中发现，大凡成功人士都有某种程度的赌性，企业界人士尤然。史玉柱的赌性大家都知道。当年在深圳开发 M－6401 桌面排版印刷系统，史玉柱的身上只剩下了 4000 元钱，他却向《计算机世界》定下了一个 8400 元的广告版面，惟一的要求就是先刊广告后付钱。他的期限只有 15 天，前 12 天他都分文未进，第 13 天他收到了 3 笔汇款，总共是 15820 元，两个月以后，他赚到了 10 万元。史玉柱将 10 万元又全部投入做广告，4 个月后，史玉柱成为了百万富翁。这段故事如今为人们津津乐道，但是想一想，要是当时 15 天过去，史玉柱收来的钱不够付广告费呢？要是之后《计算机世界》再在报纸上发一个向史玉柱的讨债声明呢？我们大概永远也不会看到一个轰轰烈烈的史玉柱和一个赌性十足的史玉柱了。

很多创业者在创业的道路上，都有过"惊险一跳"的经历。这一跳成功了，功成名就，白日飞升；要是跳不成，就只好凤凰涅槃了。当年周枫带人做婧美，一个 500 万元的项目，做了 2 年多，花了 440 万元还是没有做成。眼看钱就没了，合作伙伴都失去了信心，要周枫把这个项目卖了。

周枫说，这样好的项目不能卖，要卖也要卖个好价钱。合作伙伴说，这样的项目怎么能卖到那么多钱，要不然你自己把这个项目买下来算了。周枫就花 5 万元钱把这个项目买了下来。原来大家一起还有个合伙公司，作为代价，周枫把在这个合伙公司的利益也全部放弃了，据说损失有几千万元。单干的周枫带着 23 名员工，把自己的房子抵押，跟几个朋友一共凑了 300 万元。他把其中 5 万元存在账上，另外的钱，他算过，一共可以在北京打两个月的广告。从当年的 11 月到 12 月底，他告诉员工，这回做成了咱们就成了，不成，你们把那 5 万块钱分了，算是你们的遣散费，我不欠你们的工资。咱们就这样了！这些话把他的员工感动得要哭，当时人人奋勇争先，个个无比卖力，结果婷美就成功了。周枫成了亿万富翁，他的许多员工成了千万富翁、百万富翁。现在很多的大学教授、市场专家分析周枫和婷美成功有诸多原因，其实事情没有这么复杂。说白了，不过是一个合适的产品，加上一个天性敢赌的领导，加上一些合适的营销手段，才有了这样一桩成功的案例。

很多创业者在创业的道路上，都有过"惊险一跳"的经历。

孙广信与周枫有异曲同工之妙。《福布斯》中国富豪孙广信在没有发迹前，只是在乌鲁木齐做一些拼缝之类的小生意。这样的小生意人在商业传统悠久的乌鲁木齐多得是。孙广信起家于做酒楼。1989 年秋季的一天，孙听到有一家专做粤菜的广东酒楼的老板因为欠债跑掉了。孙广信跑到那里一看，嗯，这个酒楼不错，地理位置好，门面也不赖，行，可以做，是个机会。当时就借了 67 万元把这个广东酒楼盘了下来，又从广东请来好厨师，进了活海鲜，鱼、虾、鳖、蟹，还有活蛇。此前孙广信从来没有做过餐饮业，新疆人又吃惯了牛羊肉，对生猛海鲜不感兴趣，感兴趣的人也不敢轻易下箸。头 4 个月亏了 17 万元，亏得孙广信眼睛发直。他坚持了下来，通过猛打广告猛优惠，将客源提了上来。孙广信从酒店里赚到了钱。中国的酒楼多得是，赚钱的老板都不少，为什么现在只有孙广信出名呢？因为孙广信没事就在酒楼里观察他的顾客，琢磨他的顾客。有一回，一个客人一下定了一桌 5000 元的酒席，把孙广信吓了一跳。在当时 5000 元可不是一个小数。他一琢磨，什么人这样有钱，出手这样阔绰？一打听，原来是做石油的。再一打听，乖乖，了不得，原来做石油这么肥，这么来钱呢。孙广信就开始转行做石油。后来孙广信成了《福布斯》中国富豪。孙广信现在做的事是西气东输。连国家都要掂量再三感觉头痛的工程，他都敢做，而且他有资本做得起。

创业需要胆量，需要冒险。创业家的冒险，迥异于冒进。

创业需要胆量，需要冒险。冒险精神是创业家精神的一个重要组成部分，但创业毕竟不是赌博。创业家的冒险，迥异于冒进。有一个故事：一个人问一个哲学家，什么叫冒险，什么叫冒进？哲学家说，比如有一个山洞，山洞里有一桶金子，你进去把金子拿了出来。假如那山洞是一个狼洞，你这就是冒险；假如那山洞是一个老虎洞，你这就是冒进。这个人表示懂了。哲学家又说，假如那山洞里的只是一捆劈柴，那么，即使那是一个狗洞，你也是冒进。这个故事什么意思？它的意思是说，冒险是这样一种东西，你经过努力，有可能得到，而且那东西值得你得到。否则，你只是冒进，死了都不值得。创业者一定要分清冒险与冒进的关系，要区分清楚什么是勇敢，什么是无知。无知的冒进只会使事情变得更糟，你的行为将变得毫无意义，并且惹人耻笑。

与他人分享的愿望——分享不是慷慨，分享是明智

梁山在宋江的治理下，一派兴旺发达。众兄弟大碗喝酒，大块吃肉，大秤分金，过得好不快活。宋江治理梁山全靠两个手段，一是建章立制，自宋江而下，众兄弟排排坐，分果果，分工明确，各司其职；二是作为领导人，宋江懂得与兄弟分享。每当"买卖"有所获，宋江总是第一个安排下功劳薄，众兄弟论功行赏，按照各人的贡献，将利润进行公平分配。《水浒传》120 回，从来没有一个字讲到宋公明瞒着众人多吃多占，中饱私囊。按理说，宋江貌不惊人，论文不能吟诗作赋，讲武不能上马提枪，却将梁山一干人马治得服服帖帖，原因很简单：宋江这样的领导人，不会让大家吃亏。按经济学家的说法，就算是有人不服他，出于个人利益最大化的考虑，让宋江当头儿也是个最优选择。

作为创业者，一定要懂得与他人分享。一个不懂得与他人分享的创业者，不可能将事业做大。

若干年前，笔者曾在中关村采访过一位创业者。这位创业者当时在中关村做产品供求信息。当时，中关村做一行的人还很少，因而这位创业者的收入可观，很短时间内就买了车，买了房，但是对自己的员工却很抠门，能少给一分，绝不多给一分，他说这叫低成本运作。现在七八年过去了，

郭凡生

这位创业者的公司已经搬了几次家，但总是改不了小门脸那种寒酸的模样，员工也总是那么寥寥几个，而且员工不断地更换。中关村竞争激烈，每天都会有很多人的创业梦化为泡影。这么多年过去了，这位创业者仍然存在，仍然在中关村坚持，自有他的成功之处。但是，与和他差不多时间起步，做同样行业，而且是白手起家的郭凡生相比，他就差得远了。现在郭凡生的慧聪年产值早已过亿，在现代化的写字楼里拥有了上千平方米的办公面积，在全国各地还有数十家分公司。郭凡生也早就成了千万富翁。

郭凡生和这位创业者的区别，就在于懂得与众人分享。慧聪是1991年创立的，1992年慧聪的章程里已经写入了劳动股份制的内容。学经济出身的郭凡生这样解释他的劳动股份制："我们规定，慧聪公司的任何人分红不得超过企业总额的10%，董事分红不得超过企业总额的30%。当时我在公司占有50%的股份，整个董事占有的股份在70%以上，有20%是准备股，但是连续8年，慧聪是把70%以上的现金分红分给了公司那些不持股的职工，而我们这些董事规定得很清楚，谁离开公司，本金退还，不许持股。所以我们这些董事又都是公司的总裁、副总裁，参与的也是知识分红。慧聪早在1992年初创的时候，就确立了按知识分配为主的分配方式。"据说郭凡生第一次给员工分红的时候，有一位员工一下分到了3000多块钱。那是上世纪90年代初，3000元可是一笔大钱。这位员工以为公司搞错了，不相信世界上竟然会有"这样大方的老板"，拿到钱后竟然连夜跑掉了。

郭凡生对中关村的企业和中国的高科技企业为什么做不大也有一番高论："中关村企业有100万利润就分裂，有200万利润就打架，为什么做不大呢？就在于这个公司只有一个老板，老板拿走绝对的利益，而这个公

老板是怎样炼成的

司又不是靠老板的资本来推动发展的，当它的主体变为知识推动的时候，企业就要不断地分裂，所以中关村的企业做不大，中国的高技术企业做不大。"

美国心理学家马斯洛有个需要层次理论，说人按层次一共有 5 种需要，第一是生存需要，第二是安全需要，第三是社交需要，第四是尊重需要，第五是自我实现需要。这 5 种需要具体到企业环境里，具体到公司员工身上，就是需要老板与员工共同分享。当老板舍得付出，舍得与员工分享，员工的生存需要、安全需要、尊重需要就从老板这里都得到了满足。员工出于感激，同时也因为害怕失去眼前所获得的一切，就会产生"自我实现的需要"，通过自我实现，为老板做更多的事、赚更多的钱、做更大的贡献，回报老板。这样就构成了一个企业的正向循环、良性循环。这应该是马斯洛理论在企业层面的恰当解释。

当周枫成功地完成婷美"惊险的一跳"后，当初坚定不移地跟随着他的员工现在可享福了。不但是这些员工，现在婷美所有的员工都在分享着周枫和婷美的成功。如今在周枫的公司里，120 多名员工光小汽车就有 96 辆。这些小汽车都是公司作为奖励送给员工的。周枫规定，凡在公司工作满 3 年的员工，就送给小汽车一辆、百平米住房一套。现在周枫又买了 28 套"部长级"住房，每套 150 平方米。周枫规定，在公司工作满 5 年以上的员工，可以得到这些住房。

周枫这样解释自己的成功：我觉得我成功的因素里面有这样一条，就是我能够做到与人分享。周枫当然也有他的"小九九"。他说：我现在研究很多案例，比如三株、太阳神等等企业是怎么成的，怎么倒的。他们成功以后员工和主要干部都是什么样的福利待遇。我们中国有个现象，就是一个新兴的行业一旦做火了以后，紧接着就会分岔。好像只要做了一个给老板个人带来暴富机会的产品，之后这个企业很快就会销声匿迹，这是一个值得我们关注的现象。比如说一个口服液，做火了以后，紧接着就会出现很多很多同样的口服液，你想一想，做这些口服液的人都是从哪儿来的呢？都是从原来的公司里派生出来的。这里面有高薪挖墙脚的原因，更多是老板自身的原因。老板挣钱了，副总们会想，老板挣了，看看我自己的钱，还是没有涨多少。那好，我宁愿不拿你这 5000 多块钱的月工资了，我也不出去给别人干，因为给别人干，我可能还是拿那点工资。我自己办一个公司。几个人单独拉出去也做这个，因为别的不会做，我就仿照你来做。

一旦做成了，我也就成了百万富翁了。所以这样不断地派生，今天果茶大战，明天保暖内衣大战，还有各种的保健品大战，基本上都是这样，但是你看我做的生意，基本上后面没有跟进的人跟着搅和。婷美为什么能够一花独秀？原因在于我们有一支凝聚力特别强的队伍。对公司员工来说，如果这个企业事业发展了，他还拿他那几千块钱月薪的话，他是会有想法的。但如果他一年可以拿个 30 万元、40 万元的话，他就会考虑，自己现在出去做老板，冒那个风险，还不如在这儿做。这种比较经济学，决定了你一下就把他 5 年的时间拴死了，以后你只要巩固住，甭说 5 年，有两年你的品牌就出来了。别人再跟你做同样的东西竞争，你靠品牌已经压死了他。所以说，一个企业家要懂得与他人分享，真心分享，公平分配利益。这样做了以后，你这种坦诚，一个窝头大家掰着吃的那种诚恳，会产生很强的凝聚力。其实这样做，同时也保护了自己，比如分出岔以后，你就要用更大的广告量去抵消对方的竞争。现在像我这样，每年的广告量就减下来不少，无形中还是保护了你自己的利益。

一个企业家要懂得与他人分享，真心分享，公平分配利益。这样做了以后，你这种坦诚，一个窝头大家掰着吃的那种诚恳，会产生很强的凝聚力。

　　周枫如此精明，如此会算账，怪不得他做一样东西火一样东西呢。而且只要是他做过的东西，都做到了全国第一。做生意的人都会算账，只不过有些人算得是大账，有些人算得是小账。商业法则：算大账的人做大生意，做大生意人；算小账的人永远只能做小生意，做小生意人。

　　分享不仅仅限于企业或团队内部，对创业者来说，对外部的分享有时候同样重要。王江民不管什么时候，对他的生意伙伴都是一句话：有钱大家赚。而正泰集团的成长历史，有人说就是修鞋匠南存辉不断股权分流的历史。在南存辉的发家史上，曾经进行过 4 次大规模的股权分流，从最初持股 100%，到后来只持有正泰股权的 28%，每一次当南存辉将自己的股权稀释，将自己的股权拿出来分流到别人口袋里去的时候，都伴随着企业的高速成长。但是南存辉觉得自己并没有吃亏，因为蛋糕做大了，自己的相对收益虽然少了，但是绝对收益却大大地提高了。

　　分享不是慷慨，对创业者来说，分享是明智。

自我反省的能力——人最不乐意承认的是自己的过错

1992 年 9 月 3 日，万通成立一周年纪念日，冯仑将这一天确立为万通"反省日"。"一直到现在，每年一到公司纪念日，我们都要检讨自己。"

反省其实是一种学习能力。创业既然是一个不断摸索的过程，创业者就难免在此过程中不断地犯错误。反省，正是认识错误、改正错误的前提。对创业者来说，反省的过程就是学习的过程。有没有自我反省的能力、具不具备自我反省的精神，决定了创业者能不能认识到自己所犯的错误，能不能改正所犯的错误，是否能够不断地学到新东西。

方杰做奥普浴霸，大家觉得那么容易，好像是一蹴而就似的。其实早在澳大利亚留学的时候，方杰就有意识地到澳大利亚最大的灯具公司"LIGHT UP"公司打工。当时他还不懂商业谈判。他知道自己的缺陷，很希望学会谈判的本领。他知道他当时的老板是一个谈判的高手，所以，每当有机会与老板一起进行商业谈判的时候，他总是在口袋里偷偷揣上一个微型录音机。他将老板与对方的谈判内容一句句地录了下来，然后再回家偷偷地听，揣摩、学习，看看老板是怎样分析问题的，对方是怎样提问，老板又是怎样回答的。他就这样学习，几年以后也成为了一个商业谈判的高手。最后老板退休了，把位子让给了他。到了 1996 年，方杰差不多已经成了澳洲身价第一的职业经理人。然后他不想当打工仔了，想自己回国创业。方杰的奥普浴霸就是在这样的基础上做成的，方杰并不是一个天生的生意人。

创业小贴士

成功者有一个共通之处，就是都非常善于学习，非常勇于进行自我反省。

在我们所接触到的创业者中，除有限的几个"新经济"的锋线人物，如上海易趣的邵逸波、深圳网大的黄沁据说是神童外，其他大多也就是如曾国藩所说的"中人之质"而已，并没有哪个成功者在智力上有什么出类拔萃之处，比如智商高到 180、200 之类的。相反，这些成功者有一个共通之处，就是都非常善于学习，非常勇于进行自我反省。高德康做波司登，经常"晚上睡不着，想心事。常常半夜里醒过来一身冷汗。"高德康何许人也？江苏常熟白茆镇山泾村的一个农民。高德康曾经这样描述他的创业经历：那时候高德康做裁缝，组织了一个缝纫组，靠给上海一家服装厂加工服装赚钱，每天要从村里往返上海购买原料，递送成品。"从村里到上海南市区的蓬莱公园，有 100 公里路。我骑自行车每天要跑个来回，骑了几次车就不行了。于是我就挤公共汽车，背着重重的货包挤上去，再挤下来，累得满头大汗。因为我挤车也是在上班时间，车挤得不得了。我背着货包好不容易挤上去，车上的人闻到我一身臭汗，就把我推下来，有一次把我的腰都扭伤了。有时候他们还要骂一句，你这个乡下人，乡巴佬。神气得不得了……可是包重呀，你把我推下来，我怎么办？那个时候我是哭也哭不得，我想那些人一点都不理解我。有时甚至考虑还要不要和上海人做生意？但是不去上海，家里就没有活干，吃不上饭。只能上，乖乖地上。做生意龙门要跳，狗洞要钻，没办法的，只能受点委屈。"在这种情况下，高德康睡不着觉，后来他的事业做大了，波司登已经成为了中国羽绒服第一品牌，自己也变成了千万、亿万富翁了，却仍然常常睡不着觉。高德康总是在反省自己，为了一些想不明白的问题，他还特意跑到北大、清华上了一年学。他说："我总是在听人家讲，听了以后抓住要害，再在实践中去检验，到最后看结果，看到底是不是真的。"高德康只有小学文化，而他现在最大的爱好竟然是看书。"时间再紧张，学习也不能马虎。平时很少有时间去看书，有的时候在飞机上看看。在这种学习时间很少的情况下，每个月一定要集中 3 天时间。集中 3 天学了之后，把自己的思路理顺。作为一个领导来说，不一定整天忙得不得了的领导就是好领导，你必须把思路理顺，用一种思维的状态来考虑这个企业的发展。"

高德康作为一个山沟里的农民、上海人嘴巴里的乡巴佬，最后却能让上海人抢着购买自己的羽绒服，把上海人的钞票大把大把地揣进自己的兜里，原因何在？现在你明白了吧！

作为一个创业者，遭遇挫折、碰上低潮都是常有的事。在这种时候，反省能力和自我反省精神能够很好地帮助你渡过难关。曾子说："吾日三省吾身。"对创业者来说，问题不是一日三省吾身、四省吾身，而是应该时时刻刻警醒、反省自己，惟有如此，才能时刻保持清醒。我们将自我反省的能力放在最后，并不意味着我们认为它是有关创业者素质的最不重要的一项。相反，我们认为创业者需要的是综合素质，每一项素质都很重要，不可偏废。缺少哪一项素质，将来都必然影响事业的发展。有些素质是天生的，但大多数可以通过后天的努力改善。如果你能够从现在做起，时时惕砺，培养自己的素质，你的创业成功一定指日可待。

[第二章]

创业，悬崖上的美丽舞蹈

Entrepreneurship in China

对创业者的研究，是一件十分有趣的事情。我们发现，虽然在所有成功创业者的身上，都能找到一些共同或曰共通的东西，但在其成功的具体表现上，却表现得纷繁复杂，多姿多彩，令人目不暇接。

与其他创业者不同，有一类创业者在一开始就志存高远。如《福布斯》中国富豪榜排名第一位、总计个人资产达到 83 亿元的希望集团刘氏兄弟在最初创业时虽然没有孙正义那样的计划性和条理性，但这 4 兄弟个个都不缺乏野心和雄心。与一般的创业者不同，刘氏兄弟一开始就悟透了"舍得"二字。刘氏四兄弟刘永言、刘永行、刘永美、刘永好，本来都在国家企事业单位，都有一份好工作，老大刘永言在成都 906 计算机所工作，老二刘永行从事电子设备的设计维修，老三刘永美在县农业局当干部，最小的兄弟刘永好在省机械工业管理干部学校任教。他们没有像大多数有条件的创业者那样脚踏两只船，随时做着创业失败后洗脚上岸的准备。他们将自己置之死地而后生，所以能够勇往直前，从孵小鸡、养鹌鹑开始，根据实际情况随时扩张创业项目，一直发展到搞饲料、搞电子、房地产、金融和资本运作，多角经营，多管齐下，终成大业。尤为难能可贵的是，刘氏兄弟在家族企业做大以后，当兄弟之间在企业发展方向上意见相左时，能够平稳地进行产权分割，完成和平过度，没有伤到企业元气，留下了企业进一步做大的空间。类似刘氏兄弟这样能够如此平稳地解决家族企业产权问题，在中国家族企业中是不多见的。

但更多创业者是被逼上梁山，如北京第一辆法拉利的拥有者李晓华、创办广东七喜电脑有限公司的易贤忠的创业活动都是这样。李晓华出身贫寒，一家 6 口挤住一间 7 平方米没有窗户的住房。李晓华只有初中毕业文化程度，后下放北大荒，返城后在外经贸部出口大楼食堂做过炊事员，曾因贩卖电子表被劳动教养 3 年，既而被单位除名。李晓华在走投无路之际为养家糊口，开始捣腾些小生意，成为中国第一批个体户。李晓华赚的第一笔钱是在北戴河卖所谓的"美国冷饮"，当时投入资金是 3500 元，这也是当时李晓华全部的家当，收获则达 10 万元人民币，时间只有一个夏天。后来李晓华又在秦皇岛放录像，靠香港武打片获利超过百万元。李晓华真正暴发是后来东渡日本，成为章光 101 毛光再生精在日本的总代理。李晓华发达后，买了一辆世界顶级跑车法拉车，据说这也是中国内地第一辆法拉利，靠这辆法拉利，李晓华一举成名。易贤忠在创业前则属广州一家国有制药集团属下企业厂长，因女儿患脑疾，为筹集医药费被迫下海。易贤忠的第一笔业务是为停业装修的广州南方大厦制作 500 只节能电子镇流器，资本金为从广东中山小榄镇一个小老板处赊销的价值 5000 元的电子原材料。易贤忠以自己 50 平米住房做工厂，获利千元，后来易贤忠据此成立白云节能电子电器厂，3 个月获利 14 万元。直到这时候，易贤忠仍不是在有意识地自主创业，而只是为了临时解决家庭中的一点实际困难。易贤忠在筹得为女儿治病的钱后，又继续回原厂上班，直到其所在的工厂衰败，才不得已第二次下海，创立广东七喜电脑有限公司，直到这时候，易贤忠才算是开始了自己真正的创业活动。

不少创业者是被逼上梁山的。

除非是基于几种特殊情况，一种如鲁冠球、沈爱琴、李桂莲等，他们的企业均系由原乡镇企业或集体企业转制而来，历史悠久，发展顺遂，符合政策，顺理成章；另一种如香港中信泰富集团董事长荣智健，身为中国著名红色资本家、国家副主席荣毅仁之子，祖传基业，创业条件非他人可比，自然顺风顺水；还有一种如丁磊、张朝阳的“IT 时代创业”，玩得是别人的钱，成功了当然最好不过，不成功自己也没有多大损失。除非是基于这样几种情况，创业其实是一种高风险的活动，有时候风险会大到非创业者本身所能够承受。像有“中国鸡王”之称的大连韩伟企业集团创始人韩伟。1956 年，韩伟出生于大连三涧堡镇东泥河村一户农民家庭。韩伟读书不多，初中文化。懂木匠手艺，略懂畜牧知识。1984 年韩伟辞职下海，创业本金是依靠从亲友处借来的 3000 元，豢养蛋鸡 50 只，同年底，韩伟从银行贷得 15 万元，开始兴办养鸡场，一举成为大连最大的饲养专业户，同时亦成为大连负债最多的个体户。如果此时发生一场鸡瘟，韩伟将一蹶不振。

韩伟知道自己所冒风险极大，所以后来说起来都有些后怕，想不清楚自己当时怎么会有那么大胆子。韩伟后来依靠政府的"菜篮子"工程发达起来了，但很多创业者并没有他这样的幸运。

我们曾经接触过一个叫陈宏的创业者，这位创业者3次创业，3次失败，欠下了80多万元的债务，不但搞得自己身心俱疲，而且连累家庭、亲友亦不得安生，非常具有典型意义。这位名叫陈宏的创业者曾经是国内烹饪界一位出名的厨师，曾经获得过陕西省职业技能大赛冠军、全国职业技能大赛亚军。他给别人打工时年薪曾经达到8万元以上，是当地有名的打工榜样。然而，抱着"不想当老板的打工仔不是好打工仔"这一理念的他，在成名后不再安于为别人打工的现状，开始做起了老板梦。

陈宏出生于西安市郊一个普通农民家庭。由于家境贫寒，上完初中后便辍学回家务农。17岁那年，经人介绍，他到一家饭店当上了一名洗碗工。虽然当洗碗工很辛苦，收入也低，但初进城市的陈宏还是很满足，对工作十分投入。

陈宏年龄虽小，但为人十分机灵，老板病了他会寸步不离在身边伺候，大师傅需要买烟买酒时，还没说话他已经跑出去了，因此，陈宏深得大家的喜爱。饭店里的大师傅们经常手把手地教陈宏如何练习刀功，如何给师傅打下手配菜。

一次，一位案头师傅对陈宏说："如果你在3个月内能把刀功练到我的水平，我就免费把我所有的技术都传授给你！"本来是一句玩笑话，陈宏却马上当了真，当即他在心里暗暗鼓劲：我一定要抓住这次机会！两个月后，陈宏硬是凭着自己的聪明和勤奋，使刀功达到了师傅的水平，那位案头师傅见识了陈宏的吃苦耐劳精神，深感震惊，于是毫无保留地把所有技术悉数教给了陈宏。聪明的陈宏自然不会浪费这个机会。在这个饭店工作的3年时间里，陈宏一刻也没有懈怠，终于掌握了师傅教给他的所有技艺，练就了一手出色的厨艺。后来，陈宏参加烹饪考试，很轻松就考取了二级厨师资格证书。

1994年，23岁的陈宏代表饭店参加了西安市职业技能大赛，一路过关斩将，最后夺得了烹饪组的冠军。随后，陈宏又与其他行业的精英们一道，代表陕西省参加了全国职业技能大赛，并取得了厨师组第二名的好成绩。

由于取得了职业技能大赛的冠军和全国亚军，陈宏的打工之路顿时豁然开朗，各种荣誉接踵而来：先是取得了一级厨师资格证书，接着又被西头顶着光环,又有过硬的技术,陈宏一下子成了西安烹饪行业的"香饽饽",一时间,西安的各大饭店和宾馆纷纷邀请陈宏加盟,薪水一个比一个开得高,经过比较,陈宏选择了一家刚开业的五星级酒店,年薪8万元,当厨师长。

好事成双。陈宏在事业上突飞猛进的时候,爱情生活也异常顺利:与青梅竹马的女友结了婚,在市中心买了一套80多平方米的房子。一年后,夫妻俩就有了一个可爱的儿子,一家三口从此过上了中产阶层的生活。

因为厨艺高超,在陈宏上班的大饭店里,来吃饭的许多大老板都点名要陈宏做菜,时间长了,陈宏慢慢地结识了许多有钱的大老板。一次,一位老板酒后拍着陈宏的肩膀说:"兄弟,以你的本事,拿这点儿工资太少了,还不如出去自己干。"听了这位老板的话,陈宏一夜未睡。他想,俗话说得好,不想当元帅的士兵不是好士兵,自己打工已经打到这地步了,再往上也好不到哪儿去,还是应该想办法自己创业当老板。

1997年4月的一天,当陈宏得知有一家酒店因生意清淡需要转让的消息后,感到自己的机会来了。他毅然辞去了年薪8万元的工作,拿出所有的积蓄,又向亲戚朋友借了一些钱,一共投资近30万元将那个酒店盘了下来,并装饰一新。为了吸引顾客,陈宏亲自下厨掌勺。

然而,事情并没有朝着陈宏预计的方向发展。由于酒店地理位置偏僻,加之陈宏不懂经营和管理,以为只要自己的菜做得好,顾客自会盈门,哪知道完全不是那么一回事。自从陈宏接手以后,那家酒店的生意一直不好,开张半年了,酒店的营业额还不够支付当月租房的钱。

面对萧条的生意,陈宏事必亲躬,店里大小事都要自己去操心,往往是顾得了这边又丢掉了那头。服务员偷懒,工商、卫生突击检查等等,让陈宏头痛不已。

一次,工商部门因为陈宏饭店的证照不齐全,罚了陈宏一大笔钱。一急之下,陈宏为了尽快挽回损失,便在饭菜质量上做文章,"减一点点分量,多收一点点钱",一来二去,被顾客发现,投诉到消协,饭店的名声一下就臭了。

一年时间不到,陈宏为开饭店欠下了20多万元的债务。

以前的工资虽高,但陈宏成名没两年,手头并无多少积蓄。陈宏出身农村,没有什么背景,完全靠自己的手艺挣钱,对陈宏来说,这笔债务无疑是巨大的，变卖了家里几乎所有值钱的东西，甚至把房屋作了抵押贷款，才把债主打发出门。

这一年的春节，是陈宏自"出道"以来过得最为惨淡的一个春节，一直到大年三十晚上，家里还有债主在逼债。好不容易送走最后一个债主，陈宏夫妇已累得筋疲力尽。守着一个空空荡荡的家，夫妻俩抱头痛哭。

春节过后，为了一家人的生活，陈宏不得不再次应聘去了一家酒店当厨师。原来的老东家不肯接纳陈宏，新的东家比较小气，只愿给他一个月4000块钱的工资。急等着钱用的陈宏没有时间，也没有精力去精挑细拣，工资少也只好接受。

按理说，有过一次失败的创业，陈宏应该从中吸取教训，吃一堑长一智，但实际情况却不是这样。

1998年，在南方城市一度十分流行的卡拉OK渐渐传入了西安，一时间，大街小巷都是卡拉OK厅。走到哪里都能听到看到唱卡拉OK的人。

看到这个情况，陈宏很激动：别人做卡拉OK生意都赚了钱，自己不比哪个人傻，不比哪个人笨，做也一定能赚钱，反正这个行业又不需要什么技术，只要买回几套好一点的音响，买一些好一点的带子，弄个大一点的房子就行了。为了筹措开卡拉OK厅所需要的资金，陈宏几乎动用了自己所有的朋友，四处求爷爷告奶奶，包括岳父母家都借遍了，好不容易才筹集了10万多块钱。经过一段时间的筹备后，陈宏再次辞职，把全部精力投入到他的卡拉OK事业中。

可不做这个行业不知道，只要一做，就知道自己不懂的东西太多了：首先，要想让顾客上门，音响效果一定要好，对设备要求相当高；其次，要对流行音乐市场新碟新歌有敏锐把握；第三，这一点更为重要，也更难做到，作为娱乐场所要和各方面搞好关系，包括当地那些街头混混。前两项陈宏可以请人帮忙，还不算太难，后一项，陈宏作为老板只能自己出面，对做厨师出身的陈宏来说，实在有些勉为其难。

陈宏的卡拉OK厅刚开始生意还算可以，但随着时间的推移，西安的卡拉OK厅越来越多，设备、档次都比陈宏的卡拉OK厅要高出不少。陈宏想升级设备，又没有资金，陈宏卡拉OK厅的顾客一天比一天少起来。一年过去，陈宏亏得血本无归，只好关门大吉。这次跟风开设卡拉OK厅，使陈宏再次欠下了近10万元的债务。因为还不上贷款，连房子都被银行收走了。

为了维持生计，陈宏不得不让一向在家里带孩子的妻子也出去给别人打工，挣钱补贴家用。为了节省开支，一家人挤在一间不足 10 平方米的简陋平房里，一日三餐能节省就节省，能敷衍就敷衍。

好在陈宏有一手过硬的厨师手艺，找份工作不成问题。他很快就在别人的介绍下，谋到了一份厨师工作，每个月包吃住，还有 4000 来块钱工资。不过，由于要偿还债务，陈宏每个月只能给家里留下 200 多块钱作生活费。

陈宏认为自己两度创业失败都是因为运气不好，他从来不认为自己没有本事，不是当老板的那块料。所以，两度创业失败虽然使创业的火焰一度在他胸中黯淡，但并没有彻底熄灭。他每时每刻仍旧在寻找东山再起的机会。

陈宏第三次创业瞄准的是茶楼。和卡拉 OK 一样，这时候茶楼正在西安兴起。陈宏想，事不过三，已经失败了两次了，这回他一定能够成功。可是创业的资金从哪里来呢？能借的地方都已经借遍了，如今欠着别人一屁股债，再向亲戚朋友借是没有可能的了。心眼活泛的陈宏想来想去，主意就打到了他现在供职的饭馆上面。他对老板说自己想买房，钱不够，想向银行贷点款，饭馆能不能给他提供一个担保？饭馆老板本来就很欣赏陈宏的技术，生怕他跑掉，有这个机会留住他，何乐不为！饭馆老板很爽快就答应替他提供担保。陈宏骗得饭馆老板为自己提供担保，随后把买来的房子再作抵押，向高利贷商人借贷了 8 万块钱，开办了一家环境舒适、格调幽雅的高级茶楼。

陈宏原来打算，通过借船出海，赚到钱后马上归还这笔高利贷。可他万万没有想到，事情并没有他想象中的那样顺利。

茶楼开业后，生意出奇的好，为此陈宏总算松了一口气。这回陈宏吸取了开饭馆时的经验教训，对茶楼地理位置精挑细选。由于茶楼地理位置优越，服务到位，前来喝茶、洽谈生意的客人络绎不绝，所以每天差不多有近 2000 元收入。除去房租、员工工资和其他费用，月收入差不多有 2 万元。他想，按这种收入，一年他就有近 20 万元，还完所有的债，包括房屋贷款，顶多也就是两三年的事。

但是，人算不如天算，生意好了没有两天，从 2003 年 3 月份开始，一场突如其来的"非典"风暴，把人们都封锁在了家里，百业萧条。在这种情况下，茶楼的收入急转直下，而各项支出，包括高利贷的高额利息却一天也不能少。陈宏坚持了两个月，情况仍不见好转，茶楼只得再一次倒闭。

屋漏偏逢连夜雨，由于陈宏先前哄骗所供职饭馆的老板，利用所就职饭馆向银行担保借贷购房，购房后他又将房屋抵押，向高利贷借钱开办茶楼。发现上当受骗的饭馆老板十分恼火，带人找到陈宏，要求他必须和该饭馆签订 10 年用工合同，每个月除基本的生活费用外，其余的收入全部当作扣款，以备银行向担保人追债时偿还银行。与此同时，高利贷听说陈宏的茶楼倒闭，害怕坏账，天天堵着门向陈宏要钱，态度十分恶劣。高利贷本、息，加上以前没有还清的债务，陈宏的负债足足超过了 80 万元……妻子再也受不了这个打击，带着孩子偷偷地离开了陈宏。

2004 年 5 月，我们见到陈宏的时候，他表示自己已经"闭门思过了一年多"。他对我们说，以前总以为能做好打工仔就一定能做好老板，通过 3 次失败才知道，做老板远不是想象中的那么简单，做老板的要求和做打工仔的要求太不一样了。

从我们的角度分析，我们认为陈宏几次创业，几次失败，原因各不相同。陈宏的第一次创业失败是因为他过分相信自己的技术，以为只要自己的技术好，客人就会自然而然地跟过来，而忽视了技术只是创业的一个因素，创业还有其他许多重要因素，比如开饭馆，好的烹调手艺、好的地理位置、好的客户服务缺一不可。陈宏所犯的错误，也是一切"技术"分子创业时容易犯的错误。

陈宏第二次创业失败，可以说主要失败在项目选择上。第一，卡拉 OK 是一种时尚消遣，一般来说，时尚消遣都有一个特点，就是来得快去得快，不适合做长期投资。第二，时尚消遣生意的第二个特点，就是跟风者众多，大家一拥而上，恶性竞争，最后一齐将生意快速做烂。第三，时尚消遣生意如果不被迅速做烂，那么，最后出现的结果就是恒大恒强，这是时尚消遣生意的第三个特点。如果你有足够的资金和实力，你可以慢慢将竞争者一一"收拾"，最后将生意归于你一家或少数几个寡头，就像卡拉 OK 虽然在京城几年前就已经过时，但仍旧有钱柜、麦乐迪等大家伙活着，而且活得都不错。小投资者在准备从事时尚消遣生意时，一定要小心，如果嗅觉好，能得风气之先，快进快出，有可能很轻松地赚一把。否则，像陈宏这样中途入场的小投资者，一方面要面对市场被做烂掉的风险，另一方面，要面对被行业大鳄挤掉或吞掉的风险。第四，卡拉 OK 属于娱乐业，对于娱乐业及其从业者，国家有一套特殊的管制方法，地方上一般也会有很多针对性的措施，小投资者很难适应，而且娱乐业对从业者"社会关系"和社会活动能力的要求非常高。"素质"不够的小投资者，失败几率非常高。而这些恰恰是生于农村、长于厨房的陈宏的最大短板，其第二次创业失败在情理之中。

陈宏第三次创业在项目选择上仍旧有问题，第一，在选择项目时，受惯性力量的支持，仍旧是一味跟风。第二，在北方做茶楼生意，与南方完全不同。北方人基本没有闲来无事泡茶馆的消费习惯，到茶楼的人大多都是为了谈事，所以，对茶楼的装修、服务要求都非常高，基本是大投入大产出(当然大投入也可能没产出)，小投入没产出(小投入肯定没产出)。陈宏茶楼的生意之所以开始还可以，与他当初做卡拉 OK 一样，是因为跟风者还没有大规模地起来，但这种局面是不可能持久的。陈宏懂得跟风，别人一样会懂得跟风。第三，陈宏依靠借高利贷做创业本钱，高利贷的高使用成本要求他的生意始终需要保持较高的产出，才能够长期维持，而茶楼作为一门竞争性生意，是不可能长期维持高产出的。就算陈宏的茶楼能够长期维持这样高的利润水平，以其茶楼平均每月 2 万元的收入，即使全部用去还他借的高利贷，至少也需要半年左右的时间。他每个月还需要还银行的住房贷款。即使其他债务他可以暂时拖着不还，银行的债是一天也拖不了的。这样算起来，至少在相当长的一段时间内，陈宏要将赚来的钱全部用于还债，而不能投入到改善经营、扩大再生产，这有可能使他的"先发"优势丧失殆尽。另一方面，创业者应尽量寻找使用成本较低的资金，类如陈宏所使用的高利贷资金，一般只适合于某些短平快的项目，而不适合常规生意，如做茶楼。在一个充分竞争的市场，行业整体趋势一定是倾向平均利润的，在这种情况下，谁的成本最低，谁就有可能坚持最久，谁就有可能取得最后的成功。像陈宏这种成本高的经营方式，不失败的可能性微乎其微。所以，陈宏第三次创业的失败，不可以完全归罪于"非典"，其实，"非典"只是一个外部诱因，陈宏第三次创业失败的根子，早就在内部埋下了，可说是错误的创业思路开出的一朵恶之花。

我们虽然很欣赏像陈宏这样的创业者不息的斗志，这非常难得，可能是其未来事业成功的一个前提。但我们并不赞同他的鲁莽行动。我们对陈宏建议，如果他还有第四次创业，希望他能将自己的创业活动与自己的特长结合起来，从开一个小饭馆开始，慢慢积累资金和经验。因为创业需要全面

创业小贴士

对自己认识不清，定位不准；不能正确处理与商业伙伴的关系；合作伙伴的窝里斗都是创业失败的原因。

的知识，这种全面的知识，从打工中是很难学到的。

陈宏失败于对自己认识不清，定位不准，有些失败者则失败于不能正确处理与商业伙伴的关系，这一点十分重要。我们曾经接触过一位名叫黄宁伟的创业者。黄是湖南株洲市最早的服装批发商之一。在最初的批发生意中，完成了原始资本的积累。后来随着市场竞争的日益激烈，短暂的辉煌后，黄宁伟发现生意越来越难做。有一段时间，他每天都在思量着如何突围，实现第二次创业。

2002年春天，宁波蕙人服饰有限公司（化名）前来株洲寻求代理商。经朋友介绍，黄宁伟认识了该公司的业务代表。蕙人服饰是女装公司，在国内小有名气，产品远销欧美，是一家前途看好的明星式企业。能够成为蕙人服饰公司的代理商，将是一个不可多得的发展机会。正在寻找新项目的黄宁伟当即提交了申请。蕙人公司对他的实力和销售网络进行了详细考察后，同意了他的请求。

半个月后，黄宁伟按照约定前往公司进行实地考察。尽管黄宁伟走南闯北多年，但面对眼前整洁的工厂、先进的生产线和络绎不绝前来提货的车辆，他多少还是有点吃惊。没等参观结束，黄宁伟就迫不及待地拿出50万元的现金支票，签订了100万元的订单。

与此同时，为了获取更大的利润，黄宁伟要求公司将湖南、江西两省的独家代理都交给他一人打理。没想到公司婉拒了黄宁伟的要求，只允许他做湖南省的总代理。不过公司答应黄宁伟，在未找到江西总代理之前，他可以向江西开展业务。

蕙人公司生产的服装款式新颖、质地优良，很快就打开了湖南、江西两省的市场。拥有湖南市场总代理权，同时也扮演江西市场实际总代理角色的黄宁伟，受到湘赣两省商家的追捧，不断有人找他要求开办县市专卖店。更令黄宁伟欣喜的是，订单进货与以前"赊购赊销"这种不负责任的经营方式大不相同，必须对市场趋势、商品流向、消费者心理、信息反馈都有详尽准确的了解，这使他的经营、管理水平有了极大的提高。

这一年，在前后不到10个月的时间，黄宁伟足足完成了近600万元的销售额，比他以前两年的营业额还多。

良好的发展势头让黄宁伟对这桩生意更是看好。2003年春节刚过，他就急不可耐地带着80万元现金支票飞赴宁波。这次，他希望除了续签2003年的合同外，还能拿下江西省的总代理权。

作为公司位居第三的代理商，黄宁伟远道而来，自然得到蕙人服饰公司的高度礼遇。蕙人公司林总经理对黄宁伟在过去的一年里所取得的成绩大加赞许，黄宁伟趁机向林总提出，希望公司能将江西省的独家代理全权交给他。原以为凭着自己的业绩，取得江西省的总代理权应是一桩顺理成章的事情，然而，令黄宁伟意想不到的是，林总不仅拒绝了他的要求，还遗憾地告诉他："黄总，我们实在无法满足你的要求，公司已经确定了江西省的独家代理商。"

林总的话无疑给黄宁伟当头一棒，将他击懵了。半晌，他缓过神来，据理力争："林总，我已经在江西投入了大量资金，建立了较完善的销售网络，而且运作良好，将湖南、江西两省交给我有什么不可以，为什么公司还要另选他人呢？"

"黄总，我们当初就有言在先，在公司未找到江西省的总代理之前，你可以先向江西开展业务。现在，公司在江西省的独家代理已经确定，因此您必须立即撤出该省的业务。"不论黄宁伟怎样讲道理、摆事实，林总却认定公司自有公司的规定，对他的请求就是不同意。

其实蕙人服饰这样做只是基于公司整体战略上的考虑，并不是针对黄宁伟的个人行为，但黄宁伟却不这么想，眼看着煮熟的鸭子飞了，他心里有一种说不出的怨气，愤懑之情油然而生。表面上，黄宁伟还是客客气气的，毕竟蕙人是他全部的利润来源，他不敢轻易得罪蕙人，但暗中他却下定决心，要找个机会，好好教训对方一下，出出心中的怨气。

在这种心境和期待下，机会终于来了。2003年7月中旬，湖南连降暴雨，洪水泛滥，造成公路、铁路多处塌方。结果，黄宁伟7月初就订购的80万元服装，直到8月才到货，比预定时间足足晚了10天。

那段时间，分销商、零售商每天像催命一样，追问黄宁伟什么时候才能到货，尤其是那些开车大老远跑来运货的客户更是怨声载道。为了稳住自己的销售网络，黄宁伟对他们管吃管住不说，还赔尽了笑脸。最后总算有惊无险，虽然蕙人公司延误了发货日期，但整批服装还是很顺利地销售一空。

一个月后，蕙人公司按合同向黄宁伟催要货款，但黄宁伟却借口公司没有按期交货，违约在先为由，拒付剩余的一半货款。整整40万元，这可不是一个小数目。第二天一早，林总便乘机飞抵长沙。

"你们的货离我订购的日期足足晚了10天，错过了销售旺季，现在还有一大批服装压在仓库里，没发出去呢！"黄宁伟态度强硬地说，"余款只有等服装全部销售完后才能支付。"

"这是不可抗拒的自然灾害，并不是公司过失造成。"林总没想到黄宁伟会来这一招，寸步不让地回应道。结果两人不欢而散。

3天后，林总出现在他的店铺里："这两天，我详细调查了你们湖南市场的销售情况。从市场反馈的信息来看，我们的产品深受分销商和消费者的欢迎……"黄宁伟暗暗叫苦，他万万没有料到对方会来这一手。果然，林总话锋一转："据我调查，这次延迟交货，给你所造成的损失不过几千块钱的招待费罢了。"

"但做生意关键的是讲信誉呀。"尽管黄宁伟还想申辩，但已明显的底气不足。

见黄宁伟还是得理不饶人，林总也咄咄逼人地问道："那黄总您认为我们该承担多少损失才合理呢？"

"按照合同规定，起码也要赔4万元。"

"顶多5000块钱，一分钱也不能多，否则我方将终止合同，另寻总代理。至于这40万元货款，我保留诉诸法律的权利。"林总还没忘了特别提醒一句："别忘了，合同是在宁波签约的，归宁波管辖。"

黄宁伟本来只是为了出出心中的怨气，并不想把事情闹大。如今见事情搞糟了，他不得不见风使舵，停止讨价还价，乖乖地将40万元双手奉上，并亲自将林总送到机场。

原以为此事就这样过去了，然而，令黄宁伟没想到的是，第二天，他意外地接到从宁波发来的传真，公司决定停止同他的一切业务往来。

尽管黄宁伟极不情愿，但他只能在分销商的惋惜声中独自懊丧。接下来的日子里，黄宁伟也主动同一些厂家联系过，希望加盟做他们的湖南总代理，但每次在拍板的最后关头，这些厂家纷纷打起了退堂鼓。原来，他与蕙人公司的争端在市场上传开了，有厂家代表明确告诉他，不敢与其合作，担心他会在关键时刻敲竹杠，也对自己来这么一手。

另一位创业者刘剑平的创业则夭折于与合作伙伴的窝里斗。创业者刘剑平学电力出身，大学毕业后进入广东省肇庆市一家灯饰公司开发部，从事灯饰产品的研制开发。但天性不安分的他始终认为打工是没出息的，要想成功，只有自己当老板。于是，他便把业余时间的一半花在了怎样当老板上的思考上。

2000年6月，刘剑平给远在长沙的同学王国华打电话。王国华在长沙有一家自己的电力安装公司，但由于社会活动能力不强，业务始终没有太大起色。刘剑平问他能否想过将业务转到节能灯饰生产上来。令刘剑平感到惊喜的是，王国华竟然也觉得节能灯饰是一个好的项目。

王国华一直在从事电力安装，对灯饰及相关产品非常熟悉。而刘剑平经过这一年多的努力，在节能灯饰这种产品上，从设计到生产都能一个人负责下来。而且在这一年中他也接触了大量的供应商，并跟他们保持着良好的关系，重要的元器件他都能找到最直接的供应商，在成本控制上具有相当优势。所以，从这种产品来说，刘剑平觉得自身的条件是相当成熟的。

他们开始考虑钱的问题。这几年刘剑平是东跑西跑，口袋里没存上几个钱。而王国华的公司虽然开了将近 3 年，但每个月也只够维持，所以也同样没什么钱，但他不想错过这个创业的好机会，便结束了手头的生意，再东挪西借好不容易凑了 12 万元钱。而刘剑平呢？经过一段时间的思考，觉得自己真正能做这件事后，就带着自己惟一的 1 万元钱，于 2002 年 9 月辞职来到了长沙。

两人经过一番调查和讨论，决定把产品定位在中高档次上。因为节能灯饰作为电力产品，人们基于安全考虑，一般不会购买档次比较低的产品，而凭着刘剑平这两年多的经验，只要严把质量关，品质一定不会输给别人，所以他们认为把产品定位在中高档次应该是一个最佳切入点。虽然 8 万块钱不算多，但他们可以用这些钱在买完一些基本的仪器设备后再生产 4000 套产品，等这些产品卖出后他们继续做第二批，然后第三批，如此慢慢地把规模做大。

在几许兴奋与不安中，他们的节能灯饰项目算是真正开始了。但很快，一些问题便接踵而来。由于对周边的配套市场不熟，一些极普通的电子元器件，在深圳赛格电子市场一抓一大把，而在长沙却找遍了都寻不见，他们只好托人从深圳买回来；再由于过分相信一些供应商的口头承诺，等拿到货时才发现其规格与自己的要求相差甚远，但因没有合同，吃了哑巴亏……

经过一个半月的努力，他们的节能灯饰终于面世了。为了能使产品一炮打响，他们特意请人取了一个吉利的名字—— 东方明。在产品的包装纸盒上，刘剑平与王国华却产生了分歧。刘剑平受一篇文章的影响，说将来产品包装的趋势是"无成本包装"，意思是把包装成本降至最低，因为这些成本最终还是会落到消费者头上，也造成了一些资源的浪费，从环保的角度考虑，"无成本包装"将是产品包装的必然方向。所以他极力主张用

Entrepreneurship in China

单色印刷的纸盒。而王国华却觉得用彩印比较好，因为色彩鲜艳的外表比较容易引起消费者的注意，新产品上市，一点名气都没有，这样的包装对打开销路有好处。

事后证明王国华是对的。因为在后来产品销售的过程中，发现消费者对彩色包装的产品更感兴趣，特别是那种偏中高档的。最终，他们用的是单色印刷，这并非是刘剑平说服了王国华，而是他们当时没有多少钱了，因为彩色印刷所用的菲林就要几千元。

一个完整的产品在费尽了周折之后总算可以摆在消费者面前，但由于采购上的失策，做这4000套产品所花的钱远远地超出了他们的预算，让他们原来的资金预算没有了任何意义。但毕竟产品出来了，这让他们觉得前所未有的兴奋，仿佛财富就在触手可击之处。但顺利的开始和充满希望的未来，好比浓咖啡下肚，让刘剑平和王国华不觉得有丝毫疲倦，但同时它也有麻醉剂的效果，使他们感觉不到危机已经像毒蛇一样，悄悄爬到了脚边。

他们原来说好，刘剑平负责产品方面，王国华负责销售。所以在产品出来的第二天，王国华就抱着一箱节能灯饰到长沙市最大的南湖电器城找经销商去了。其实，在产品出来前，他们就去联系了一些客户，所以对此次南湖之行充满了无限的期待。但是王国华回来之后反映的情况却令刘剑平大失所望。

这次王国华去找了20多家经销商，虽然其中有几家对他们产品的质量相当满意，但由于他们的产品刚上市，还未被消费者认可，又没有广告支持，所以不敢贸然进货。还有一家业务做得挺大的经销商，经营有好几种品牌，但脾气也挺大，必须压货做，即答应销售他们的灯饰，但是只能在产品销出后才能给他们货款。可这对于急于想周转资金的刘剑平他们来说，无疑是一种难以接受的选择！

第二天，王国华又去了，在电器城一家一家地问过去，但结果都差不多，除了同意代销外，没人愿意进他们的货。转眼半个多月过去了，由于产品一直没人要，资金周转就出现了问题，刘剑平和王国华俩感到了一种天塌下来的感觉。在分析推销失败的原因后，他们一致决定聘请销售人员。

没想到此招还真灵。经过销售人员两天的努力，终于有一家经销商答应进他们2箱货，而且可以付60%的货款，其余月结。虽然这笔生意不大，还不够支付员工的工资，但毕竟有了创业以来的第一笔营业额，捧着这笔钱，他们算是真真切切地体会到了绝处逢生的那种感觉！

第一笔交易的成功，给刘剑平他们低迷的情绪犹如注入了一针兴奋剂，使他们将以前的颓势完全归罪于营销策略的失败。为了能够将产品销售出去，摆脱这种局面，他们决定继续广招销售人员，加强铺货促销。由于当时的指导思想是一切以销售为中心，以至于连赊账这种事情都疏于管理了。3个月以后销量是上去了，但利润率却远低于行业的平均水平。可被公司表面的繁荣场面和快速增长的销量所迷惑着，他们虽然心中知道公司潜在的风险和软肋，但在主观上已经不愿正视了，反而继续选择招收更多的新员工，以求得更好的销售成长率。

生产陆陆续续地进行着，但资金回笼也并非他们想象的那么快，慢慢地他们快撑不住了。向人借钱他们也试过了，没门儿。一些赖皮的客户，似乎在你向他要钱的日子里都会躲起来。由于在销售成本上估计不足，一些客户不讲信用也让他们白花了不少路费。他们原打算在做完第一批产品之后再做第二批循环生产的计划，在现实面前变得没有一点儿可行性。

刘剑平和王国华原来是非常好的朋友，但是半年来销售情况毫无改善的运营，使友谊再也难以挂在脸上。恶言只要发生一次，就会在心里留下怨恨；怨恨留下一点，必然有下一次恶言。不断在彼此间滋长的不满乃至人身攻击，导致合伙创业决策的灵活性和高效率等等优势丧失殆尽。

2003年11月，等产品基本售完，货款基本上回来后，他们发现当初投入的13万钱只剩下5万元左右了。一年的辛苦不仅没有回报，反而使自己不惜卖掉公司筹集起来的12万元钱的创业金也缩水了一大半，王国华再也忍不住对刘剑平发难了，责怪刘剑平在产品包装上没有按他的意见，采用色彩鲜艳的彩色包装："做一个产品，最终目的是把它推销出去。如果不能把它送到消费者手中，你以前的所有心血都算是白费，不管你的产品有多好！可以说以前所做的一切都是为最终的销售服务。有时太为消费者考虑的做法似乎并不为消费者本身所接受。"而刘剑平呢？没想到好心办成坏事。尽管也白搭上了一年的时光，但想到自己当初的投入还不及王国华的1/10，大部分亏损都由王国华一个人承担。所以面对王国华的责备，他感到深深的愧疚，惟有在心里不停的自问：激情创业为何偏偏遭遇覆手雨？

刚起航的船，没行多久就这样触礁搁浅了。为了生存，王国华不得不又从操旧业，继续从事他的电力安装，但由于资金被抽空，再也难以承包到工程，只好沦落到帮别人打工过日。而刘剑平呢？也重新回到肇庆市，在一家大型合资企业打工。回想起这一年多来的创业经历，他坦言，作为初次创业者，他们对于创业风险明显缺乏相对准确的估计，才导致今天的朋友反目。他想给自己 3 年的时间，在一个相对规范的公司里踏实工作，积累一笔资金，然后东山再起。

失败案例似乎俯拾即是，说明创业是一项风险性极大的事业。创业者想完全避免风险不可能，但通过一些合适的方式来有效降低创业风险却是行得通的。通过调查研究，我们对创业者容易犯的一些错误进行了归纳总结。这些归纳与总结均来自

创业小贴士

创业是一项风险性极大的事业。

于创业者的创业实践，后来者如果能对这些错误加以重视，并认真采取措施加以规避，我们相信一定可以大大降低创业者在创业时的风险，所谓"前车之覆，后车之鉴"，就是这个意思。

创业者易犯错误之一

—— 投资项目过于单一

近年来，随着人们生活水平的提高，特色菜肴慢慢变成了抢手货。一位投资者看到此景，毅然抛开了一直处在考察中的其他投资项目，一心一意搞起了特色养殖。这位自称相信"风险与机遇并存"的投资者，力排众议，倾其所有，将全部资金都投入到他选定的特色养殖项目上，并坚信在自己的苦心经营下，一定能够从这个项目上获取丰厚回报。但一场突如其来的"非典"疫情，却使其梦想破灭。

虽然单一投资因为资源和资金的集中，在项目选择正确的情况下，常常会给企业带来好的收益，但单一投资的风险也是显而易见的，放大的风险只要发生一次，就可能使投资者多年积累起来的财富毁于一旦。形象地讲，投资过于单一，就像把所有鸡蛋放在同一个篮子里，一旦篮子打翻，鸡蛋也就全部摔破了。而由多项目构成的组合性投资，可以大大减少单一投资所带来的投资风险。作为一名缺乏经验的创业投资者，在进行投资决策时，一定要尽可能拓展投资思路，培养多角化投资思维方式，保持投资

项目的多元化，并注意在项目与资金之间达成平衡。

创业者易犯错误之二

—— 投资规模过大，资产负债比率过高

王平对自己准备投资的电磁炉项目充满自信，他认为这个项目一定能给他带来不菲的收益，加上通过关系，他轻而易举就从银行"套"的大笔资金，更加信心爆棚。他很看不起同行们缩手缩脚、小打小闹的样子，心想自己绝不能跟他们一样，要干就大干一场。这种心态使他忘记了自己企业抵抗风险的能力。他一心只想扩大投资规模，将"摊子"铺得越来越大，甚至提出"大就是好"的口号，连上两条生产线。企业负债随着他的盲目投资滚雪球般地扩大，王平却毫不在乎，一点也不感到害怕。在他看来，等企业一运转起来，什么债都可以还清。但等他的企业运转起来了，别人的钱也赚够了，开始拼命压价。王平的产品生产出来却卖不出去，顿时陷入了危局之中。

一开始就喜欢把摊子铺得很大，几乎是一些创业投资者的共性，殊不知种种危机就蛰伏其中，一不小心就可能爆发。同时，在经济快速增长的时候，人们容易信心超支，对未来估计过于乐观，藐视风险，从而形成投资泡沫，一旦有风吹草动，泡沫瞬间破灭，投资者就会陷入危局和困境。投资者应从风险与收益平衡的角度考虑企业的投资导向，选择合适的投资项目，并且将投资规模控制在适度的范围内。在具体投资时，应将资金分批次、分阶段投入，尽量避免一次性投入，应留有余力，以防万一环境变化，风险发生，手中再无资金可以周济，以致满盘皆输。

创业者易犯错误之三

—— 过度相信他人，不亲自进行市场调查

一位北京白领因所服务的外资企业准备撤出中国而失业，就想寻找一

个合适的项目自己投资做老板。听到消息后，一位朋友跑来向他竭力鼓吹××项目的美好前景，并说如果他相信自己，"只要你投资20万元，其他一切事情全部由我来做。到时候，咱们俩五五分成。"这位朋友又一一列举了自己的市场调查数据，分析了市场前景，结论是：××项目前景一片光明。这位白领受朋友蛊惑，不仅对20万元投资一口应允，而且在将钱交给那位朋友之前，也没有亲自或委托他人重新对这一项目的市场前景和这位朋友的办事能力进行任何调查。结果他的朋友拿到钱后，没多久就将项目做垮了，这位白领的20万元投资当然也跟着打了水漂。

通常，创业者对他人尤其是亲密朋友的意见都容易过度信任，认为朋友的话即代表了市场的真相，自己无需再对市场进行调查，从而导致投资失败。在做投资决策时，不要轻易相信任何人的意见与建议，哪怕这个人是赫赫有名的专家、你的亲兄弟、你的父亲母亲。毛主席说：要想知道梨子的滋味，就要亲自尝一尝。这是万古不渝的真理，投资者更要牢记在心。

创业者易犯错误之四
—— 急于获取回报

温州有家私营企业的小老板，看到别人因生产某种塑料产品钱都赚疯了，不由得也心急火燎起来，赶紧筹集了资金，决定也要尽快投资上马这一项目。就在这时，他手下的一名技术员劝告他说："老板，你只要将开工时间推迟4个月，我们就能安装调试好一种目前最先进的设备来生产这种产品，产品比现有设备生产的产品要好得多，相信也会畅销得多。"不料，这位老板听了却很不高兴地说："推迟开工4个月？你知道推迟开工4个月意味着什么吗？那意味着我们将白丢掉上百万元的利润。"并且命令马上开工。但不出那位技术人员所料，工厂开工没几个月，就因为配套技术陈旧、产品科技含量太低而使产品陷入滞销。这位老板不得不重新投入巨资对才开工没多久的工厂进行技术改造。

创业者在初涉投资时，易受眼前利益驱动，而忽视长远利益，采取急功近利的短期行为，这样做虽然能够使企业一时获利，却丧失了长远发展的后劲。投资是一项系统工程，创业者要克服急功近利的思想，更不可杀鸡取卵、涸泽而渔。

创业者易犯错误之五

—— 不愿寻求投资合作伙伴

国内一家生产消毒液的知名企业，在去春"非典"之前，就面临着市场需求与企业生产能力不足的矛盾。面对这种情况，有人提议找"外援"，以"合资"方式弥补资金缺口和化解投资风险。但该企业老板却担心无法控制合作伙伴，同时认为有那些找伙伴、谈合作的工夫，不如自己慢慢滚动发展，因而将此建议束之高阁。去年春天突然出现的"非典"疫情和急剧放大的消毒液市场，终于让这位保守的老板吃到了苦头，不但没有赚到本来应该赚到的钱，而且被其他几家同类企业借着"非典"契机一举超过，沦为业内的二流企业。

投资者在投资活动中，既要讲独立，也要讲合作。适当的合作（包括合资）可以弥补双方的缺陷，使弱小企业在市场中迅速站稳脚跟。如果创业者不顾实际情况，一门心思单打独斗，就很有可能延误企业的发展。毕竟，分享利润总比谁也没有利润好。春秋时代战国七雄尚讲合纵连横，投资者还是需要有一定胸襟。

创业者易犯错误之六

—— 迷恋主导权而寻求过度弱小的合作伙伴

为了在合作项目中拥有更大的"话语权"，享受说了算的痛快，两年前，苏北某知名造纸厂放弃了与许多大企业及颇具实力的投资机构的合作机会，而决定与一家小型企业洽谈合作，共同投资一个新项目。谁料在合作项目执行接近尾声时，突然出现一个意外情况——该工程的排污项目验收不合格，需要再投入一笔资金进行改造。这家造纸厂向合作方提出共同承担排污项目的改造资金，但对方却向他们道歉，表示自己做这一项目已经是勉为其难，再拿出更多的资金已是力不从心。该造纸厂只好转而向银行寻求贷款，但所贷到的资金离项目所需仍有相当距离。该造纸厂于是寻求其他的合作伙伴来解决资金难题。新找到的合作伙伴希望该厂原来的合作伙伴退出该项目，而后者则坚决不肯退出。三方僵持不下，最后该造纸厂只好忍痛放弃了这一项目。

谁都想说了算，谁都想当"主人"，但主人不是谁都能当的，不是谁都能够当好的，当家作主意味着更多的付出和更大的责任。创业者在寻求合作伙伴时一心追求话语权，但软弱的合作者却可能在你需要时，不能给予你及时和有力的帮助，反而有可能使一些更强大的潜在合作伙伴却步不前，弃你而去，使你丧失更多的机会。

创业者易犯错误之七

—— 合作伙伴选择不当

江苏某乡镇的电子仪表厂是一家刚刚起步的企业，为加速企业发展速度，该厂准备开发一个环境监测仪器新项目。但因自身实力不足，便决定寻找一个合作伙伴，共同开发这一项目。费尽九牛二虎之力后，终于找到一家愿意出资 100 万元的企业。大喜过望的电子仪表厂合资心切，对该企业只作了一番肤浅的了解，便草率地签下了合作合同。签约后半年，电子仪表厂即发现合作伙伴对合同缺乏诚意。该厂为加快项目开发速度，资金总是按时到位，而合作伙伴答应的 100 万元投资却一拖再拖，最终影响到项目开发速度，丧失了抢占市场的最好时机。

创业者因急于发展企业，对合作方的信誉、实力疏于考察，极易为企业留下隐患。在涉及到资金投入时，一定要强调资金的到位期和资金到位的比率。创业者在合作合资前，务必对合作伙伴进行全方位的调查研究，对合作伙伴的品行、经营能力、资金实力等等，都要有翔实的了解，以减少投资风险。

创业者易犯错误之八
—— 未与合作伙伴达成共识就实施

某科技开发公司发明了一项专门用于检测蔬菜水果农药残留量的新产品——检测液，但因其严重欠缺开发资金而无法投入生产。一位投资者十分欣赏他们的研究成果，决定与其合作，投资 50 万元，扶助其产品投产。新产品生产出来后，问题却出现了，投资方对生产方的市场运行方式有着完全不同的看法。自视为"救世主"的投资者，在不了解行情的情况下强行要求对方改正，而对方又觉得自己没有什么不对，执意不肯听从，双方僵持不下，迟迟达不成共识。拉锯战影响到公司生产和市场运作，更重要的是影响到公司士气，使人心涣散。公司很快陷入面临破产的险境，投资者的 50 万元也因此而灰飞烟灭。

作为一个投资者，需要的是耐心与细心。不能认为自己是投资者，就颐指气使，将自己当成救世主和百事通，这样极容易引起合作者的反感，激化矛盾，导致两败俱伤。一个理智的投资者，应学会尊重合作方的意见，并尽力弥补对方在管理、市场等方面的不足，做到有节制、有分寸，遇到问题充分交流，必要时要能够求同存异，克己从人，以争取双方利益的最大化。

创业者易犯错误之九
—— 选择实力远超过自己的投资伙伴

几个刚毕业的大学生决定自主创业。他们看好了一个很有市场的投资项目，但因自己刚毕业，经济基础薄弱，不得不寻求投资合作伙伴，以求利益共享、风险共担。经过多方考察，他们选择了一家极具实力的大型企业，对方为这一项目投入了足够的资金，同时也占据了大部分的股权。资金问题解决了，但在经营、管理、人力等诸多问题上却达不成共识。由于对方是大股东，根本不按这几个大学生的思路运作，结果不仅项目失败，还挫伤了几个大学生的创业信心，使其在破产的边缘徘徊。

这几个初出茅庐的大学生们抱有"大树底下好乘凉"的想法，单纯认为只要有了资金，其他问题都好解决。而事实上，由于合作伙伴过于强大，揽权、抢权意识强烈，几个人虽然有知识有想法，却陷入英雄无用武之地的尴尬中。尤其是对于刚出道的创业者，在以股权融资的时候，一定要考虑双方力量的平衡问题。虽然不能一心想着"制住"对方，但也一定要随时警惕被对方"制住"。

创业者易犯错误之十

—— 进行没有希望的"友情"投资

王、李两位先生同为一企业下岗人员，创业时这两位兄弟般的好友同时经营了两家同类性质的公司。开始的时候，双方的经营状况还差不多。但一年之后，当王先生开始考虑如何壮大自己的企业，考虑长远发展的时候，李先生却资金耗尽，面临破产境地。求贷无门的李先生着急地求上门来。面对多年的朋友和同事那羞愧落魄的样子，王先生明知李先生根本不是搞企业的料，但还是毫不犹豫地答应将原计划用来扩大生产的资金资助好友。然而几个月之后，李先生花光了借来的钱，可企业却毫无起色，而王先生也因为这笔不小的"友情投资"，使公司因资金紧张而陷入恶性循环，一蹶不振。

商场不认友情，只讲事实。王先生在明知道对方能力不行的情况下，顾及友情仍勉强将自己本来不多的资金投资，结果既没救活好友的企业，也使自己沦入困境。投资者在投资时，一定要记住，感情代替不了理智，不要被感情的温情面纱蒙蔽住眼睛，迷惑了头脑，最后为了"讲感情"，其实却伤害了双方的感情。

创业者易犯错误之十一

—— 情绪化的投资策略

赵先生是一家集体企业的经理，几年来，连续投资的几个新项目均因各种各样的原因流产了。一系列的投资悲剧使他受到周围人的奚落和怀疑，这让他的自尊心大受打击，也更激起了他的"斗志"。恰巧这时，有下属又呈上一个据说是一本万利的新商机，急于翻本和挽回形象的赵经理连看都没有细看，更别说什么科学评估该投资项目了，当即批准。用赵经理的话说就是："一回不成，两回不成，我就不信这回还不成！"可惜市场很快回了话：他的投资又泡汤了。为了这一次又一次的投资失败，赵经理的精神几乎崩溃。

不害怕失败是好事，失败乃成功之母。但胆大不等于鲁莽。创业者因无法忍受屡屡投资失败的压力，激起赌徒心理，以情绪化的思维决策方式去决定投资方向、投资项目，则必败无疑。情绪化是最可怕的投资陷阱之一。一个创业者在任何情况下，都必须有清醒的头脑，冷静而客观地决策，如果觉得自己把握不住，可以请专家或组织智囊团来帮助自己，不能让情绪左右了自己的头脑，导致投资一错再错。

创业者易犯错误之十二

—— 忽视投资回报，投资陌生行业

经营刚上轨道的食品厂张厂长求财心切，马不停蹄地打算上马一些新项目。张厂长喜欢读书看报，知道现在专家们都在讲企业经营要多元化，也想"多元化"。他决定到一个完全陌生的行业内一试身手—— 办个服装厂。由于张厂长从来没有搞过服装，对服装行业两眼一抹黑，而他在食品行业积累的经验在服装行业又完全用不上，结果不到一年，张厂长的服装厂就败下阵来，而且还拖累了主业。

一个企业经营者爱学习、有上进心是好的，但张厂长在学习时却不善于分辨，忘记了对于一个投资新手来说，不熟不做乃是一条普遍法则。盲目进入不熟悉的新行业，既使一个经营者过去积累的经验不容易发挥，又浪费了时间和宝贵的资金。

创业者易犯错误之十三

—— 对投资项目认识不足

VCD 机曾是一种高档耐用消费品。几年前市场前景非常看好时，南方某企业决定改行做这种产品。这虽然需要一笔非常大的资金，但他们经过多方筹措仍坚持了下来。可惜等该厂产品上市时，其他跟风者的产品也接踵而至。市场陷入了价格战的泥潭，而该厂却没有足够的资金去与别人打价格战。在最初的一批货卖了 100 万元以后，该厂的产品便再也销不动了，不得不乖乖地退出了 VCD 机市场。经此一役，该厂元气大伤，至今未能恢复。

一个赚钱而技术水平要求又不太高的产品，肯定会吸引一大批跟风者，市场很快就会达到饱和状态，而一旦达到饱和，必定会有大规模的价格战。一个企业领导者必须对国内市场这一特性有充分的认识。如果企业资金实力又不足，营销跟不上，那么必死无疑。投资者应冷静评估投资项目，对自身实力和目前市场状况保持清醒认识。南方这家企业在确定上马 VCD 机项目之前，就必须对 VCD 机目前已经达到的社会保有量、产品市场容量、自身实力、竞争者状况等进行充分调查，并作出客观评估，以此作为投资依据，决定该项目是上马还是不上马，上马又胜算几何，是否有别的更好的可替代项目。

创业者易犯错误之十四

—— 不根据市场变化调整策略

几年前，某燃气热水器厂正筹措上马一新项目时，从媒介中得到一条市场最新消息：市场风向将发生某种转变。这种转变将使该厂正在进行的燃气热水器项目变得不合时宜。厂长心里十分矛盾，为自己已投入的数十万元资金痛心不已。后又一想，现今市场风云多变，一时的信息不利并不能代表未来，也许这一项目建成后，市场需求风向又会转过来呢？他决定继续对这一项目进行投资。结果，当他又投入了数十万元建成了新项目后，因为市场风向一直并未如其所愿地发生转变，各种电热水器挤占了传统的燃气热水器市场很大的份额，使这家工厂造成了很大的损失。

投资者获取有利的市场信息，不能正确地分析投资的利弊得失，并以此来调整原有的投资策略，趋利除弊，而是抱持一厢情愿的心态，这是导致这家燃气热水器厂投资失败的根本原因之一。投资者在投资项目的执行过程中，应时刻注意市场趋向的变化，努力使项目与市场趋向保持一致。一旦出现新的情况，应根据变化后的情况随时做出调整。如果市场情况发生重大变化，原有投资决策已变得明显不合理，就应壮士断腕，以避免造成更大损失。当断不断，反受其乱。

创业者易犯错误之十五
—— 轻易放弃投资项目

江苏一家乡镇企业经过严格调查、慎重考虑，终于选准了棉花加工这一投资项目，踌躇满志地着手兴建。一切工作都按计划进展得十分顺利，但项目进行到后期，却遇上国家对纺织业的结构进行调整（压锭），棉纺市场一时趋于疲软。该厂领导因此惊慌失措，就像握着一个定时炸弹，一心急于脱手。谁知当他们刚刚以低价将该项目转手后，戏剧性的一幕出现了：随着国家对纺织业结构调整的步伐迈向深入，棉纺织市场发生了强烈的反弹，接手该项目的投资者迅速将项目完工，因此大赚了一笔。

面对瞬息万变的市场，投资者必须保持良好心态，冷静分析：变化是长期的，还是暂时的？是政策性的，还是市场性的？惊慌失措只能导致决策失误，决策失误又必然导致投资失败。投资者在决定上马一个项目时，就应该对市场和政策的各种变化作出预测，并有针对性地应变。

创业者易犯错误之十六
—— 光靠运气进行的投资

辽宁的朱先生本来并不是优秀的弄潮儿，但良好的机遇使他一下海就连着挖到了好几桶金，而且这几桶金的份量都还不轻。这使他信心倍增，认为命运之神站在自己一边，他怎么都能赢。前不久，他又看中了一个新型铝合金门窗项目，毫不犹豫地投入了大量资金，但这次他却没有那么好的运气。改良塑钢门窗以其良好的密封性，保温隔热隔音的性能，使他的新型铝合金门窗在当地断了销路。投资方向的错误使其备受打击，经济上也受到很大损失。

几次好运气就让朱先生得意忘形，认为自己无所不能，可幸运不能永随。以运气为拐杖来度量财富之路，早晚要跌跟头。这次投资失败给了郭先生一个教训。"好运连连，一帆风顺"，只不过是人们一种美好愿望而已，在现实中是不可能的事。投资是一门科学，要尊重其规律，否则受到惩罚，只能算是咎由自取。

创业者易犯错误之十七

—— 对合作缺乏真诚，频频违约

赵先生精明过人，人称"小精灵"。在与一家企业合作共同开发项目时，为了让自己占到更大便宜，他在脑子里把小算盘拨了又拨，极力寻找合作条款的空档，不按合约规定办事，屡屡推诿、延迟、压缩投资时间和数额，寻找各种借口让对方替其出资、垫资。对方也并非傻瓜，他的小九九很快被察觉。因为他的失信行为，使对方对合作丧失了信心，从而在投资上与他相互扯皮，大大延长了项目的开发时间。当他们共同开发的产品上市后，竞争对手的产品早已在市场上广泛推广。剩给他们的只是残羹冷炙，投资回报少得可怜。

私心太重，合作缺乏诚意，不信守承诺，是投资合作中常见的事，亦常常成为投资失败的诱因。事实上，一个人太过聪明，总企图在合作中占点小便宜，把合作伙伴当作傻瓜，结果一般都会是"聪明反被聪明误"。一旦双方反目或互相扯皮，受损失的是合作双方。作为一个投资者，如果你打算寻找一个合作伙伴，你就一定要有与对方真诚相处的准备，1 加 1 等于 2，1 减 1 就是零，1 虽比 2 小，但却大于零。所以，如果你不能做到与合作对方真诚相处，最好还是一个人单干。

创业者易犯错误之十八

—— 迷信专家，过于相信专家的能力

　　山东一家啤酒厂为了在南方某市开发新市场，精心从厂里挑选出几位"行家"派到该市坐镇。行家们到了那座南方城市，沿用在北方老家的成熟办法进行操作，谁知结果却是卖力不讨好，市场反应极为冷淡。当有人向厂长汇报时，这位厂长答道："万事开头难。他们都是专家，不用担心，应该相信他们。"抱着这种思想，尽管长时间见不到投资效益，厂长却表现得极有耐心。等来等去，等了一年，又等了一年，等到第 3 年，这位厂长按捺不住了，他信任的那几个专家在南方的厂子，投出去一堆金子，抱回来的却是一堆砖头。职工怨气冲天，厂长亦自感无法交待，只好打发那几位灰溜溜的专家回家待岗。近年来，经常会有一些自称专家的人在各种媒体发布消息："在未来若干年内，某某类型的产品将更符合时代的要求，成为领导消费潮流的主导力量。"总会有很多人认为机不可失，在未进行市场调查时，就赶紧投资上马生产这一产品。面对周围人疑惑的目光，他们总会朗朗解释道："这可是某某专家说的，绝对不会错。"所以，一年到头总会有许多这样那样的专家在媒体上指点江山，也总会有许多听了专家的话而投资失败的倒霉蛋指着专家骂娘。

　　专家不是万能的。投资者对专家在投资中的作用往往不能准确定位。对专家的话偏听偏信，当专家出现失误时，因他们是专家而仍睁一只眼闭一只眼，结果往往造成投资失败。创业者不能过分迷信专家，既要听他们在说些什么，又要以自己的智慧加以判断、甄别；对专家既要大胆使用，又要合理地监督。只有这样，才能发挥专家在投资中的功效，增加投资的成功率。

创业者易犯错误之十九

—— 只相信金钱操纵市场

　　"只有不合格的投资，没有不合格的项目。只要舍得投入，再不好的

项目也能产生好的收益。"这是浙江某塑料制品厂厂长的"投入万能论"。为了体现自己的投入万能论，这位厂长收购了当地一家任何人都不看好的濒临破产企业，对它进行了大规模的投入。从"根"上开始，对该企业的设备、厂房进行了全面的升级换代，同时投入巨量资金打广告。然而天不遂人愿，这个厂生产的产品就是无人问津。尽管厂长咬紧牙关，进一步加强了广告投放力度，但市场反应依旧。不久，厂长终于支撑不住败下阵，这项投资以全面失败告终。

过度迷信金钱的力量，不听人劝，投资没有前途的项目，是投资者常犯的错误。须知即使是市场经济，金钱也不是万能的。创业者如果执意要用金钱的力量使太阳围着月亮转，这种违背客观规律的做法，必然要遭到惩罚。

创业者易犯错误之二十
—— 对广告认识不足

一个新崛起的化妆品生产厂老板，目睹了同行前辈们通过大力的广告宣传造成的销售旺盛局面后，颇受启发，也准备投入 10 万元将企业好好宣传一下。一位下属建议说："经理，10 万元似乎不够，恐怕难以使宣传到位。而不到位的宣传，是达不到你所预言的宣传效果的。"老板却不以为然地说："不就是上上电视，发发传单吗？10 万元还不够？肯定够！"结果，10 万元花出去了，人们依然对这个厂子和这个厂子的产品毫无印象。

创业者对于广告宣传缺乏认识和理解，从而作出错误的广告宣传策略，不但没达到宣传效果，也浪费了企业宝贵的资金。有时因为广告宣传主题不到位，反而会弄巧成拙，影响企业形象，阻碍企业产品的销售。广告是一门学问，学好了可以帮人成事，学不好也可能坏事，这一点创业者不可不察。

创业者易犯错误之二十一
—— 缺少谈判签约经验

一家同类大企业的管理者在参观一个民营小厂的新项目后，表示非常感兴趣，希望能与该厂合作，共同发展。对此，这个民营小厂厂长当然是求之不得。在谈判中，没什么经验的小厂厂长对于对方的种种要求满口应允，很快与对方签订了合作协议。但这位厂长在合同的执行过程中逐渐发觉，合同中有许多条款对自己的发展非常不利，如合同规定了产品由对方包销，却未明确产品的价格和定价方式。而合作的结果也表明，这个民营小厂厂长辛苦半天，最后不过是在为对方做嫁衣。

创业者在谈判签约的时候，往往心情激动，抱着一种"受人恩泽"的感觉，同时因为缺乏经验，缺乏合同知识，在对合同条款没有弄清吃透，缺乏深刻细致理解的基础上，便草草与人签下合同，等发现合同不公平，甚至上当受骗时，往往已为时过晚。创业者要认真学习合同方面的知识，有条件的话，不妨上上商业训练班，增加一些这方面的操作经验。同时要明白，任何商业合同原则上双方都应该是共同受益的，在商场上没有人会向你施舍，所以不必存在什么感恩心理。抱着一种感恩戴德的弱者心理与人谈判商业合同，有百害而无一利。要学会在谈判、签约时争取更多的主动权，在坚持自身权益和必要的妥协之间寻求平衡。签合同时，尽可以讨价还价，一旦合同签订，便要严格履行。

创业者易犯错误之二十二

—— 只求盈利不进行创新

于某是一个很有能力的创业者，两年不到的时间就将自己的企业打理得井井有条，生产稳定，产品畅销，盈利丰厚，在苏北颇有名气。时间一长，他就在生产管理、产品开发及市场营销上形成了套路，不肯越雷池半步，自言"以不变应万变乃企业长生之道"，认为企业产品只要销路好、盈利高，就不需要再寻求变化，不需要再研制开发新产品，不需要再进行创新投资。为此，他还特别制定了绝不"另起炉灶"的固城守池发展战略。结果没出两年，就被同行们挤出了圈子。

作为一名投资决策者，在市场竞争白热化的今天，如果紧抓住昔日的辉煌不放，不思进取，安于现状，则无异于自杀。拒绝创新投资的直接结果就是产品老化，使企业自身竞争力下降，为竞争对手打开缺口。投资者应有"忧患"意识，在企业今天尚能赢利的时候，想到企业明天假如不能赢利了该怎么办，绝不能好大喜功，固步自封。须知办企业就好像逆水行舟，不进则退。好的投资者都是"生产一代、储存一代、设计一代"，永远充满新意。

创业者易犯错误之二十三

—— 忽视无形资产

天资聪颖的吴某白手起家，在备尝创业的艰辛后，总算天遂人愿，利用本地丰厚的自然资源柴蒿，苦心研制出了新型保健产品——蒿茶，一上市就大受消费者欢迎，利润一天高过一天。企业兴旺的时候，当地商标注册代理机构多次登门拜访，劝其花点钱为自己的产品申请注册商标，但吴某根本不予理会，认为只要市场打开了，这笔投资根本不需要。不久他在市场上发现了与自己名号一模一样的蒿茶产品，一打听，对方已经对商标注册，自己反成商标侵权者了。眼看煮熟的鸭子白白飞了，吴某难过得吃不下、睡不着，悔不该当初为省一笔钱而铸成大错，丢失了本属于自己的"无形资产"。

导致吴某这类现象的出现，主要是创业者对企业无形资产(如商标权)认识不足，结果常常是自己生了半天火，却热了别人的炕头，造成企业不必要的财产损失(包括无形的与有形的)。一旦这种局面形成，创业者要么花巨资买回本属于自己的东西，要么另起炉灶，退出先前已占领的市场，无论哪种结果，都会给创业者造成损失。企业的无形资产与有形资产一样，需要创业者悉心呵护。创业者不要认为投资就是设备、厂房等一些看得见、摸得着的东西，对企业来说，有些看得见摸得着的东西，甚至比这些看不见摸不着的东西更宝贵，比如企业形象、企业商标权等等。投资者要重视无形资产，不断维护自己的无形资产，使其保值增值。

创业者易犯错误之二十四

—— 目的不明确的投资

皖南一位王先生意外地得到了一笔海外亲戚数目可观的遗赠，便筹划创业、投资，没有作出相应的策略和规划就到处设厂，多目标不计成本地四处投资。如在媒体海外投资热的鼓动下，匆匆前往越南设厂以"小试牛刀"；在国内很多地方也不惜血本兴建了很多工厂，终因经营不善而纷纷倒闭。

一些投资者在投资过程中，对未来目标没有一个明确的认识，对自身能力也不清楚，因此常常会出现许多目标夹杂在一起，分不清谁先谁后的情况。而一旦这位投资者手中资金丰裕，便容易出现撒棒子面的情况，将资金撒得到处都是，不分主次，不分轻重缓急。表面看起来，似乎最不济也可以弄个广种薄收，但投资却不是种庄稼，广种薄收很难，颗粒无收的情况却经常发生。如此投资，时间一长，再丰实的仓廪也会有撒光的一天。外面的世界很精彩，外面的世界也很无奈。对于投资者来说，不管你手里有多少钱，每一分钱都是宝贵的。花每一分钱都要精打细算。好的主妇在持家的时候，都知道一条经验，就是未算入先算出，建议各位在向外撒钱的时候，也学学这些好主妇的持家经验。

创业者易犯错误之二十五

—— 盲目追求轰动效应

商品房开发是近年来房地产开发的一大热门。喜欢制造轰动效应的胡老板，刚起步就筹集上百万资金，大张旗鼓地干了起来。胡老板的"生猛"劲儿引起了社会各界的广泛关注，再加上他在商品房开发中创造并且不惜代价通过媒体推广了一系列所谓新思维、新理念，使他迅速有了知名度，一时间成了新闻人物。消费者的抢购热潮使胡老板开发的商品房一度脱销。然而好景不长，在他正为自己"英明"的投资决策沾沾自喜之际，接踵而至的财务赤字却令其焦头烂额。微薄的利润加上庞大的开销，使企业已无法维持正常运转，巨额贷款也已无力偿还。名噪一时的他，不得不偃旗息鼓，宣告破产。

有些投资者喜欢盲目追求轰动效应，一开始就把摊子铺得很大，手里有百万恨不得去做亿元的生意，好像只有这样才算善于投资。其实，危险就潜伏在里面。巨龙一旦不能腾飞，庞大的身躯陷入沼泽地就无法自拔。名气再大，如果运作不好，也会像烟花流水，稍纵即逝。不要寄希望于媒体的炒作。一味造势并不能给你的投资带来好的效益；更不要贪大求全，在投资的实际操作中，要将你的资金根据客观情况进行科学的分配，尽量避免不必要的投资。然后扎扎实实，一步一个脚印地培育好自己的市场。只有这样才能水到渠成，获得理想的收益。

创业者易犯错误之二十六

—— 项目与现实不相符

私企老板董某几年前出国考察时，发现了一个很有发展前途的产业——高尔夫球场。回国后，他带着梦想马上信心百倍地开始投资兴建。由于这一产业牵涉面很广以及人们认识水平等的局限，人单势孤的董老板耗费了大量资金，项目却难以取得实质性进展。眼看钱囊将空，万般无奈之下，董老板只好将项目推向市场以寻求资金。但由于他的高尔夫球场项目宏大，资金回收周期长，其他投资者总是犹豫不决，不肯迅速与董老板结盟。一拖再拖，董老板终于资金耗光，跌入了无底的深渊。

理想与现实总是存在巨大差距。董老板的问题就在于，看到了产业的新颖性与市场前景，却没有考虑自己的胃口是否吃得下。一旦发现自己一个人吃不下，想找人帮着吃时，又因为缺乏前期铺垫，临上阵现磨枪，很难一时就找到一个或几个和自己"饭量"一样大，而且对这顿"饭"还感兴趣的人。董老板留给我们的教训是：不要选择与自己的实力不相符的投资项目，在进入新兴产业或选择新产品时，要充分考虑产业或产品的市场培育期，考虑自己是否有能力承受漫长市场培育期的消耗。如果觉得自己一个人承受不起，就需要找好帮手一起来承受，如果找不到合适帮手，就宁可不碰这个项目。要知道海里的鱼再大，那不一定属于你；嘴里的鱼再小，总比看着海里的大鱼强。

创业者易犯错误之二十七

—— 对高科技产品搞长期投资

一个以生产新型包装材料为主的加工厂正在努力寻找新的发展目标时，一个科研机构负责人带着他们研制的高新科技产品——"新一代软饮料无菌包装盒"前来洽谈。该厂认为，如果自己搞研发在时间上肯定不占优势，何况据他们预测，合作的第二年就可以实现收支平衡，第三年开始盈利，于是一口气与对方签订了 5 年的投资合同。然而，这种乐观的预测很快就被现实打成泡影。在新品上市第二年，市场上就出现了科技含量远胜于它的同类产品，消费者的目光也随之转移了方向。该厂的 5 年投资尚未赢利，就被阻塞了获取利润之道。

创业者目光短浅，不从发展的角度看待高科技项目，错误地度量投资项目的生命力和产品的生命周期，在升级换代日益加速、产品淘汰速度愈来愈快的高科技领域，盲目进行长期投资，必致惨败。

创业者易犯错误之二十八

—— 忽视与投资相关的地理环境

张先生偶然在一个偏远的山里发现一种极具开发潜力的产品—— 富含矿物质的优质矿泉水，暗自窃喜的他在偷偷经过一番简单调查、分析后，便急不可待地投入资金进行开发。一番努力后，矿泉水灌装厂终于建成。就在这时，张先生发现了一个新问题：面对绵延曲折的羊肠小道，他该怎样将产品运出去？修这段山路需要投资至少 10 倍于建矿泉水灌装厂的资金，这已远非张先生力所能及。张先生苦思无策，只好忍痛割爱，空手而归，白糟踏了一笔投资。

在分析投资的客观环境时，相关的地理环境和基础设施建设是创业者绝对不可忽视的因素。如果你小视它们的作用，那么必然埋下失败的隐患。

创业者易犯错误之二十九

—— 投资不能在未来领先的技术

为使自己的创业马到成功，初涉商海的山东人侯某灵机一动："购买别人的技术专利，拿来自己'做窝下蛋'，岂不既省去了大笔开发费用，又可在时间上先发制人？"选来选去，他选定一项自认为大有前途的技术，决定投巨资将这项技术的专利权买下来。有人提醒他这项专利虽然现在看好，但操作周期太长，而且，听说某某研究所有一项更先进的技术已将开发完成。现在购买这项技术，可能很快就会过时。侯先生却不听劝告，执意投资。当他将这项专利技术买到手，并且投资将其转化为产品后，人们已不再需要它了。

创业者在选择投资项目时，目光短浅，不能把握市场未来的发展方向，投巨资购买眼看要落后的技术，遭受损失理所当然。当一项投资花费巨大，可能需要较长时间才能收回成本并获得盈利时，投资者就不但要考虑它的现在，还要考虑它的将来，一项产品现在有市场，不等于将来也同样有市场。

创业者易犯错误之三十

——拒绝赚钱的小企业，投资赔钱的大公司

山西某合伙企业为达到加强企业在市场中的影响力和竞争力的目的，决定采用收购企业的投资策略。摆在他们面前有两个可选择收购公司的方案，一家是一直赚钱但规模极小的小企业，另一家则是现在赔钱未来也不见得赚钱但规模很大的大公司，到底该选哪一家呢？思来想去，他们认为自己投资收购企业，本身是为了迅速壮大自己，小企业即使再赚钱也一时难以达到这个目的，便决定投资收购那家大型企业。完成投资收购后，无论他们在原投资基础上又多投多少资金对大公司进行各项调整，其效益依

旧非常差。被收购的大企业就像一辆巨大的破车，拖着收购企业的"后腿"，使他们有苦难言。

将企业迅速做大做强确实是许多人日夜梦想的事情。但饭要一口一口吃，事情要一件一件做，想一口吃个胖子，不是个好办法。认为收购一家现在赔钱将来也不见得赚钱的大公司，比收购一家一直赚钱的小企业强，这是一个糊涂的想法，企业收购要讲目的，但不管什么目的，企业总要以效益为第一，虽然有些是短期效益，有些是长期效益。企业在收购的时候，还有一个要考虑的就是优势互补，只要能够做到优势互补，暂时赔点钱也不是什么大事。

创业者易犯错误之三十一
—— 投资时无视银行支持

民营企业老板施某自从涉足商海，依靠自身力量有所成就后，便渐渐藐视来自银行的支持。在制定一项对当地来说具有标志性意义项目的巨大投资计划时，因该项目备受当地社会各届人士的关注，施某头脑一热，脑海中的非经济因素就占了上风。他向外界扬言，不向银行借一分钱，仅凭自身积累进行该项目的投资。不幸的是，在投资运作中，尽管他使尽全身解数，运行资金仍旧很快告罄。他不仅不反省，请银行帮助，还依然将手头回收的有限资金不断投放到该项目中，使大笔资金被套牢。施某的企业最后终因资金链断裂而垮台，那项对当地具有标志意义的项目也不得不中途转让他人。施某最后里子面子都没得到。

投资者投资失败的一个主要原因，是投资项目的资金运作发生了问题。施某的教训是：不论你的志气有多高，你的魄力有多大，都不要轻言放弃银行支持。即使自身财力大，生意兴旺，也不要轻易得罪银行界人士，还要尽力与当地银行界搞好关系，因为你不知道什么时候会需要他们的支持。

创业者易犯错误之三十二

—— 盲目追风的投资

正当苏南某针织企业总经理为企业效益不断下滑而忧心忡忡，为企业下一步的发展方向和投资方向而举棋不定时，有人提出：现在保暖内衣正火，生产保暖内衣的人都赚了钱，不如我们也生产保暖内衣，一定能够赚钱。"一席话点醒梦中人"，该总经理眼前顿时一亮，当即决定投资生产保暖内衣。不久产品生产出来，却因为款式老，又没有钱打广告造势而乏人问津。产品下了生产线就直接进仓库，进到仓库过不了几天就变成处理品。变成处理品即使打到 3 折 4 折，仍旧没有人要。想转产，有限的资金全都花到保暖内衣上了，束手无策的总经理只好天天骂那几个出主意的人，但将他们骂个狗血淋头也没有用了。

经商跟炒股一样，看到别人赚欢了，以为自己进入这个领域一样可以大捞一笔，其实进去才发现自己错了。投资者在制定投资方案时，完全无视自身条件，只知盲目跟风，在中国企业界几乎成了一种病。盲目追风的投资，容易使投资者对投资风险估计不足，因而准备亦不足，一旦出现问题便不知所措。面对市场的风云变幻，投资者不是不能跟风，而是不能盲目跟风；不是看到有人在前，哪怕项目再赚钱也不上，而是要瞅准时机上，一上就要上个准。

创业者易犯错误之三十三

—— 用短期借款搞固定资产投资

湖北一个新组建的农副产品加工公司，为了事业的高起点，急不可待地购进了一大批设备。不久就发现，要安置新设备，现有的厂房远远不够，需要建新厂房。可建新厂房需要很大一笔投资，为采购设备，公司账上资金已几近枯竭。无奈之下，只得求助于银行。几经周折，总算以备料的名义，从银行贷来了一笔款子。该公司将这笔款子投入新厂房的建设当中，却忘了这是短期贷款。新的厂房刚盖完，还款的时间也到了。公司还不上银行的借款，银行就申请法院将公司原有的厂房带新盖的厂房和机器设备全给查封了。这家企业一时落入了进退无路的境地。

借钱没什么不对，几乎每一家企业都有过借钱的经历。这家公司错在用银行的短期贷款搞固定资产投资，这是公司财务管理上的大忌，将会大大增加企业的投资风险，并有可能危及企业的正常运作。所以，作为企业管理者，对一些基本的财务知识一定要懂，不懂就要花时间认真去学，否则早晚要吃大亏。史玉柱后来总结自己失败教训的时候就说：我失误就失误在那时候不懂财务知识，将流动资金大量投入固定资产建设，结果使企业流动资金枯竭。企业也受此拖累，最后支持不下去了。

创业者错易犯误之三十四
—— 受虚假报表误导的投资

某公司为了加强自身的竞争实力，站稳脚跟，决定向某一兄弟企业投资。合作前，投资方只提出一个要求，希望对方能提供一份近期财务状况的报表，表示只要对方财务状况良好，就会投资。对方很快将一份详细、清晰、完整的财务报表送达。看过报表之后，公司老总当即拍板，一锤定音："这家公司财务状况不错，可以投资。"于是，大量资金不断流入对方的账户。然而，投资不久，却传来了被投资方宣布破产的消息，公司的一切投资也随之化为乌有。

财务报表的确是投资者了解目标企业财务状况最便捷的办法，但并非最保险的办法。因为一家企业的财务报表不见得能准确反映这家企业的真实状况，即使它符合一切适用的会计准则。因为各种原因，财务报表本身存在一定的缺陷和误差是可以理解的，也是为规则所允许的。盲目迷信公司财务报表的人，常会因为财务报表中的误差和缺陷，或财务报表的制作者有意无意的误导而作出错误的投资决策。投资者在投资决策过程中，应正确看待财务报表的地位和作用，首先保持一种怀疑的态度，再慢慢去甄别，同时辅以其他手段，从而作出正确的投资决策。应尽量避免使自己成为一张错误的或不正确报表的受害者。

创业者易犯错误之三十五

——只重视生产不注重信息设备的投资

某生活用品公司的新产品打入市场后，立刻迎来一片"顶呱呱"的叫好声。这时，一个下属向老总真诚地提议道："在目前效益良好的基础上，我们是不是对信息通讯多投资，以便更快地获得更多更新的市场信息，保持我们良好的发展势头？"而正为产品市场"开门红"洋洋得意的老总却不屑地说："那么多的报纸、杂志，还有电视、广播等信息渠道，足以满足我们对信息的需求了。现在市场需求那么火爆，而我们的资金却有限，将有限的资金投资于生产才是真正重要的事。"该公司的信息设备依然保持着陈旧、落后的状态。不久，市场突然转向，该公司却因对信息掌握的不及时，对市场变动反应滞后，走上了下坡路。

在当今这个信息爆炸的时代，投资者如果还只注重生产设备的投资，而对信息设备的投资不加重视，甚至置之不理，早晚是要吃亏的。投资者要避免这种失败，就必须时刻注意市场动向，根据市场情况随时调整自己的经营方针，因而及时、准确地掌握市场信息十分必要。对企业信息工作的重视，包括对专门的信息分析人才的重视，也包括对相应设备的重视。进行合理而必要的投资，是一个明智的企业领导首先应该做的事情。

[第三章]

商业方法：花样翻新我争"鲜"

俗话说，各村有各村的高招。做生意的人，没有两个是招式完全一样的，否则谁也活不好，谁也甭想活新鲜。如果你去仔细观察，即使是两个只卖点酱油、盐、香烟、糖果的杂货小铺，表面看上去似乎一模一样，都是做点小生意，赚点小钱，但实际在经营方法、经营思路上也会有所区别，更别谈经营者的心气儿，可能一个只是想混个温饱，小富即安，另一个却整天在想着做李嘉诚、郭鹤年呢。英雄不问出身，为什么小人物就不可以有梦想呢？就算是华人第一富李嘉诚，不也是扎塑料花出身的吗？

我们曾仔细研究过那些中国有名的富翁，特别是那些所谓的富豪。他们现在是富豪，当年绝大多数可也是穷人。我们研究这些人创业之初所采取的商业手法，再与我们现在所接触的大量创业者所经常采取的方式方法进行比较，发现了一些很有意思的现象，其中很多人在创业时所取采商业方法上殊途同归，异曲而同工。虽然他们创业的时间，中间可能隔了有10年、20年，一些创业者甚至可以祖孙相称，但他们在创业时所采取的商业手法上，却惊人地相似。这证明，有些商业运作手段、生意方法是不会过时的，不会随着时代而变迁，具有隽永的魅力。

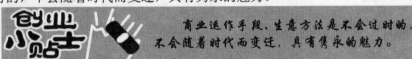

商业运作手段、生意方法是不会过时的，不会随着时代而变迁，具有隽永的魅力。

快半拍

我们从中提炼出这些方法，比如"快半拍"，依靠的是先人一步的嗅觉和慧眼。我们可以拿"中国亿万富豪俱乐部"成员之一的杨斌来做一个代表。杨斌后来犯了错误，或曰犯了罪，被法院判了刑，那是后来的事，我们在这里只是一码归一码，就事论事，就创业论创业，就生意论生意。

快半拍依靠的是先人一步的嗅觉和慧眼。

杨斌的罪或错误，并不能掩盖他当年创业时所展露出的惊人商业智慧。在这个问题上，我们似乎有必要"更新"我们的思维，这是题外话，按下不表。

杨斌，现年41岁，前香港上市公司欧亚农业董事长，祖藉湖南，后入藉荷兰，5 岁即成孤儿，靠吃百家饭长大。据杨自述"18 岁以前什么苦都吃过。"杨当过兵，1987 年赴荷兰留学，27 岁开始拥有自己的公司。杨的发迹始于 20 世纪 80 年代末 90 年代初开始的东欧巨变，其第一桶金掘自 20 世纪 90 年代初与东欧国家，如前苏联、罗马尼亚、波兰等进行的跨国贸易。借东欧剧变时机，杨向波兰、俄罗斯等国家转售中国计划定价、价格偏低的棉线产品，后发展到成衣等纺织品，毛利润大都在 5 倍以上，两三年内杨就积累了大约 2000 万美元的财富。1992 年至 1995 年期间，杨改向国内转售荷兰鲜花，同时向国内花商推销进口荷兰温室和冷库设备。国内花卉业刚起步时连温室水泥桩都要进口，杨由此又积累了大约 4 亿人民币的财富。相比之下，如果排除在香港上市，杨的欧亚农业给杨产生的效益极为有限，后来杨犯"错误"，被判刑，也是栽在这上面，可以说得不偿失。

与杨斌一样，依靠20世纪80年代末90年代初东欧巨变，进行跨国贸易或者边境贸易完成原始积累的中国巨富不在少数，杨只是其中特别突出的一位。据我们研究，从较为先进地区向较为落后地区进行贸易或产业转移，创富机会极多，赚大钱可能性极大。但两地差距不可过大，以领先半步为宜，我们称之为"快半拍"贸易法或投资法。此方法不仅于国与国之间有效，在同一国家地区与地区之间也往往有效。当年公安大学毕业的上海交警吴江涛离职后，以2000美元闯荡非洲国家津巴布韦，发现大多数中国人对非洲国家有误解，非洲的某些国家和地区，比如津巴布韦的城市地带，远非人们所想象的那么落后，在商业上大有可为。吴根据自己的发现，将中国商品贩运至津巴布韦，将津巴布韦的石雕等艺术品贩运回国内，做双向贸易，时为1992年。后吴移居津巴布韦，数年间即成为津巴布韦最成功之商人，连津巴布韦总统专机上食品皆由其供应。吴的说法："在津巴布韦中国人发财很容易。"不但津巴布韦如此，可能在整个非洲都是如此。须注意的是，在此类投资、贸易中应严禁假冒伪劣，以次充好，以免重蹈中国货在东欧国家之覆辙。"快半拍"的另一重意思，就是你的产品可以很容易地被赶上和取代，这提醒创业者需要时刻保持警惕，否则，你的领先优势很容易就被打破，你可能轻而易举就被别人踢出市场。

做傍家

要说明什么是"做傍家",我们可以拿前不久刚上市的新奥燃气的王玉锁来做个说明。不仅新奥燃气的王玉锁,华桑燃气的沈家桑、UT斯达康的吴鹰、亚信的丁健、田溯宁等都是靠这一招创业起家的。"傍家"是一个有中国特色的词,"做傍家"自然也就是一个有中国特色的生财方式,所谓的做傍家,就是向垄断行业靠拢,做垄断行业的傍家。垄断饭最好吃,垄断行业的钱最好赚,这是众所周知的真理。如果能吃上垄断饭,哪怕只是分享一点残羹冷饭,也胜过外面的鲍鱼燕窝。"中国亿万富豪俱乐部"成员王玉锁和沈家桑所"傍"皆为天然气行业,另两位"中国亿万富豪俱乐部"成员吴鹰、丁健所"傍"则为电信行业。在中国,天然气和电信是由政府高度垄断的两大行业。想做这两大垄断行业的傍家,没有一点点真本事是不行的。吴鹰的小灵通,一边遭到电信管理部门的查禁,一边在众多地方电信部门的配合下急速发展。从 UT 斯达康经常传出与电信管理部门相左的信息,最后又往往证明其信息正确,虽然看起来有些令人匪夷所思,但在中国,这种现象并不少见,只要你是中国人,就不应对此感到奇怪。

我们还是具体来看看王玉锁是怎样做的吧,看看这个人是怎么"发家致富"的。王玉锁出生于河北霸州,据说 3 次高考落榜,从此放弃高考,开始做些小生意。王卖过葵花子,卖过啤酒,还

创业小贴士

所谓的做傍家,就是向垄断行业靠拢,做垄断行业的傍家。

卖过女式泡泡纱背心。王还做过一家塑料厂的业务员,但都没有赚到什么钱。1986 年春节,生意失败的王拿着 100 块钱,准备去租车跑运输,没想到了地头人家又不许租车了。王在茫然之际,忽然想到倒腾燃气能赚钱,于是半途改道来到任丘。具体的经过据说是这样的:王到任丘后先住下来,下午去街上闲转,看到有个蔬菜公司卖钢瓶,就问一个姓樊的老大姐有没有气,并且约好了晚上见面。晚上,王买了一兜子刚下来的杏,骑着租来的自行车找姓樊的大姐去了。一敲门,门开了,王一看就愣住了,原来是他救过的一个人。那人说:玉锁,你怎么过来了,你怎么不打声招呼啊?

王说，大哥，怎么是你们家？"大哥"说是呀。从此问题解决了。王也从此柳暗花明又一村。"大哥"先让王捡了一套设备回去，然后由"大哥"负责给王联系气。

王就骑着借来的自行车，将设备拉回到老家，往自家小卖铺一放，贴了个告示：就这个东西，谁买，你先交 12 罐气的钱，10 块钱一罐，是 120块。"我这个东西一套是 120 块。交 240 块钱，我记得很清楚。实际我这个气是一次交一次钱，这样我不就多一些资金了吗？另外，再加上利润呢，那时一套挣 40 多块钱。"做饭烧燃气，那时候即使对于许多北京人来说也是有门路的象征，何况是在河北廊房。王的告示贴出来，顾客立刻蜂拥而至，当时就登记了七八套；几天时间王卖出去 40 多套，净赚 1000 多元。这是王玉锁人生第一桶金。以后王在"大哥"的帮助下，常跑任丘，瞅准燃气，"咬定青山不放松"，终于修成正果，成为中国有名的"燃气大王"和大富豪。

赌

"赌"！创业者最常见手法之一。关于这一招式，风云人物史玉柱最精通。其实，只要是创业者，身上就多少都有些赌徒气质，但其中最大的一个赌棍是史玉柱。十几年来史一直是中国经济界的风云人物。在 20 世纪90 年代初至 90 年代中期的中国 10 大富豪榜上，史还是惟一一位靠知识发家的富豪。史的老家在安徽怀远。1984 年史从浙江大学数学系毕业，分配至安徽省统计局。因工作出色，1986 年安徽统计局认为史人才难得，将其列入干部第三梯队送至深圳大学软件科学管理系读研究生，毕业回来即是稳稳的处级干部。一般人皆认为史官运亨通，前程似锦，但到深圳后开阔了眼界，同时为深圳"遍地金钱"所打动的史玉柱，深大研究生毕业后所做的第一件事竟是辞职。为此遭到了领导、亲人的一致反对，但史义无反顾，很快带着其在读研究生时开发的 M－6401 桌面文字处理系统返回深圳。重返深圳的史一贫如洗，只能借宿于深大学生宿舍，买不起电脑编写程序，便采用"瞒天过海"之手法冒充深大学生混入学生计算机实验室，被管理人员发现驱逐后，史又通过熟人来到配置有电脑的学校办公室，别人下班他上班，天天苦干到凌晨。1989 年夏，史自认自己开发的 M－6401 桌面文字处理系统作为产品已经成熟，便用手中仅有的 4000 元承包下天津大学深圳电脑部。该部虽名之为电脑部却没有一台电脑，仅有一张营业执照。当时深圳电脑价格最便宜一台也要 8500 元。为了向客户演示、宣传产品，史决定赌一把，以加价 1000 元的代价获得推迟付款半个月的"优惠"，赊得一台电脑。以此方式，如史在半月之内没有收入，不能付清电脑款项，不但赊购之电脑需要交回，1000 元押金也将鸡飞蛋打。为了尽快打开软件销路，史想到了打广告。他再下赌注，以软件版权做抵押，在《计算机世界》上先做广告后付款，推广预算共计 17550 元。1989 年 8 月 2 日，史在《计算机世界》上打出半个版的广告，"M－6401，历史性的突破。"广告刊出后，史天天跑邮局看汇款单，整个人几乎为之疯狂。直到第 13 天头上，史终于收到汇款单，不是一笔，而是同时来了数笔。史长出一口气。此后，汇款便如雪片一般飞来，至当年 9 月中旬，史的销售额就已突破 10 万元。史付清全部欠账，将余下的钱重新投向广告宣传，4 个月后， M－6401 桌面文字处理系统的销售额突破 100 万元。这是史的第一桶金。此后，史再接再厉，又陆继开发出 M－6402，一直到 M－6405 汉卡，获得巨大成功。但史也为此付出惨重代价，连妻子亦与其离婚。史在成功开发 M 系列汉字处理系统以后，见房地产和保健品有利可图，又开始转移阵地做房地产和保健品，开发脑黄金，一直到"巨人事件"出现，史大厦将倾，又东山再起。史于 1993 年获珠海第二届科技重奖特等奖，珠海市政府奖励其奥迪轿车 1 辆，三室一厅 103 平方米住房一套，奖金 63 万元，引起全国轰动。史从打广告中尝到甜头，以后以高密度广告轰炸为主要特点的"史氏营销学"，一直贯穿史玉柱商业活动的始终，包括后来的脑白金、黄金搭档，都是这一式手法的延伸和翻新。史的方法为众多追随者活学活用，在国内企业界曾经风行一时，至今余波不息。三株的吴炳新、爱多的胡志标、秦池的王卓胜和姬长孔、哈慈的郭立文

史玉柱

等等，都是从史玉柱处偷师学艺，有的还加以了发扬光大。凭心而论，史此套以广告为中心的营销哲学，至今在国内仍有一定市场和一定实用价值，尤其是对那些单项产品产出利润不高，需要依靠巨额销售量才能保证利润

的产品，如各类保健品、日用百货产品、食品、家用电器等等，功效更是立竿见影。史可称为国内"广告轰炸学"的开山鼻祖。从史玉柱处"偷招"，成全了中国一大批企业家，也戕害了中国一大批企业家。后来三株、秦池、爱多等等都遭致了和巨人一样的命运，但是比史玉柱更惨的是，史还有东山再起的一天，胡志标后来锒铛入狱，王卓胜、姬长孔等人则至今不知蹒跚何方。

分析史玉柱的创业经历，给人最深刻印象的不是他的广告轰炸，而是他的赌性。在史玉柱的创业经历中，赌性在其中起了重要作用。在张思民、吴志剑等人的身上，我们也都能看到一样的赌性。我们发现，"赌性"较强几乎是所有有所成就的创业者的一个共性。

巧拼缝

北京建昊集团董事长、亿万富翁袁宝璟前段时间因为被检察机关指控雇凶杀人，可大出了一阵风头。袁宝璟当年也挺风光，但他那时候出风头，不是因为"雇凶杀人"，而是他惊人地会赚钱。袁幼时家境贫寒。袁曾自述："兄妹 5 人，全靠父亲一个人的工资养活全家。有时穷得连衣服都穿不起，就盼着开运动会，那样就有希望获奖。上大学后，不忍心哥哥打工来供学费，便一面读书，一面帮别人推销产品，帮教授抄稿，在校园摆摊卖书，维持基本的生计。工作后，还在节假日期间内写字卖钱，那时候太穷了，不得不想办法来补贴家用。一直到后来的下海，都是为穷所逼。"袁毕业于中国政法大学，毕业后分配至中国建设银行。为了脱贫，1992 年，袁辞去"好不容易得来"的在建设银行的工作，到北京怀柔注册建昊实业发展公司，创业资金为多方筹得 20 万元。袁下海后，在资金不足，又乏门路的情况下，将目光首先瞄向了大专院校和科研院所的大量科研成果。袁认为在大专院校和科研院所那些经过论证和鉴定之后就束之高阁、沉睡不醒的科研成果中，埋藏着取之不尽、用之不竭的宝藏。袁采取苦行僧的做法，仿照推销员，先是一家一家地敲企业的门，将有技术需求的企业名单和及其所需之

做拼缝的首要条件和关键条件是掌握信息。

技术种类记录在案，再找到各个大学和研究机构，买断相关科研成果，再卖给需要这些成果的企业。

在拼缝的过程中，袁也一直留意着适合自己的项目。他很快相中一个项目。这个项目现在的名字叫做"小黑麦"，其实是一个基因工程，能够将种子基因进行排序。袁认为此技术远远高过于现在热门的克隆技术。袁相中"小黑麦"技术后，决心将之实现产业化。"产业化这个是文明的称呼，其实，当时就是租地卖种子，就是去当农民。""小黑麦"成为袁的建昊公司所做第一个实业项目。半年后，"小黑麦"成熟，麦种很快占领全国市场，当年获利 200 多万元，成为袁的第一桶金。以后袁将这第一桶金善加使用，通过收购和买卖企业，其实是另一种形式的拼缝，迅速将事业做大。袁 32 岁时获得世界传媒集团举办的"世界创业者大奖"，为我国获此奖项的第一人。袁的工作经历和创业经历，使其精于资本运作。袁 31 岁时就当上了上市公司的董事长，是当时全国最年轻的上市公司董事长。最高时袁个人身家据悉高达 37 亿元人民币。从中可以看出，袁确有惊人的商业智慧，一个人生具如此智慧，后来却不务正业，走上了邪道，令人殊为可惜！袁的创业手法在目前中国的现实情况下，具有巨大的现实意义，可供所有创业者借鉴、参考。拼缝不仅可应用于企业与科研院所之间的技术交流，同样可应用于地区与地区之间的商品交流，甚至资本交流。张树新败走瀛海威后，带领自己的一支新团队，游走于投资方与融资方之间，专做资本拼缝。张自承，数月之内，团队的每位成员就又都重新完成了一次资本原始积累。拼缝之大有可为，由此可见一斑。当然，张的个人能力众所周知，寻常人难以望其项背。张能做的事未必其他人都能够做。资本拼缝极其复杂。就算是张本人，亦觉得做资本拼缝太累人，在通过做资本拼缝赚到足够的本钱后，也开始谋求脱离拼缝生涯，专力于 IT 业投资。对于一般人来说，资本拼缝更困难。但资本拼缝做不了，其他的拼缝还是可以尝试的。做拼缝的首要条件和关键条件是掌握信息。

头啖汤

广东人喜欢喝老火靓汤，生意场上却讲究喝头啖汤。所谓头啖汤，就是第一拨儿出锅的汤。头啖汤好喝，鲜，最重要的是，喝头啖汤得起早，不能起早的人没法儿跟你抢。喝头啖汤有讲究，不但产品的头啖汤好喝，技术的头啖汤、资源的头啖汤都一样好喝。原爱必得创始人、现北大天正总裁黄斌在中关村头一拨儿喝上攒机这碗汤，与他前后脚的还有联想的柳传志、达因集团的张璨，后两者现在发得都比黄斌大。柳传志是带着一拨儿人干，黄斌和张璨开始却都是单打独斗。从1993年6月，黄就在中关村颐宾楼与人合租了一个小门脸儿攒机，当时黄只有3000块钱的本儿。开始时因为不熟悉情况，第一笔20多万元的生意就做赔了。当时长春来了一个用户买机器，黄报了一个价，用户很惊异，觉得在中关村能找到这么好的价格，而且服务也不错。谁知是黄把价儿报错了，等接单后，黄准备大干一场时，才发现自己是以低于成本价来报价的，算下来这单生意要亏1万多元。黄当时面临两种选择，要么告诉客户算错价格，要求加钱；要么找个借口，推掉这笔生意。在仔细权衡之后，黄以做生意一定要讲信誉说服自己，咬着牙把这笔单子做下来。谁知这一来倒成全了他。真是塞翁失马，焉知非福。这个长春客户没想到在中关村还能找到那么便宜的机器，而且质量、服务都不错。大概1个月后，这位东北老哥就又给黄下了个100台的单子。那时中关村电脑配件的行情也像现在这样变化多端，配件价格降下来后，黄把这100台的单子做完，平白赚了10几万。从1993年6月到1993年年底，短短半年时间，黄靠攒电脑就挣到了50万元。黄将这50万视为自己淘得的第一桶金。"中国亿万富豪俱乐部"女会员张璨也是这样。黄是攒电脑，张则是整台倒电脑。后来黄也明白了这个道理，成立爱必得电脑公司做整机，但已经比张慢了一大步，所以，如今张已进入了富豪行列，黄则还只能算是一个富翁。1992年，北大"结业"的张与丈夫拉起达因公司，借了300万，南下广州倒电脑，2万块钱一台的电脑到北京可以卖2万3，一台电脑就可以净赚3000元，堪称暴利。张因此一上手就赚了上百万。在这个问题上，张比黄高明，但柳传志又比张高明。柳传志不但攒电脑、倒电脑，还用联想的牌子自己做电脑，所以，柳的事业做得又比张大得多。同样是一道头啖汤，黄、张、柳各自喝出了不同的境界，也喝出了不同的结果，这是一个很有趣的故事，值得玩味。

除了产品头啖汤外，资源头啖汤、技术头啖汤，甚至概念头啖汤的味道都不错。近几年，卖概念的"人才"集中出现于IT界，虽然投资者亏得

直嗍牙花子，但是这并不妨碍出卖概念者在富豪豪榜上拥有一席之地。头喙汤是永远可喝，永远好喝的，关键是你要有眼光，知道在哪里能够找得到头喙汤，而且知道怎样才能将这头喙汤喝到嘴里。否则的话，拿着个碗乱跑，只能让人把你当成个要饭的。

摘仙桃

"摘仙桃"，胡志标用得最熟。现年 36 岁的胡志标系广东中山人。胡出生于中山一个十分偏僻的小山村里，村里人迄今对胡最深刻的印象是能吃苦。胡因为家境贫寒，没有读过几年书，很早就出来"跑码头"。胡对家电有一种天生的爱好，从小就以组装半导体为乐。成年后，胡不知从哪儿弄到一本松下幸之助的自传，从此梦想着要当"中国的松下"。1995 年一个偶然的机会，胡在中山市东升镇上的一间小饭馆里，听到一个消息：有一种叫"数字压缩芯片"的技术正流入中国，用它生产出的播放机叫 VCD，用来看盗版碟片比正流行的 LD 好过百倍。这个东西一定会卖疯。几句话触动了胡的心扉。经了解，胡得知之前不久已有一家名叫万燕的中国公司已正式在国内市场推出 VCD 产品。胡决心加以仿制。1995 年 7 月 20 日，胡 26 岁生日那天，以 80 万元注册成立了一家公司，开始做 VCD 播放机。公司的资本结构：胡同公司的另一位创业者陈天南各占 45% 股份，胡的家乡益隆村占 10%。其时适逢张学友《每天爱你多一点》刚刚登上流行歌曲排行榜，爱唱卡拉 OK 的胡就此选定新公司名称和品牌叫"爱多"。当年 10 月，"真心实意，爱多 VCD"的广告便在当地电视台播出，效率惊人。同样是在这个月，胡将千辛万苦从银行贷到的几百万元钱除留下一部分买原材料外，剩下的一股脑儿全部投进了中央电视台，买下体育新闻前的 5 秒标版，这是出现在中央台上的第一条 VCD 广告。通过广告轰炸，爱多迅速打开市场。6 个月后，刚在广东市场站稳脚跟的胡，就买了一张中国地图挂在墙上。他发誓要将爱多的红旗插遍全中国。

随后胡开始了征服全国的旅程。第一批随胡出征的业务员千奇百怪，有卖咸鱼的，有卖雪糕的，有卖假肢的，有卖水泥的，还有刚刚卖完三株口服液的，惟独没有卖过家电的，但也正是这一奇怪组合，使胡可以百无禁忌，奇招迭出。1996 年夏，胡即攻下上海市场，完成了第一轮全国推广

创业
小贴士

摘仙桃的手法因为涉及到知识产权问题，未来的路一定会越走越窄。

运动。后来胡又找到成龙拍广告，成龙开价450万元，几乎是爱多当年全部利润，胡却很干脆地答应了。不久，成龙版广告拍竣播出："爱多VCD，好功夫！"一句话使爱多一夜风行全国。胡再接再厉，1996年11月8日，胡揣着成龙的广告片和8000多万元经销商集资款，以8200万元夺得次年央视天气预报后的一个5秒标版，成为当年央视标王。1997年，爱多销售额从前一年的2亿元骤增至16亿元，奇兵突起，赫然耸立于中国电子50强排行榜。1997~1998年，是胡事业的高峰期。1997年年底，胡赴荷兰菲利浦公司总部考察，菲利浦以"私人飞机加红地毯"的最高规格予以接待。据称，只有对国家元首和公司最重要客户，菲利浦才可能予以如此隆重的接待。可见胡当时之荣耀。关于胡的第一桶金，没有确切的记载，但从以上情况看，胡的第一桶金至少在千万元以上。1999年，胡的事业已陷于没落，是年1月18日，胡与爱多公司副总裁、原胡的助手林莹举行婚礼，当时媒体有这样的记载：9辆白色的奔驰花车开路，中间一辆劳斯莱斯古董车，坐着新郎新娘；又是9辆白色的奔驰花车尾随其后，如果你再仔细一些，会发现这些清一色的白色奔驰的车牌号码竟然都是连号的！出租车司机们兴奋地在车中用对讲机互相通知："快来孙文路！快来孙文路！爱多老板胡志标结婚啦！"胡当年的豪富气派，于此可见一斑。胡后来遭警方逮捕，并被判重刑20年，罪由是诈骗。关于胡后来败走麦城，有几个说法，一说是竞争央视标王投入过大，导致企业资金链断裂，为挽危局，铤而走险，以致触犯法律，胡对此予以否认；一说是由于胡用错了人，胡曾任用一批"策划高手"，一夕之间替换公司创业元老，占据所有公司高层。这些策划高手能说不能干，坑害了胡。还有一说，爱多的没落，是由于胡在公司做大以后，与原创业拍档不能很好地解决权力、利益分配，矛盾激化。原创业拍档陈天南与胡一拍两散，陈负气出走，使企业元气大伤。

不过，这都是后话。胡的创业经历有许多值得人们回味的地方。想当年，万燕造出全中国第一台VCD播放机，却没能有抓住机会将企业做强做大。胡以仿制方法，反而赚到了大钱。后来又有许多人反过来效法胡，也赚了个盆满钵满。不过，这种创业方法因为涉及到知识产权问题，未来的路一定会越走越窄。中国企业目前在DVD播放机上遇到的麻烦，以及日本摩托车界前不久特别组团，集体到中国来讨说法，都是很明显的信号。中国的富豪中，不少当年都是采用胡志标的类似方法完成原始积累的，这一点在广东珠三角以及江浙一带表现得尤为明显。榜样的力量无穷，这些地方的众多人士至今尚乐此不疲，但我们认为此法应该慎用。

蒸桑拿

所谓蒸桑拿，就是从社会热点中淘金。李书福、左宗申都是靠摩托车热发的财。当年北京风行呼拉圈，也成全了一大拨儿人的致富梦，甚至来自河南新乡的"红焖羊肉"都让不少人发了财。现在全民英语热，不少人又开始琢磨着从中谋财。孙震是其中走得比较远，也是做得比较出色的一个。孙原是北京电视台的编导，1999 年，北京电视台搞制播分离，孙觉得这是个机会，就出资 5 万元和另几名投资人合伙成立北京东方友人经济咨询有限公司，不久策划出《洋话连篇》，一中一外两个人，以室外情景喜剧的方式，教授中国人最实用的现代英语口语。别看如今《洋话连篇》风光无限，风行大江南北，甚至成了盗版的重点照顾对象，可当初并不是这样。与孙合伙的几个人做了几个月就"撤伙"了，因为做了几个月还没见到收入，他们觉得这个事儿没戏。谁知他们刚一"撤伙"，以出品教育软件著名的洪恩软件公司就找到孙震，提出以 30 万元购买《洋话连篇》50集 3 年的使用权。孙的第一桶金就是 30 万元，而且时间只有几个月。现在孙当初的合伙人不知道后不后悔，不过从旁观者的角度，挺替他们惋惜。截至 2002 年 1 月，《洋话连篇》已在全国 60 多家省市电视台，包括 17 家卫星台同步播出。从 2001 年 7 月，中国教育电视台第一频道也开始在晚间黄金时间段播放这档节目。孙有一个统计，北京市每年有 20 万人自费参加各种英语培训，实际流水额在 7 亿元左右。而据北京市教育局的统计，中国申奥成功，加入世贸组织后，北京的英语教育市场将会有 20 亿的市场份额，整个中国市场的英语教育蛋糕不下 2000 个亿。现在孙将《洋话连篇》精烹细做：制作并发行《洋话连篇》VCD 及配套书籍，每年通过与出版社合作出版书籍、VCD，版权费估计就有大约 500 万元；利用《洋话连篇》

的知名度，开办面向特定群体、以口语为主的培训班，从目前已开办的班看，利润率高达 56％，每个培训班的月收入达到 50 万元；利用《洋话连篇》形成的无形资产，引资办学，在全国建立加盟英语连锁学校。孙的设想是，

对于有心者来说，每一次热点的出现，都是一次极好的创业机会。

东方友人公司以品牌价值入股 25％，将《洋话连篇》的品牌给予当地代理人，东方友人与代理人每年的利润分成比例为 1∶3。在孙的设想中，要将《洋话连篇》的品牌资源潜力发挥到最大化。需要说明的是，孙今年只有 29 岁。孙目前还只能称做富人，还称不上富豪。富豪是需要时间来培养的，以孙的年轻，还等得起。我们可以将新东方的俞洪敏当作是孙的照影。同样是做英语培训起家，俞洪敏早已身家过亿。

社会在不断地发展，社会热点在不断地涌现。对于有心者来说，每一次热点的出现，都是一次极好的创业机会。蒸桑拿是很舒服的，但是需要有较好的体力。体力不好的人，很容易在蒸的过程中晕过去，那就有点得不偿失了。

借东风

借东风的含义有好几种，一种是方兴东式的，一种是尹明善式的。方兴东 1966 年出生于浙江农村，清华大学博士。1999 年 3 月，方趁世界首富微软比尔·盖茨在中国推销"维纳斯计划"，在《南方周末》发表《"维纳斯计划"福兮福兮》，同年 5 月，方与王俊秀合作出版《起来—— 挑战微软霸权》。方以斗士面目出现，与世界首富比尔·盖茨公然唱对台戏，虽然到目前为止，大多数人仍旧搞不清楚什么叫"维纳斯计划"，但因为微软和比尔·盖茨的原因，并不妨碍当时方一夜暴得大名。1999 年 9 月，方趁热打铁，与人合伙成立互联网实验室，资本金 10 万元。两个月之后，两位风险投资商慕名而至，投资 200 万元，占公司股份 5％。以此计算，方等人的 10 万元投资，两个月即升值接近 400 倍，创造惊人神话。不过，方后来做企业业绩似乎并不理想。方迄今的名声大半皆来自于炒作，而非来自于对实业的有效操作。

老板是怎样炼成的

90

同样，1992 年，尹明善不顾家人反对，以 55 岁"高龄"开始创业。尹一上来便将创业核心指向了摩托车发动机。在此之前，尹对摩托车一无所知。当时重庆摩托车有"嘉陵"和"建设"两大品牌。尹决心"背靠大树"。经一番琢磨，尹指示手下将建设集团维修部的发动机配件买过来，自己装配成发动机再卖出去，成本仅 1400 元，而卖价高达 1998 元。因为零部件系出名门，产品质量有保证，给尹免去许多麻烦。尹虽是此道生手，却借助建设集团的名牌零配件，迅速将销路打开。为防建设集团察觉掐脖子，"诡计多端"的尹还指示手下化整为零，今天买 1 号到 10 号的零件，明天买 11 号到 20 号的零件，同时指示手下仔细研究哪些配件是通用，容易买到的，哪些零件是非建设集团不可的，然后积极联系配套厂，设计替代品。4 个月后，等建设集团一夜醒悟，下令一个零件也不许卖给尹时，尹的替代品已经开发出来。尹从摩托车行业掘的第一桶金便达百万以上。尹也是"中国亿万富豪俱乐部"成员。

以尹这种手法进行创业起步的中国富豪不在少数，此手法后来颇遭人非议。有人认为这是国有资产流失，也有人认为这是不正当竞争。有意思的是，一些被"损害"的企业后来察觉其中价值，反过来搞贴牌生产，创造出双赢局面，也有一些企业因为贴牌而将自己贴进了阴沟里，如北京的双合盛五星啤酒。

还有一种形式的借东风，即为大企业搞配套生产，或者像思科那样，为互联网站提供设备，为某种形式的社会或技术热潮提供外围服务，借此发财，俗称卖水。给大企业搞配套生产这种形式

创业小贴士

借东风风险小而见效快，收入稳定有保障。对实力不济，正处起步阶段的创业者来说，具有非常价值。

在珠三角以及长江三角洲等外资企业集中的地方非常常见。此形式风险小而见效快，收入稳定有保障，对实力不济，正处起步阶段的创业者来说，具有非常价值。

空手套白狼

有些人一听空手套白狼就皱眉头，不知就算空手套白狼也有境界高下之分。像时迁那样类似打闷棍的空手套白狼我们当然不提倡，但有些空手套白狼的手法，有条件的创业者却是不能不学的。

如今一提汇源是鼎鼎大名，尽人皆知，但提到朱新礼就没有几个人知道了。这是因为朱一贯行事低调，很少在媒体上抛头露面。朱原是山东省沂源县一名国家干部，官至县外经委主任。1992年朱辞职下海，买下当地一家亏损超过千万元的罐头厂。所谓买下，其实打得只是一张远期期票，当时朱并没有钱。朱以答应用项目救活罐头工厂，养活原厂数百号工人，外加承担原厂450万元债务等条件，将罐头厂拿到手后，当时手头缺钱的朱想到的办法是搞补偿贸易。补偿贸易，是国际贸易的一种常用做法，在朱新礼那会儿国内却鲜为人知。朱通过引进外国的设备，以产品作抵押在国内生产产品，在一定期限内将产品返销外方，以部分或全部收入分期或一次抵还合作项目的款项，一口气签下800多万美元的单子。朱当时答应对方分5年返销产品，部分付款还清设备款。1993年初，在20多个德国专家、工程技术人员的指导下，朱的工厂开始生产产品。也许是该朱鸿运当头，正在这时，朱听说德国将连续举办两次国际性食品博览会。朱立即购买机票，单刀赴会（朱没有带翻译的原因是因为当时他买不起2张机票），在当地华侨的帮助下，朱先后在德国慕尼黑和瑞士洛桑签下第一批业务：3000吨苹果汁，合约额500多万美元。朱由此掘得第一桶金。此后朱一帆风顺。1994年，朱将总部从山东迁至北京。如今，汇源已成为国内最大的果汁生产厂家。朱的身家，据估计超过9亿元。

朱这套"空手套白狼"的手法，如今叫做"资本运营"。资本运营是个筐，什么都可以往里装，这是一个例子。朱这套做法，对今天的创业者具有极大的借鉴意义。现在全国面临关门的国有企业、集体企业数以万计，如果你觉得自己有

创业小贴士

资本运营是个筐，什么都可以往里装。不过，这种操作水深得很，不是什么人都能够乱趟的，但肯定金子也多得很。

那么两下子，那么你不妨试一试。这里面的水深得很，不是什么人都能够乱趟的，但肯定金子也多得很。如果你自认为有本事能将这金子挖出来，那么恭喜你，几年之后或许"中国亿万富豪俱乐部"成员中也会有你一个。

微利时代行之有效的商业方法

　　有些商业方法可以贯穿今古，一直管用，所以迄今尚有人在研究陶朱公的致富之术。但社会如流水，不停变动，一些商业方法也要随之而变，过去有用的，不见得今天有用；今天有用的，不见得明天还有用。另一方面，即使过去有些方法今天仍然管用，行之有效，也要根据外界环境的变化加以演进或改良。自邓小平倡导改革开放政策以后，历20年，我们已由计划经济进入了"具有中国特色的市场经济时代"，绝大部分商品，尤其是与人们日常生活息息相关的那部分商品，可以说已经极大丰富。什么叫"极大丰富"？有两个含义，对消费者来说，商品多了，可选择余地大了，商品便宜了；对生产者来说，竞争对手多了，市场小了，利润薄了，日子越来越难过。所以有经济学家提出"微利时代"的概念。我们前面所讲如杨斌、尹明善、朱新礼等等，他们创业都是在"短缺经济"时代。"短缺"当然不同于"充分竞争"。"短缺经济"时代，做商业的人们很容易获得暴利，并容易将追求暴利演变成一种商业思维趋势，"充分竞争"时代，大多数商人首先想的是能够不赔本，其次有若干微利可图可能便已心满意足。而对其中很多人来说，即便是微利亦可望而不可即。所以，研究微利时代的赢利之术，对今天的创业者有着更为现实的意义。我们通过对大量创业者的走访，并通过对大量案例的研究，发现了在微利时代具有共通意义的获取较高利润的一些方法，在此公布出来，与读者共享。我们相信，我们的研究对各位有志创业的人们或正在商业道路上艰难前行的人们，一定将会有莫大的助益。

微利时代行之有效的商业方法一

——抠成本，低价≠微利

　　获利要领：竞争优势有两种基本形式：成本领先和标新立异。成本优势是企业可能拥有的两种竞争优势之一。成本对于标新立异战略尤为重要，因为标新立异的企业必须保持与其竞争者近似的成本。

获利关键：沃尔玛为什么能成为 500 强之首？人们找到的理由中有规模经营、成本管理、人力资源、科技应用和价格策略等许许多多的原因。一味地用加法去加，类似"沃尔玛成功 10 法"、"沃尔玛制胜 5 诀"等等之类的"葵花宝典"，总会搅乱人们的视线，令人如坠雾里找不着北。而一段时间以来，将西方管理科学奉为"圣经"，已经使很多的企业及其经营者吃亏不少。其实最好的办法是改用"减法"，在去伪存真中找到管理科学的精髓。例如，对沃尔玛，好像是高深莫测，显得高不可攀，但其实沃尔玛的全部文化可以简单地概括为一个字——廉。要做到这个廉特别简单，说白了就是变换一种核算方式。

拆招解招："尽可能少的成本付出"与"减少支出、降低成本"在概念上是有区别的。"尽可能少的成本付出"，不等同于节省或减少成本支出。它是运用成本效益观念来指导新产品的设计及老产品的改进工作。在对市场需求进行调查分析的基础上，如果能够认识到在产品的原有功能基础上新增某一功能，会使产品的市场占有率大幅度提高，那么，尽管为实现产品的新增功能会相应地增加一部分成本，只要这部分成本的增加能提高企业产品在市场的竞争力，最终为企业带来更大的经济效益，这种成本增加就是符合成本效益观念的。

一分钱优势，赢来做不完的订单：日本人喜欢发明小玩意儿。卡拉OK就是始于日本，然后才风靡全球的。打火机也是日本人发明的，并很快流行全世界。然而没过多久，由于广东生产打火机的价格优势，逼得日本人主动放弃一次性打火机的生产。从此，日本市场上的一次性打火机都是"中国广东制造"。

进入 2000 年时，湖南邵东人在一次性打火机方面已走过学习、模仿阶段，没多久又完成了超越的营运体系。接下来邵东打火机凭着 5 厘钱、1 分钱的优势，在极短的两个月内，居然将广东打火机出口市场从老大位置掀落下来。换言之，仅 60 天的时间，邵东几乎全部占据了广东的打火机出口市场。

但是，压价并不是经营者的发展出路。邵东人在这个微利产业中的竞争不再是单纯的压价，而是换了一种计算方式。

事实上，由于激烈的价格竞争，邵东人在 1998 年也交过一次学费。为争得市场，老板们在与外商谈判时，各自为政，竞相压价，结果一度使邵东打火机企业全面亏损。后来他们才发现之所以"全军覆没"，完全是自己打倒了自己。这也难怪，这些民营企业老板的最高学历也就是高中毕业，又哪里知道谈判桌上的险恶！

不压价，竞争不过广东；一味地猛压价，又是死路一条。既要从价格上打败对手，又要让自己有钱可赚。在谈判桌上吃过苦头之后的邵东人学会了开始用脑子做生意，于是14家出口企业联盟，并选出一个"老大"，以资本为纽带，将原来分散的生产企业，组成松散型的企业集团。通俗讲，任何生产企业均可与外商谈价格，但定价必须"老大"说了算，这样就杜绝了竞相压价的恶性循环。从2001年7月开始，邵东人始终把利润控制在5厘、1分钱之间——这个利润，广东做不到。广东要赚钱，惟有再抬高1分钱的价格，可这样外商又不买账了。在这种前提下，外商不得不与邵东人打交道。

一个打火机的利润只有5厘、1分钱，真的能制造"暴利"吗？当然能！这就是聚少成多的简单道理。2000年，邵东打火机出口总数仅为6000万支。2002年，仅一家叫茂盛的小工厂的出口量就已高达9000万支，利润为90万元。14家出口企业中最大的出口量突破2亿支，利润200万元。

5厘、一分钱打天下的首要原则就是抠成本，根据自身的实际运作成本来抠，而不是盲目地缩减工人、工序。邵东人又是如何计算"微利创暴利"的这笔账呢？主要一点是邵东有得天独厚的生产条件——地租便宜、劳力集中，邵东仅占邵阳市1/16的面积，却有115万人口——是邵阳市人口的1/7。显然，劳动力密集的邵东最合适"玩弄"打火机产业。这种自然环境无疑制造了"一分钱优势"，那就是体现了劳动力资源优势。举个例子，夏天是打火机生产的淡季，邵东可以让部分员工回家务农，也可让部分员工"补休"，而广东却做不到这些。所以，广东打火机出口市场被邵东所取代，就不足为奇了。

聪明地抠成本，低价≠微利：其实，从成本中可以挖出暴利，很多人已经明白了这个道理，但是能够做到的人很少。什么是成本控制？仅仅是"降能节耗，减员增效"吗？如今，将成本控制简单地理解为"避免费用的发生或减少费用的支出"的观点普遍流行在许

创业小贴士

从成本中可以挖出暴利。

多企业之中。这些企业满足于降低消耗和裁减冗员，甚至尽力降低第一线工人的工资，认为成本已得到了控制。然而，问题也随之凸显出来：如果一个企业已经将员工的数量削减到了底线，那么，这是否意味着该企业已经没有了进一步降低成本的空间呢？如果一个企业依靠削减员工待遇实现了成本的下降，但却由此引发了员工的不满和人事上的动荡，那么，利与弊又该如何权衡呢？如果一个企业在产品的研发与生产上紧缩银根，导致在新产品的开发与产品的品质上停步不前，那么，企业岂不是成了"掰棒子的狗熊"，握住了成本却又丢掉了另一个企业的核心竞争力吗？因此，有专家指出，这种"以成本论成本"的成本控制观已经落伍，企业需要重新去定义成本控制的概念。

在人人饥肠辘辘的午餐时分，几个粉领族有说有笑，走进广州天河区一家门庭若市的意大利料理店。如果你跟着走进店门，你可能很难相信自己的眼睛，因为菜单上清清楚楚写着："米兰风味饭 8 元"、"地中海式海鲜焖奶油饭 15 元"，翻遍菜单，你很难找到超过 20 元的东西。聪明人应该已经开始怀疑，这家店的东西不是量很少，就是很难吃。但是在这家吃过饭的顾客都竖起大姆指，因为它有平民化的价格，产品却有不输专业意式餐厅的绝佳风味。

既然品质不输专业店，价位又便宜这么多（多达 3 到 5 成），顾客盈门自然不在话下，但老板真的赚钱吗？这家店老板的经营秘诀，说穿了就是"在维持品质的前提下降低成本"。这归功于创办人曹敬辉所导入的一套"把服务业的经营，融入制造业思维"的成本管理模式。

曹敬辉毕业于理工大学理工学系，在创办意式餐厅之前，曾经顶别人的茶楼来经营，但眼见收入每况愈下，决定转型。他查询资料，发现蕃茄、天然干酪以及意大利面条等材料的消费额比前年增长一倍。这些都是意大利料理中常用的材料，原本就对吃的东西很有兴趣的曹敬辉决定投入意式料理的经营，而且要让人人都能在不用顾虑荷包多寡的状况下轻松享用。

由于曹敬辉的理工专业背景，他一向很习惯用数字分析经营，把效率带到自己的餐厅。例如，透过制造业的"工作分析"方式，曹敬辉把店内要忙的事分解成 200 种，写成一本"指示手册"，员工只要按手册操作即可，手册中包括了每道菜的调理成本分析、过去难以衡估的材料耗损信息的掌握，而通过对历史资料分析，曹敬辉也会故意把顾客容易"同时搭配着点"的几道菜设计在菜单的同一页，以提高每位顾客的消费额。在人力配置方面，他会特别注意地方上组织的活动，或是特殊节日，以安排最适合的店员或打工人数，把浪费减到最低。效率高固然好，但"厨艺"的部分该如何解决？曹敬辉把意式料理的方程式设定为：90%看材料、5%看材料管理、5%看厨艺，以对材料的重视弥补制作过程在"分解"与"效率化"后造成的减分。例如生菜沙拉有7种，但蕃茄、小黄瓜等材料的切法、装盘方式都设计得一模一样，通过最上面所放的虾等材料来变化。意大利面的肉酱，则设计为也可以用在饭或意式烩饭上。店内也不设套餐，完全让顾客就种类繁多的菜色依心情搭配自己喜欢的组合，享受个中乐趣。

制造业的做法固然较为枯燥，但被曹敬辉以新角度适度活用后，其成本降至了同业的3成，他又怎么可能不品尝到暴利大餐呢？

微利时代行之有效的商业方法二

—— 制造新鲜，破坏性创新

获利要领：很多企业越是存在于微利中，就越会过于讨好现有客户，不敢尝试新产品、新做法，结果反而造成利润每况愈下，市场上真正能博取广大商机的，往往是"破坏性创新"。

获利关键：难道处于微利中的企业从没想过改革？其实他们是落入了一个误区，即通常会更专注于研发更高级的产品，以讨好更高级的客户，求取高利润。实际上，当纯粹的产品性能提升，远超过客户的需求，这时如果推出价格较低、功能较简单，却贴近一般使用者需要的新产品，就能开拓崭新市场。这即是"破坏性创新"，并且是最适合新兴小公司做的事情。

拆招解招：创新并不像许多企业人士想的那样，是一场风险难以预测的赌博。只要依据一些方法，就可清楚掌握创新的成果，成为企业永续成长、突破微利的动力。这些方法包括从管理架构、公司财务、市场区隔、业务外包、策略的改革等。

瑞士军刀与王麻子剪刀：维氏瑞士

王麻子

军刀堪称刀具制造的典范，它美观、锋利、实用，与瑞士钟表并称瑞士品质的经典代表。作为欧洲最大的刀具制造商，维氏瑞士军刀名冠天下，至今已有110年历史，它每年生产700多万件刀具和其他工具，75%以上的产品出口到海外150多个地区，所到之处，广受欢迎。

同样的历史悠久，同样的剪叉刀具，瑞士军刀的剑气逼人让人不由自主地联想到"王麻子"的落魄遭遇。由于竞争激烈，利润下降，导致亏损严重、资不抵债，曾经享誉全国的北京王麻子剪刀厂走上了申请破产之路。一个久负盛名的品牌就此陨落，300年的文化积淀，从苦心经营、极度辉煌及至惨淡维持，其中故事，让人感叹，个中是非，让人扼腕。

瑞士军刀与王麻子剪刀都是历史名牌，都是历史馈赠的宝贵的无形资产，都经历了百年风雨沧桑的考验，但如今，一荣一枯，一盛一衰，两相对比，分析得失成因，总结成败要素，或许可以给我们更多的启迪与反思。

二者的差距究竟在哪里？瑞士军刀虽以传统工艺起家，但110多年来从未原地踏步，它一直紧跟科学技术的发展步伐，始终致力于运用技术创新推动产品质量的不断提升。以15453型瑞士军刀为例，该刀由17个零件构成，具有32项功能，经过306道特定工序加工制成，而刀组重量仅有216克。就是这把小刀，浑身都是高科技细胞，美国宇航员在执行太空任务时，它是必不可少的随身工具，被宇航员亲切地称为"太空探险袖珍工具箱"。瑞士军刀的安身立命之道正是持之以恒的技术创新，因此有人说瑞士军刀"刀刃刀把和刀身，处处洋溢创新魂。"反观王麻子剪刀则不难看出，它仍旧停留于"一只风箱一把锤，一块磨石一只盆"的作坊式生产格局，一直延续传统的铁夹钢板工艺，虽然硬度、韧度都比不锈钢刀好得多，但其工艺复杂，成本高，外观档次低。归根到底，技术创新能力的严重不足，直接导致了王麻子产品陈旧落后、制作粗糙，百年来产品样式变化缓慢，产品质量停滞不前。

其次，在品牌产品的经营上，二者也有很大的差距。瑞士军刀从来没有"酒香不怕巷子深"的心态，其生产者非常注重市场需求，通过不断开拓市场，延伸品牌内涵，扩大品牌影响。今天的瑞士军刀除了

创业小贴士

谁成功地制造了"新鲜"，谁也就真的赢得了暴利。

传统军刀产品之外，还积极开发了厨房用刀、裁缝用刀、办公室刀具等市场领域，占有了大量的市场份额，为企业的生存与发展拓展了广阔的空间。"石刀木刀塑料刀，样样都有；餐刀剪刀办公刀，个个好用"，成为瑞士军刀有口皆碑的形象写照。不仅如此，瑞士军刀还尤其注重营造产品的高层次的文化内涵，使它成为一种名贵的礼品，更是把玩欣赏的收藏佳品。数届美国总统选择它作为白宫礼品；世界许多大公司、财团也用它馈赠贵宾与重要客户，就足以证明它的这个努力是非常成功的。再看王麻子剪刀，在经营上极其缺乏市场意识。因为自己是悠久品牌，所以"皇帝女儿不愁嫁"，坐店经营，等客上门，生产与销售严重脱节，不关注顾客的需要，不注意市场的变化。单一品种外加一副老面孔，怎能占据市场要地；好端端的无形资产，又岂能不消耗殆尽？

瑞士军刀的暴利和王麻子剪刀的遭遇实际上正说明了一点，期盼新鲜、追求新鲜、享用新鲜是人们的一种普遍的心理，谁能巧妙地制造新鲜，谁就能赢得主动、吸引顾客、占领市场。

我们不妨看看两个成功的例子。例一，有一次，美国一家玩具公司的老板在散步时发现，几个孩子正在玩着一只非常丑陋的小甲虫，于是立刻来了灵感，决心研究一批以"丑陋"为特点的玩具，果然，这一极富创意的"新鲜"做法为公司赢来了空前的效益，他们研制的"丑陋玩具"在市场上一炮打响。这以后，他们还不断研制出一批又一批的丑陋玩具，并使之构成了一个系列，牢牢地占领了玩具市场。

例二，曾有人研制出一种头上长草的娃娃，那娃娃的头皮里头埋有草籽，只要提供适当的温度与湿度，草籽就会长成毛茸茸的绿草——那细如发丝的小草鲜得可爱，绿得活泼。不仅长得快，还可以由人们修剪成他所喜欢的各种样式，如小平头、小分头、披肩发、小辫子等。果然，此种娃娃"新鲜"之极，一上市就引起了人们的热切关注，一时间购买者众，赞美者众，迅速风靡首都并成了京城一景。

可见"新鲜"的确是可以"制造"的，而且，谁成功地制造了"新鲜"，谁也就真的赢得了暴利。

反传统创新，突围微利：温州人叶进博大学毕业后，向家人借了50万元资金，在温州城区开了一家玩具批发公司。他选择玩具行业是因为玩具在温州是不引起当地商人注意的盲点。靠着批发的微利，第一年他就赚了200万元，还了父亲的50万元借款，留下150万元继续发展。4年后，他手里已经有了 3000 万元的资产，但他无法满足这种现状，于是，他一面做玩具批发生意，一面寻找新的出路。

一天，有个客户来进货时对他讲，你为什么不办一家玩具租赁店？他反问道，为什么要办玩具租赁店？客户说，我们在经营玩具时发现，经济条件差的家庭，面对日新月异的玩具往往力不能及；经济条件好的家庭虽然对小孩购买玩具舍得花钱，但由于小孩兴趣多变，过不了多久，所购的玩具就如同鸡肋——食之无味，弃之可惜。如果开一家玩具租赁店，既节约了成本，又可为不同家庭解决儿童玩具的处置和购买问题。有道理！这是一种心理需求，这种心理需求就是一个巨大的潜在市场。

第二天，他很早起床买好机票，飞往重庆、上海、广州、北京等地考察。在北京、广州考察的结果，使他大吃一惊：这里的玩具租赁店开一家火一家。不过，这些店都有一个共同的弱点，管理不规范，都是小作坊式的经营。汇集各路信息，他坚信这是一个很值得一干的产业。最后在家里花两个月的时间写出了详细的策划方案。有了策划方案，下一步就是按图纸施工了。

第一步是选择公司地址。父母亲建议他就在温州干，朋友们建议他到上海去，他却选择了武汉。其理由有三：一是武汉九省通衢，办连锁店易于向全国辐射；二是武汉没有玩具租赁店，是空白点；三是武汉是一个内地城市，消费观念稍落后于北京、上海。玩具租赁在武汉能成功，那说明在北京、上海也能成功。

叶进博从温州带了 8 万元现金，单枪匹马地来到武汉，选择了不在闹市、也不邻街的武汉市总工会 3 楼一个 50 平方米的单间作为展示厅。这里租金便宜，又有一个天然优势：旁边是市青少年宫，楼下是一个儿童培训中心。2001 年 12 月 1 日，他的公司正式开业，取名"智慧鸟玩具租赁公司"。全公司职工只有 3 人：一名玩具维修工，一名接待员，还有一名就是经理兼推销员的他。公司的营销方式是发展会员制，即每个会员交 200 元，就能保证 1 年之内免费享受这里的 2000 多种玩具。

叶进博的公司是否能成功，第一家玩具租赁店是关键，第一家成功了，就可以按照第一家的模式，复制若干家玩具租赁店，形成玩具租赁连锁店。两个月下来，他的样板店卖出了 520 张卡。每张卡是 200 元，进款 10 多万元。有了样板店的成功，叶进博立即打出加盟连锁的旗号。武汉常青花园的一个客户得到信息后，主动登门拜访叶进博，咨询加盟事宜。叶进博首先带着他参观"智慧鸟公司"的展示厅、销售部、消毒部、维修部等各个部门，然后，把玩具租赁店如何赚钱的 6 大技巧向他和盘托出。经叶进博一番讲解，加盟者觉得照叶进博的方法去做，肯定大有钱赚，当场与"智慧鸟"签订了合同，经 1 个月的运转效果显著。一家加盟者的成功，引来上百家加盟者的兴趣，在随后的几个月里，"智慧鸟"公司的咨询电话一个接一个，只用了 1 年多的时间，叶进博在全国发展分店 1000 多家，发展分公司 80 家。

当然，玩具租赁店并非叶进博的目标，他的目标是在全国开 4000 家店，这样就等于拥有了 4000 个店为平台，很多非玩具商品也就可以通过这个网络推销出去。假如叶进博为某厂家代理儿童书包，通过他的 4000 个店，一个店每天只卖一个书包，就是 4000 个书包。这其中的暴利自然不必再多说了。这种反传统的创新显然是突围暴利的一大利器。

创新带来暴利的例子还有很多，瑞士素来就有"钟表王国"之美称，在世界称雄有 200 多年的历史。可是到了 1979 年，日本人称：日本钟表的产量已超过瑞士！后来居上的日本让瑞士丢尽了脸。瑞士钟表在哪里出了毛病？本来，电子表是瑞士人最早发明的，但是由于自以为有着精湛技艺的瑞士制造商对电子表却不屑一顾，认为生产这种手表要更新设备，再者这小玩意儿又利薄能成什么气候？他们宁愿继续生产机械表，他们太迷恋自己几百年来沿袭下来的传统，以致无力自拔。日本人却敏锐地发觉了电子表的市场前景，一剑封喉，只轻轻地一击，瑞士就失去了昔日的威风。

当然，瑞士人并不甘心将老大的宝座拱手让给他人。1980 年，瑞士人开始打响反击战。首先是利用其技术优势，将电子表不断地改良，研制出了比日本人更精确更细小的电子表，以狙击日本人的进攻，另一方面，加强了对高档表的开发，这是日本人在当时所不能涉足的领域。从高、中、低档产品线全面出击，经过围攻，终于夺回了老大的宝座。

今天我们正处在竞争异常激烈的社会，企业的优胜劣汰加快，顺者昌逆者亡，不进则退。经营者要在这种社会求生存、求发展，就必须不断创新。只有创新才能使自己企业充满生机活力；只有创新才能使自己的企业改进不足，增加自我发展的优势；只有创新才能在微利时代永葆财源不竭。

创新的内涵极为丰富，它不仅包括技术、产品，也包括管理模式、营销决策、经营理念等多方面的创新。创新方式也是多种多样的，如用途创新。典型的新用途创新是发泡技术。发泡技术最早用于面包，后来美国商人用于橡胶——橡胶海绵；德国商人则制成泡沫塑料；日本商人用于气泡混凝土、制成浮游香皂等。他们的共同点，都是将发泡这基本的技术迁移到其他产品的用途上，结果让他们都发了专利创新财。

创新不仅能让企业在微利时代快速发展，而且有时运用、利用得好还能挽救发生危机的企业，使其走出低谷，迈上快速发展之路。

只有小学文化的四川农民周兴和，1990 年在一个展览会上买了一项专利技术，办了一个小建材厂。由于买来的技术含量不高，产品很难打开市场，企业也因此长时间处于亏损状态。面对这种局面，周兴和决定以技术创新为突破口。他选择当地的秸秆作为研究对象，将它研制成高档的建筑材料。经过 3 年多的研究，1997 年周兴和的技术获得成功。由于他的技术解决了多年来农民焚烧秸秆问题，因而得到当地政府的大力支持和推广。1998 年，他的技术获得国际爱因斯坦发明金奖，1999 年他的"秸秆隔墙板"'在成都销售收入达 3000 万元。他的创新，不但救活了他的建材厂，还使他的产品走向了世界。

生存就在于不断创新，创新是为了更好地生存。对小企业来说，创新则是为了更好地从微利中突围，从而赢得暴利。

微利时代行之有效的商业方法三

—— 共享资源，借虚拟变"效益"

获利要领：虚拟企业往往是由一个核心企业设计一种产品方案或对外承担一项产品任务，在对关键性资源控制的前提下，根据需要选择不同地区的企业共同完成，并在整个过程中实行并行管理。

获利关键：如今，对于许多创业者来说，常常是缺乏大量原始资金，或者无能力建成现代化大规模生产线，或者没有成套的营销体系等，造成抱着发明、创造、新项目、新创意等"金娃娃"却伸手讨饭的情况。而虚拟企业则可以在没有真实的物化的生产及营销体系的情况下，凭核心竞争力即可以是无形资产的优势，也可以是产品市场空间大的优势，还可以是产品及企业因为拥有先进科技成果而具有的科技优势等等，就可以寻求到银行的贷款、相关企业的联合并由此迅速崛起。

拆招解招：虚拟企业的管理其实就是核心竞争力的管理。因为，企业核心竞争力的选择与培养是一个长期过程。要根据顾客认可的基本利益选择核心能力，区分比较优势与核心能力，有时还需要跳出原有产品的局限，在新产品联合开发、科技合作上将企业升华。而只有在增强吸收能力、创新与整合能力和延伸能力的基础上建立起来的虚拟企业，才能保证企业的核心竞争力不断提升。

小礼品　品味资源共享：如今，几乎每一个创业者都在反复思考这样一个问题：什么样的公司更适合我？为谁干能够更快更好地实现自身的价值？我自己这个"软件"（专业、学识和成果）在哪里能够实现兼容？

一位名叫奥利维尔·齐通的法国青年，他的公文包里装着一项发明，这项发明曾得到法国电视台的报道，如果实施一定会使他发财致富。他的包里还装着两年前就已经做好的创建公司的计划书。但他呆在法国，这两个文件只能是躺在他的公文包中。于是，他跑到了美国硅谷，在那里找了一间办公室，起草了文件，筹集了资本，没出一个星期就办起了自己的公司。如今这家公司即将上市。他的科技产品称为奥普里奥电话，与他的公司同名。这项发明让电脑用户得以利用互联网，花很少的钱（或者免费）打长途电话。

实现资源共享，从个人的角度说，可以像奥利维尔·齐通这样找一块"埋人的黄土"；从企业的方面出发，就常常是"用黄土埋人"。于是，借助外脑的事越来越多。而所谓借助外脑，绝不是搞个"影子公司"和"猎头"那么的简单。

杭州的苏红1998年时开了一家礼品店，每月从广东进货。刚刚开店的时候，因为商品的样式很新颖，所以虽然价格不菲，但销量一直都不错。不过这样的好日子没过多久，2000年10月开始，苏红的礼品店生意越来越淡。原来她开店的一条街上一下子冒出了七八家礼品店。客源分流还在其次，价格竞争使得苏红的毛利润空间骤然从原来的60%一路降到了20%。减去成本和成本分摊后，利润已经不足8%了。苏红一度想关掉店铺。

2001年时，苏红经人介绍认识了谢靖，美术专业毕业的谢靖当时在一家儿童出版社做美编。一天谢靖对苏红说，现在随便往实用的商品上印上个卡通或小动物的图案，就特别受欢迎，不如在这方面动动脑筋。积压了大量货品的苏红此时已经没有别的办法了，决定就按这个方法试一次。于是，她与谢靖一起将库存的商品一一摆弄、挑选，最终选中了一种彩色外壳的保温杯。谢靖拿着保温杯回家，琢磨了两天后，设计了很可爱的图样，图样上是一对线条极简单、形态亲密的卡通狗。图样设计好后，两个人找到了一家不太景气的塑料加工厂，花了800多元，让工厂将手中积压的400

多个保温杯印上了卡通狗的图案。

保温杯加工好后，苏红在店门口制作了卡通狗图案的宣传板，并以每个 38 元的价格出售。果然效果不错，第二个星期开始，竟然就有人找上门商量批发了。积压了一年多的保温杯，仅用了 2 个月的时间就销售完了，而且利润增加了很多。

苏红看到这是一个很不错的方法，于是，她与谢靖一起再次挑选了一批彩色塑料的烟灰缸、镜框等，很快制作出了卡通狗系列的成品，并且在店铺门口打出了独家货源的字样。苏红的店铺生意马上红火了起来。到 2002 年年底时，苏红的礼品店已经成为了卡通狗系列的批零兼售的店铺，利润也从先前的不足 8% 再次增长到了 40% 左右。

到 2003 年时，苏红干脆专门组建了一个设计工作室，聘请了 4 个专业设计人员，对礼品进行再设计，然后拿到附近的小加工厂进行再加工。苏红之前根本不敢想象，一个小礼品店就这样成为了她的聚宝盆，每年有 30 多万元的收入。现在她明白了，自己赚到的其实正是资源共享的利润。

"虚"出来的暴利： 当今的企业界与咨询策划业，人们用得最多的一句话恐怕就是"资源整合"了。何谓资源？人力、物力、财力、时间、知识等皆是资源。资源不分有形与无形，资源无处不在。但在日常生活和企业的经营活动中，不少人都在有意或无意地浪费资源，或者对身边的资源熟视无睹，让机遇白白地流逝。

资源整合的工夫，就是不能让资源流失，不仅如此，它还要将各种有一定联系的和没有联系的资源，在一定的经营思想支配下，有机地"整合"到一起，让其产生乘数效应。比较常见的例子是：制造业中的产、供、销一条龙服务，服务业中的吃、住、玩一条龙服务，都是有意地将供应链上各个环节的资源"整合"在一块，从而产生良好的经济效益。当今世界，各行各业之间、各个职能部门之间是互动的、声气相通的，那种令资源处于零散、分割状态的想法和做法都极端不明智。

资源整合是不能让资源流失，不仅如此，还要将各种有一定联系的和没有联系的资源，在一定的经营思想支配下，有机地"整合"到一起，让其产生乘数效应。

对于中小企业来说，所谓的借虚拟变"效益"其实是一种很实用也很易操作的招数。在江浙一带，也成为了很多人迅速致富的方法之一。其要领就是抛开了以往的固有观念，即如果要自行设计某个产品，就首先要有大资金量，要有厂房，要有设备。要有原材料等等。显然，这些先决条件是绝大多数小企业创业者难以企及的。即使这些条件都具备，生产技术如何解决？产品销售如何保证？一系列的问题最终将原本需要依靠短、平、快迅速起家的创业者拖到了一个庞大的系统工程中。

实际上，苏红从微利中顺利走出并赢得暴利的案例证明了一点，那就是越是小企业越要学会寻找并利用资源，学会共享资源，并且借助资源共享获得更高的利润。就如微软把自己"套牢"在 Window 上，它就在全世界范围内实现了资源共享。有谁能为这种产品拿出更新的成果，比尔·盖茨就聘用，给你实验室，给你发工资，给你股权证。如果有一天你已经脑力枯竭，再没有什么建树了，也用不着看谁的脸色，自己安静的走开就是了。这辆类似公共汽车的微软，被"虚拟"了。

又如，1994 年，一种新型宽体客机波音 777 问世。这架客机由美、英、法、加、日等国大公司的 34 个工作小组共同完成，整个过程完全在网络上进行。依靠网上信息的充分交流和计算机仿真技术的应用，各零部件之间拟合度十分地精确，组装中没有出现一次返工，既大大提高了功效，又取得了良好的质量效果。这种基于项目的虚拟企业，其目的在于共同承担高额投资，分散风险，降低成本。

更直接的例子是耐克公司。作为一家生产运动鞋的厂商，它却连一家工厂也没有，而是集中公司资源专攻产品设计和行销，生产则委托给人工成本较低的新兴国家代为加工生产，从而可以很快反映市场变化，保持高强度的竞争优势。这类虚拟企业往往是由一个核心企业设计一种产品方案或对外承担一项产品任务，在对关键性资源控制的前提下，根据需要选择不同地区的企业共同完成，并在整个过程中实行并行管理。

微利时代行之有效的商业方法四
—— 抢先机，得先机者得厚利

获利要领：举凡做生意的人都有体会：在市场上先人一步往往左右逢源，灵动异常，滞后一步则步履维艰，困难重重。而先人一步可分为两个层面：一是做在前面，二是想在前面。创业者要突围微利，就一定要是"先知先觉"的人，他们把市场中丰厚的"油脂"蚕食掉之后，给"后知后觉"的人留一杯羹。

抢先机

获利关键： 能不能抢占创业先机事关创业的获利能力。对于创业者来说机会无时不在、无处不在——变化就是机会。环境的变化会给各行各业带来良机，人们透过这些变化，就会发现新的前景。变化可以包括产业结构的变化，科技进步，通信革新，政府放松管制，经济信息化，服务化，价值观与生活形态变化，人口结构变化。

拆招解招： 抢占先机的突破口其实并不难寻找，可以从"低科技"中把握机会，机会并不只属于"高科技领域"。在运输、金融、饮食、流通这些所谓的"低科技领域"也有机会，关键在于开发。也可以盯住某些顾客的需要就会有机会。机会不能从全部顾客身上去找，因为共同需要容易认识，基本上已很难再找到突破口。在寻找机会时，应习惯把顾客分类，如政府职员、菜农、大学讲师、杂志编辑、小学生、单身女性、退休职工等，认真研究各类人员的需求特点，机会自现。亦或者可以从追求"负面"中找到机会。所谓追求"负面"，就是着眼于大家"苦恼的事"和"困扰的事"。因为是苦恼、是困扰，人们总是追切希望解决，如果能提供解决的办法，实际上就找到了机会。

创业成功在于抢占先机： 一位日本人从菲律宾进口了一种在热带海中长大的虾——进口价格仅1美元，在日本把它们装入盒子，取名"偕老同穴"，这种既谈不上生产成本，也没有复杂工艺的商品，一下子就卖到260至270美元，而且供不应求。实质上，它不过是自幼从有隙的石头缝里进去，然后在里面成长为无法出来的雌雄虾，只得在石头里度过它们的一生。这位商人的高明之处在于，他敏锐地捕捉到这种商品可以为人们提供情感上的安慰，并附加其一种天才的创意：以这种爱情专一、从一而终的虾，作为永远美满幸福的结婚礼物送给新婚夫妻，从而想到了一般人们所想不到的地方而抢占了创业先机。

类似的例子，在中国创业企业中也有不少。众所周知，蔬菜的销售实在不是什么暴利的行当，而且由于近年来各地对蔬菜种植的重视，因此蔬菜的销售早已进入微利时代。这种情况下，从蔬菜中获取暴利还有可能吗？

1996 年春天，邯郸的王山海在一本杂志的一个很不显眼的位置看到一个故事，故事说的是上海市有一位姓庄的老太太，退休在家没有多少事可做，那些来不及买菜的双职工经常请她帮忙，庄老太太为人热情，每次把菜买回去之后还要择洗干净，时间长了，人们过意不去，主动给老太太一些报酬。开始老太太不收，经大家一再解释，她便按份量收取少量的手续费。托她帮忙的人越来越多，后来这位老太太成立了一个"庄妈妈净菜社"，生意非常红火，一时传为佳话。王山海从这个故事中认识到：大千世界千姿百态，在这个缺乏标准答案的时代，人们的消费意愿、消费需求五花八门，层出不穷，而每一种新意图、新需要的背后，又都蕴藏着一个可以让人一展身手的新商机。能否与机遇撞个满怀，关键就看是否有见微知著的"生意眼"，是否能够敏感地去发现，并且紧抓不放，乃至借题发挥。

王山海萌发了学习庄妈妈的想法，他计划在邯郸市也开办一个面向工薪阶层，专门加工净菜的服务机构，找来几个朋友一商量，大家一拍即合。他们通过深入的市场调查进一步认识到，邯郸市是一座富有悠久历史文化的名城，是冀南地区的政治文化中心，有着丰富的矿产资源和发达的加工工业。随着人们物质生活水平的不断提高以及工作节奏的加快，如何尽量节省在厨房操劳的时间，已经成为许多家庭所考虑的问题。天天"下馆子"毕竟不是大多数人经济上所能承受，而且卫生状况总让人有点儿不放心。尤其是一些年轻的夫妇，烹饪手艺不高明，家中来了客人，切几盘熟食作凉菜还可以，炒热菜就犯愁了。切洗得干净齐整，配料齐全，价格适中的"方便菜"有着非常广泛的市场需求。几个志同道合的朋友一致认为，有消费需求就有商机。他们决定合伙创办一家公司，生产集"方便、味美、卫生、经济实惠"于一身的方便菜，下决心要在这个行业中闯出一条路来。

经过精心策划，他们给自己的公司起了一个乡土味很浓的名子——龙乡食品公司，把产品定名为"龙香菜"，让人一接触就耳熟能详。他们转遍了邯郸市的大街小巷，经过反复比较，选定一个工薪阶层居住比较集中的小区，租赁了一家下马的食品加工厂的厂房，门口挂起了一个写着"龙香菜"的大灯箱，亮堂堂地照红了半条街。

他们请全市有名的厨师拟定了上百个菜谱，经过严格考核，招收了 60多人分别担任配菜师、择洗工和送货员。开业不久，他们的产品就在那个小区站稳了脚跟，不到半年，凭借一个普通、廉价、富有个性化的产品和服务项目，龙乡公司就创造出了一个红红火火的崭新局面。年底结账时，一起创业的几个朋友都舒心地笑了。

由于龙乡公司切中了市场脉搏，"龙香菜"的市场在那个小区四周开始了墨浸宣纸式的扩张。1997年年底，在邯郸市出现了大量的追随者，然而此时龙乡公司给后来者留下的只是一杯残羹。

"先机"来自理性思考：到底是什么才能创造意外的财富呢？最重要的已经不是技术和资本了，技术和资本等都可以外包，只有独特的创意，在"第一时间"把握创业机会是必不可少的甚至是至关重要的。"雅虎"的创始人提出一个互联网应用的新概念，于是使"雅虎"就像神话中的一粒种子一样，几乎在一夜之间成长为参天大树。

无数人看到苹果落地，但却只有牛顿能产生地心引力的联想。所谓的机缘凑巧或第六感的直觉，主要还是因为创业者平日培养的敏锐观察力，因此，能够先知先觉形成创意构想。管理大师杜拉克主张可以透过有系统的研究分析，来发掘可供创业的新点子。这种以科学方法进行系统化分析，进而产生大量创业点子，正是知识经济时代社会创业活力的主要来源。所谓经由有系统研究分析，大致可归纳为6种方式：

经由分析特殊事件，发掘创业机会。例如，美国一家高炉炼钢厂因为资金不足，不得不购置一座迷你型钢炉，而后竟然出现后者的获利率要高于前者的意外结果。

经由分析矛盾现象，发掘创业机会。例如，金融机构提供的服务与产品大多只针对专业投资大户，但占有市场7成资金的一般投资大众，却未受到应有的重视。这样的矛盾，显示提供一般大众投资服务的产品市场必将极具潜力。

经由分析作业程序，发掘创业机会。例如，在全球生产与运筹体系流程中，就可以发掘极多的信息服务与软件开发的创业机会。

经由分析人口统计资料的变化趋势，发掘创业机会。例如，单亲家庭快速增加、妇女就业的风潮、老年化社会的现象、教育程度的变化、青少年国际观的扩展等，必然提供许多市场机会。

经由价值观与认知的变化，发掘创业机会。例如，人们对于饮食需求认知的改变，造就美食市场、健康食品市场等新兴行业。

经由新知识的产生，发掘创业机会。例如，当人类基因图像获得完全解决，可以预期必然在生物科技与医疗服务等领域，带来极多的新事业机会。

虽然大量的创业机会可以经由有系统的研究来发掘，不过，最好的点子还是来自于创业者长期观察与生活体验。

微利时代行之有效的商业方法五
—— 差异化拉大利润空间

获利要领：差异化战略是企业通过树立品牌形象、提供特性服务以及优势技术等手段，来强化产品特点。因为降低成本终归是有限度的，但是差异化价值会随着品牌的深入人心而不断增大。

获利关键：一般来说，在消费品领域的市场竞争总是十分激烈，以降价让利为主的价格战是竞争性行业商家普遍运用的竞争手段。但成功的企业总是能在这种情况下通过产品和市场创新、管理和组织创新，找到提高而不是降低价格、增加而不是减少利润、引导而不是误导市场，带领同行把竞争的注意力转向新产品开发而不是降价的发展之路，差异化战略是对这些活动的高度总结和概括。

拆招解招：面对国外跨国公司纷纷逐鹿中国市场的强大实力，和国内大企业纵横捭阖的咄咄气势，脆弱的中国中小企业在这险峻的市场夹缝中如何积极寻找自己生存和发展之路，已成为企业一直在探讨研究的重大课题。广告策划人叶茂中出的主意是：中小企业不要到大池塘里冒着吃不到东西还要被吃掉的危险，而是应到大鱼不去的小池塘里去找足以饱腹的食物。叶茂中的这个主意其实就是差异化战略。所谓差异化战略，就是企业经过调研向市场提供的独特经营方式，它具有个性化的优良的品质，和较强的利益内涵，是在竞争激烈的市场经济中，在产品同质化越来越普遍的情况下，向市场展示并获得市场认可的别具一格的经营战略。

从朱呈的糖葫芦看产品差异化：在如今的市场上几乎没有一种产品没有自己的竞争对手，今天有一种产品在市场上畅销，明天就有同类产品出现在市场上来与你对抗，与你竞争，构成产品同质性的较量。在这种情况下，中小企业应该努力研发和展示具有自己独特文化内涵和使用功能的产品，从产品的设计、制造、包装以及附加功能上寻找与同质产品的区别点，形成自己的产品优势，为自己的特定顾客提供特定的产品品种，表现出中小企业在发展中的差异化战略和特殊的智慧。山东临沂朱老大集团董事长朱呈的差异化思路很值得借鉴。

朱呈曾是一家国企的普通女工，1997 年下岗后，她在困惑中试探着自己的出路，她在任何人都不以为然的一串小小糖葫芦上，演绎出了一个令人心动令人惊讶的故事。为彻底摒弃一般冰糖葫芦的质感，朱呈把山楂果的核挖掉，采用巧克力、果酱、豆沙等原料做成夹心的糖葫芦口感极佳，还可以通过塑封、冷冻的办法在夏季出售，具有雪糕所不能达到特殊品味，投入市场后出奇地受到人们的喜爱。朱呈抓住机遇、扩大规模、迅速发展，先后在浙江、陕西、山东、河南等地创建了加工分厂，使糖葫芦的每年销售量达几千万支之多。很快发展起来的朱呈建起了大酒楼，而去那里就餐的顾客，都可以免费享受到赠送的冰糖葫芦，而这样的赠送又反映出了朱呈的差异化经营特色。在短短 4 年中，朱呈由一个普通下岗工人变成了拥有几千万元资产的且颇有名望的女老板。朱老大集团公司的一位负责人说：

便利店

"我们做某些事情就要做得最好，做出自己的名牌。我们的糖葫芦在同类产品中首屈一指，我们的水饺获得 12 个国家高级营养师的认可，我们把一些商品已经注册了商标，成为深受消费者欢迎的产品。"差异化战略，就是你无我有，你有我精的特色经营，是经过细分后市场制胜的奇策。

从平安便利店看销售差异化：最近美国政府颁布了一条法规，对那些死缠烂打的电话推销说"不！"。电话推销的确是一种快捷方便的营销方式，在相当一段时间内对产品推销具有特殊意义。然而，当人们都在采取这种方式的时候，那么它就成了令人讨厌的聒噪和搅扰了。一位中小企业的经理非常苦恼地说："每天推销产品的电话不下十几次，对工作和情绪影响很大，这样的推销方式烂透了！"因此，有些人一拿起电话听到又是推销的，连个"不"字都赖得说就把电话挂断了。这就是电话销售已经成了一种大众销售方式，没有了差异化可言的原因，它不被人们欢迎自然是情理之中的事了。市场营销也应该选择一套独特的营销方式，要努力发现和挖掘自己的优势和潜力，要从天时、地利，从消费者特殊需求的角度，找到营销的兴奋点，充分发挥自己的长处，最大限度地满足客户需求。北京东郊边缘上的一家便利店实行的销售差异化很是耐人寻味。

今年 40 多岁的小店经理田春鸣，原来是一家工艺厂的技术人员，1998年下岗后在家里呆了两个月就坐不住了，他想开一个零售店来维持生计。可是跑了大半个月也没有跑出个名堂，原因是在闹市区开一个店要花很大的一笔租金，一向靠工资生活的他没有那么大的本钱。他也曾想把自己的临街房子改造成一个小店，可是看看周围到处都是这样的店，开了也是白搭工夫，他看到那些小店主们闲得都快把脚翘到柜台上去了。市区看来是不行了，他就往郊区跑，他发现郊区南端的通马公路边上有几间闲置的简易房，周围是几个村庄，这里当时还没有公交车，交通很不方便。他骑着自行车在几个村子里转了转，只看到几家零零星星的小卖部，卖的都是些油、盐、酱、醋、卫生纸之类的"救急"货，不成气候，于是他决定在这里开一个便利店。

这几间简易房是村里建造的，第一年建成后就"三易其主"，第二年干脆无人问津了。田春鸣找村长商谈租房时，村长说你可以租 3 年，每年3600 元。田春鸣考虑时间有些短，刚刚铺开摊子还没有暖热就得走人，那基础不是白打了吗？他向村长提出了 8 年的租赁，租金可以高一些。村长说现在城市发展这么快，我可保证不了这么长的时间。后来他们协商到国家用地拆除为止，每年租金是 5000 元。小店开张后田春鸣将那些油、盐、酱、醋等这些"救急"商品的价格略有下降，为的是让村里人有个可比性，而其他商品如电池、学生练习本等价格不但不降，有的还"略微"高一点，他说这些商品价格不很敏感。为了"巴结"客户，在交通不便的情况下，田春鸣特意在店里放一些信封和邮票，并且免费发送信件。为了向消费者坦明自己免费服务的项目，田春鸣做了一块黑板，上边写着：代买《北京晚报》，代缴电话费、水电费，代发邮件，代买本店没有的小商品。田春鸣说，他这些办法一下子把消费者拉到了自己身边，使小店逐渐红火起来了。后来房地产开发项目陆续在这里展开，外地民工一天天多起来，田春鸣就在小店里增加了胶鞋和一些耐用耐磨的工作装，安置了公用电话，并免费为民工代接电话，传达其亲友的来电内容，大大方便了民工的日常生活。他算了算，就近开工的工地上民工大约有上千人，这是一个规模可观的消费群体。田春鸣的店也由过去的一间，改为现在的 3 间，即使把整个货架全部开放，晚上到那里购物的人还是显得拥挤。田春鸣就是靠着这种差异化经营使自己壮大起来。他说，他现在看中了市区离物美与家乐福两大超市不远的一个地方，他要在那里开一个便利店，他将会为消费者提供更为便利特殊的服务，他自信他会成功的。他说沃尔玛就是由农村"包围"城市最后占领城市的，只要你给消费者提供的服务有特色，设身处地的为他们着想，把他们看作自己忠实的伙伴，你就会得到他们优厚的回报。当记者问到他如何与这些超市巨头竞争时，田春鸣神秘地说，他要把营业时间延长到晚 11 点，从时间上先取得优势；把销售区分为老年区、儿童区和其他销售区域，使老年、儿童这些特殊的消费者一进店，就很轻松地找到自己所需的东西。当然，他还将把已经成熟的免费为消费者提供方便的那些经验，在新店内进一步推广，并根据一些新情况，附设一些新的服务内容。"我们没有理由与他们(指物美、家乐福这样的超市)去冲突，我们完全可以在夹缝中发展自己。"田春鸣信心十足地说。

市场的差异化无处不在，无处不有，只要细心观察就会发现有很多商机在等着你。

一些商家一边惟恐被强大的竞争对手吞没，一边在苦苦地寻找自己的市场定位而不得的情况下，便心灰意冷了，他们似乎被死死地"封"在了市场之外，前景渺茫得很。其实市场的差异化无处不在，无处不有，只要细心观察就会发现有很多商机在等着你。上海鳞次栉比的大商店、大卖场和星罗棋布的小商店，让人有一种透不过气的压抑感，然而，谁也没有想到，一家特殊的女性专卖店却很快吸引了人们的眼球，而且很快风靡了大上海。它的特殊性就是这家女性专卖店的经营者，是 3 个风华正茂的年轻小伙子，叫人即刻产生另类的感觉。谁不想去看看由 3 个小伙子开的女性专卖店是个什么样子的呢？这是其一。其二，这个女性店里女性用品，大多是质地与款式均为上乘的高档货。他们曾对不少商场的女性专卖柜进行过多次调研和"蹲点"观察，发现那些收入颇丰的男子们，偏偏喜欢购买那些高档的女性用品，而且从不讲价，买了就走。这情形又使他们进一步发现，许多男子不管是作为礼品还是作为一种特殊的纪念，把这些高档、高雅、柔靓能够一展女性风姿的女性用品送给自己心爱的女人，但由于受中国传统观念的影响，感到男人做这些事有碍于脸面，并不愿意在这样的柜台前多有停留，即使要买某种东西，往往也需鼓着很大勇气。如果买东西时后边再跟上一位絮絮叨叨的女服务员，那就更让人尴尬。基于这种现象，三位男子决定开一家女性专卖店。结果不出所料，开业后前来购物的男子非常多，而且也用不着那么拘谨了。这家专为男士消费者开设的女性专卖店，之所以大行其道，就是实施了差异化销售战略，这种战略强调的就是"鹤立鸡群"、"与众不同"的销售风格。菲力普·科特勒对这种成功营销的解释是：特色化，独一无二的营销方式。

企业的差异化经营还表现在诸多方面，如以对环境进行解剖和细分的环境设计差异化；对资金的不同需求所产生的资金来源差异化；根据不同的销售现场而进行的销售方式差异化；针对不同的产品而采取的营销模式差异化，还有组织形式差异化、运行机制差异化等等。只要有一种事物的存在，就可以找出事物的多个侧面，以及事物与事物之间的不同性，这就要求创业者要有敏捷的市场眼光，灵活机动的应变能力，从差异中寻找出创新契机，从可持续发展中把握自己的准确定位。

微利时代行之有效的商业方法六

—— 超值服务，超级财源

获利要领：微利时代中，资源是有限的，甚至是相同的，对创业企业来说，怎样运用资源将直接影响到企业的获利能力。换句话说，在赢利模式的设计上，"有限的资源"是一个边界条件，谁能把有限的资源放在最有效的地方，谁就能从微利中突围，甚至胜出。

获利关键：所谓超值服务，说白了就是感动消费者的一种服务。以商品为道具，围绕着顾客，创造出值得顾客回味的活动，通过触及顾客的心灵共鸣来实现。这其中，商品是有形的，服务是无形的，新创造出的服务过程体验是顾客难忘的。当顾客的体验超过顾客的期望时，顾客才能感动。因此做好感动服务可以从3个方面考虑：1. 顾客没想到的，企业为顾客想到、做到了；2. 顾客认为企业做不到的，企业却为顾客做到了；3. 顾客认为企业已经做得很好了，企业要做得更好。

拆招解招：在市场上，我们经常发现一些企业的产品，甚至是知名品牌的产品，其性能和质量都很好，价位也合理，但行销效果却不够理想，而一些同类型的同质产品，却能吸引顾客，走俏市场。对此，市场专家研究认为，产品的行销效果，除了与自身的质量与性能等因素相关外，其附属特质对产品的行销起着重要的诱发作用。产品附属特质的有效发掘，并不是所有的企业经营者都能做得到的，只有那些有心的人时时追踪与评估目标消费者的需求与产品特质之间的动态组合，才能设计出理性的产品行销策略。通常情况下，这一招只要指对了地方，不但可以让消费者很痛快地掏腰包，关键是这种超值服务可以突破微利的包围。

小小喜糖做出大名堂：超值服务，顾名思义就是在对消费者的购买动机进行探讨和研究后，从而发掘消费者的消费习惯，并且创造他们想得到的价值。说来令人难以置信，一种名为比萨饼的意大利快餐在必胜客被卖到 60 元一块，再大一点的 120 元一块。这些比萨饼不过是九寸餐碟大小的大饼，加上鱼、菜、肉末烤制而成。如此昂贵的饼却依然天天要排长队等座位，为什么？

必胜客

在必胜客享受比萨饼处处体现一种温馨的异域情调。选择比萨饼，无论中号小号，可以一张饼要两种口味。买了饼，你可以在那里泡上半天，体味居家休闲的氛围。若是打包，一个纸盒，中间还有一个托架，不但保温又不致使饼与盒子粘到一块，而且外表像一个精致的装饰品。美国必胜客在中国的总代理称这是"一本万利"的赚钱秘诀。所谓"本"不是做生意的"本钱"，"利"也不是利润的"利"，而是一个以顾客为上帝的"基本"的服务模式被一万次"利用"。

可见，这种超值服务套餐的理念很值得商家们研究。虽说现在是微利时代，生意越来越难做，有人甚至戏谑"一台电脑现在只有一把大葱的利润"。但缘何必胜客的比萨饼就能一块卖到 60 元，还顾客盈门呢？市场研究人员通过调研发现，引发消费动机、产生消费行为的产品特质，可能是产品本身或者包装的一部分，也可能与产品没有关系，而是与消

创业小贴士

对创业企业，超值服务是突围微利竞争的良方。

费者购买产品的体验有关。

对创业企业，超值服务是突围微利竞争的良方。特别是对于没有树立自己品牌，尚未形成自身市场的产品来说，超值服务所起到的作用是在原有成本不增加或仅仅稍许增加的情况下，以更为贴心的服务观念赢得消费者的青睐，并且脱离原先的微利竞争环境，从而达到利润的成倍增长。

今年 49 岁的余根川是一名下岗工人，1999 年从杭州地毯厂下岗后，他曾经为生计问题而到处奔波。2001 年杭州市劳动管理局针对下岗工人举办了首届创业培训班，要求参加培训的人员必须带有创业项目。余根川经过多方考察和调研，看中了婚庆喜铺这一新兴的行当。经过认真分析他发现，近几年结婚的人多，老百姓对有品位、上档次的喜糖需求缺口不小。人们在大商场里买喜糖，品种不够丰富，价格较高，而且不同档次的喜糖混在一起，难以满足消费者对喜糖档次的不同需求。老余想，如果有专门提供各种喜糖的喜铺，应该会受到消费者欢迎。于是，以喜糖为主打商品的"花嫁喜铺"就这样诞生了。

卖喜糖并没什么特别的，而且当时市场中的喜糖的利润极低。要想从微利中突围，就要在喜糖的服务上打打主意。"喜糖的包装绝不能马虎。"在这方面余根川也是很有心计的。他用晶莹剔透的玻璃瓶把喜糖一瓶瓶地盛起来，搁在灯光灿烂的玻璃柜上，这些喜糖顿时美得像装饰品一般。余根川就像嫁女儿一样，把"花嫁喜铺"里的每一种喜糖都打扮得漂漂亮亮，难怪顾客看到这里的喜糖都会爱不释手。

而最为关键的还是喜糖的外包装盒就像"嫁衣"一般重要，目前"花嫁喜铺"经销的喜糖已有100多款造型别致的包装盒，但余根川并不满足。他发现，糖果生产厂家提供的原包装虽然都很漂亮，但里面的喜糖品种太单一。于是他就想到自己配糖，这就需要从社会上采购外包装盒，但从社会上采购来的包装盒款式又比较落后，且由于没有印上喜糖的生产厂家，顾客信任度较差。于是他就自己设计了 3 个喜气洋洋的款式，糖盒上不仅有"花嫁喜铺"的店址电话，还有一句独具匠心的"借问糖家何处多，嫂嫂遥指潮王村"。这样一来，"花嫁喜铺"便有了自己独特的定配喜糖。

换个包装就可以财源滚滚，这可绝对不是什么歪点子、突发奇想的结果。早在 20 世纪 70 年代初期，百事可乐公司针对消费者购买与可乐类饮料相关的情况进行了仔细研究。他们惊讶地发现，消费者购买碳酸饮料的数量，并非依口味喜好而定，而是根据数量上合适、重量上能带回家多少而定。由此，百事可乐公司认为，重量是影响消费者的一项重要特质，因此决定以塑胶瓶代替玻璃瓶，以多瓶包装代替 6 瓶装的方式，挑战市场的领导者可口可乐。百事可乐换新包装的做法，在那个时代取得了极大的成功。

"花嫁喜铺"靠的也正是仔细观察、创意性的思考消费者的购买行为。分析产品附属特质的发掘路径，主要有以下方面：找出消费者的其他需求。消费者购买的是商品的使用价值；分析消费者的购买方式；观察消费者使用产品的情形。

产品的"附加值"，既可能是核心技术，也可能是品牌信誉；既可能是经营手段，也可能是企业文化。

服务创造出的新利润：一个产品的价格，实际上是由"生产成本+附加值"构成的。为什么同类型的产品，譬如手表，有的售价仅几十元、而有的却可以卖到数万元？而同样工艺质量的产品，譬如西服，有的仅仅卖到800 元，也有卖到 2000 元的？这其中就是"附加值"在起着关键作用。产品的"附加值"，既可能是核心技术，也可能是品牌信誉；既可能是经营手段，也可能是企业文化。

如果不做任何的限定，通过"附加值"给产品增值的方法，可以说非常之多：比如开发自己独有的核心技术、培育顾客对品牌的美誉度、细分市场带来的差异化服务等等。然而，社会和市场发展到今天，人们发现原来所能使用的方法，在今天似乎已经非常艰难了。现代企业的生产和管理技术水平，已经使企业间在产品实体方面的差距缩小到了可以忽略不计的程度，能够取得差异优势的只能是产品销售过程中的服务范围和质量。

在今天，我们已经不知不觉的进入到了后物质时代，消费者已经越来越关注个性化的服务。对于这样一种变化，制造业远不如信息业这一新兴产业敏锐，似乎反应得很迟钝。也许空调业能够让我们看到这种迟钝。空调产品的同质化已是不争的事实，为了使同质化的产品尽快获得消费者的认可，空调企业不是从提供个性化的"服务"入手，而是打起了昏天黑地的价格战，或是认为消费者是弱智，绞尽脑汁地编制着各种各样的、天方夜谭式的新名词和新故事。

以"服务"作为产品附加值，会让我们看到现在竞争环境下，"服务"

是多么的重要无比。传统的纸箱包装业，已经几乎是透明的、没有秘密可言的行业了。然而，沿海的一家纸箱企业，却用"服务"做出了高利润。一家需要 5 层瓦楞纸箱的企业，带着他们自己的技术设计，找到了这家纸箱企业。但经过分析他们发现，客户自己设计的这种包装箱存在缺陷。这并非是无意中的发现，而是他们把给客户的"服务"，提前到了企业的第一道工序——设计!为客户的服务从设计就开始了。

此时，他们并没有为了短期利润照单生产，而是派专人到客户那里进行实地调研，得出的结论是使用 5 层纸箱并不是理想的选择，相反，由于包装设计的性能指标及成本都已超过了实际需要，反而造成了不必要的浪费。他们对客户提出，把原来 5 层瓦楞纸箱改为 3 层，并使用国外高强瓦楞原纸在进口生产线上生产的建议，这样既满足

包装企业

了客户的要求，节省了包装成本，又同样能为本企业带来利润。这样一个由"设计服务"引出的建议，不但产品以优质的性能获得了客户认可，同时使用户的纸箱包装成本降低了 30%。

他们不仅仅是把设计变成了服务，而且把"技术"也变为了"服务"。把技术变为服务的关键点，就是要找到能满足客户需要的技术，为客户提供优质的服务，从而也使自己有更大的市场占有率。他们对企业的一条柔印生产线进行了改造后，使之能生产出"高清晰度彩色柔印瓦楞纸箱"，印刷效果可与胶印机效果相媲美。这是一种不但能提高客户产品包装的精美程度，同时也能使企业的纸箱包装成本大幅降低的技术。结果是不言而喻的。

以"服务"作为产品的附加值和主要竞争手段，并非是权益之计。今天的市场竞争环境，已经是拥有核心技术越来越难、生产环节渐趋同质、市场缝隙越来越少、竞争手段渐趋透明；企业的理念，也已经由"我生产什么、你就买什么"，进入到了"你需要什么、我就生产什么"的阶段。现在和将来，企业最主要竞争的手段，最有可能是"服务"，而不是其他的什么。

要想在数万字的短短篇幅内将我们所研究的商业方法全部讲清楚、讲透彻，几乎是一件不可能完成的任务，我们还是通过一些更具体的案例来看一看。通过这些案例，我们可以来进一步阐释我们的某些主要观点，同时抛砖引玉，希望能与大家共同探讨。

案例分析：一个四川农民的天生财技

一公斤挂面在市场上的售价不过 2 元左右，可在四川省蓬安县的一个小山村，一位 40 多岁的农民却盯着城里人的口袋，做出了每公斤售价 10 元以上的"贵族面"！几年来，这种"贵族面"已经远销到北京、云南、成都、大连等地，上了各大超市、百货商场的地方土特产专柜，每公斤售价达三四十元。创造这种"贵族面"的人叫周道杰，如今，周道杰已经成为当地的明星人物。

周道杰今年 47 岁。1999 年，他在乡敬老院工作时，借闲暇时间去给镇农贸市场上的拉面摊主周天脚打下手，开始接触拉面生意。当时一位在城里工作的干部回家乡时吃了他们做的拉面，觉得味道很不错，临走时还特意叫人买了几十斤带回城里，送给了一些熟人和朋友。

"这种手工面在乡里销路一般，但是城里的干部吃完后居然专门打电话回来再要，说明这种手工面在城里是受欢迎的，说不定这就是个机会呢。"自从接到城里那位干部要拉面的电话后，颇有点生意头脑的周道杰就在不停地想。他顺手多做了几公斤，利用进城给那位干部送拉面的机会，到城里卖卖试试，没想到几公斤手工拉面不到半个小时就售完了，而且每公斤价格竟然卖到了 5 元。

"机器面吃腻了，城里人想吃手工面呢，我们来办一个手工拉面加工厂如何？"回到家里，周道杰开起了自己的拉面厂，并到工商部门注册了"杨柳"牌商标。

1999 年 10 月，南充市举行食品博览会。获知消息后，周道杰在平时做拉面的基础上，调制了少量的菜油、蛋清、胡椒面等佐料加进去，精心做出了几十公斤拉面，并把这几十公斤拉面带到了博览会上。评委们品尝后，对周道杰的手工面赞不绝口。"杨柳"牌手工面在这次食品博览会上得了个名优金奖。

这个奖对别的人也许不算什么，但对周道杰却意义重大，因为这就像一针强心剂，他觉得自己看到了拉面的前途。2001年初，城里掀起一股"营养热"，吃什么都要讲营养，"没有营养价值"的米粉一时乏人问津。周道杰得知消息后，立即着手进行增加拉面营养价值的试验。根据当地人爱吃煎蛋面的习惯，他往拉面里加入了大量的鸡蛋，可面做出来，却变了颜色，一些老顾客怀疑他在做拉面时没有采用原来的材料。为了保持拉面色泽纯白，周道杰只得舍弃蛋黄，只要蛋清。这使他的成本大幅上升，而面条在当地人眼里就是一种廉价食品，涨价风险很大。但周道杰只有一个想法，那就是让利不让市场。

为了让拉面的味道更加鲜美可口，周道杰经过不断试验，逐渐掌握了往拉面里添加多种天然佐料的配方。经过精心调制，他生产的拉面只要放到沸腾的清水煮熟，不需要添加任何佐料就能美味可口。

为了使自己生产的"营养面条"更有说服力，周道杰还主动找有关部门鉴定。结论是："杨柳"牌手工营养面面质细腻，条细如丝，中有微孔，回锅如新；拌有蛋清、胡椒、菜油等天然佐料，具有健脾和胃之功效，常年食用可延年益寿。拿到鉴定证书，周道杰就像拿到了尚方宝剑，而消费者对他的面条也更加信任了。

点评：

第一、顾客永远是对的，这句话换个说法，就是市场永远是对的。任何经营者，不管你有多么雄厚的实力，都不要妄想与市场对抗。市场有时候可以引导，但当市场趋势已经形成的时候，经营者就只能顺应。第二，宁可失去利润，不可失去市场份额。暂时失去的利润，只要市场还在，以后就还有机会赚回来，市场份额一旦丢失，就很难再找回来了。而且，在很多情况下，对某一项特定产品、某一个特定品牌，市场往往只会给予一次机会。这一次机会失去了，就很有可能意味着机会永远失去了。周道杰是一个农民，没有读过多少书，也没有学过市场营销之类的东西，但他凭一个农民朴素的智慧，好像出自本能地就掌握了这些许多人交上学费都未必能够掌握的"秘密"。另一方面，他还很懂得借势，不但借市场之势，还懂得借"有关部门"之势。这样一份"营养"鉴定书，在北京、上海等大城市，人们见多识广，可能算不上什么，对产品销售不见得能起多大作用。但在南充这样的"小地方"，这种出自有关部门的"权威"鉴定书，对消费者的吸引力是毋庸置疑的。它后来果然成了周道杰开拓当地市场的利器。

竞争时代，专家们天天都在喊要减少工序，以便提高工作效率，周道杰周围的一些邻居也劝他："你的拉面制作工序复杂，每天做不了多少面，何不简化一些工序或者干脆用机器做，然后贴上手工面的包装，反正那些买面条的人也不知道你的面条到底是手工做的还是机器做的。"周道杰却有不同想法。他说："手工面就是手工面，机器是没法代替的。"那些邻居不知道，在周道杰眼里，"手工"两字恰恰是他最重要的招牌，是他的"核心竞争力"所在，因为机器面人人会做，别人之所以买他的面条，无非就是冲着他的"手工"两字，加上他的面条味道确实不错，销路才特别好。

周道杰非但没有减少原来的任何一道工序，相反，经过不断摸索，他还弄出了一套更为复杂的制作工序。从每天早上 3 点钟起床，和面、揉面、发酵、拉面、晾晒，周道杰和他的工友一直要忙到下午 5 点以后，每天要工作十几个小时。而经过这一套繁杂的工艺，他们做出的面条味道确实与众不同。

见周道杰的面条卖得好，有些同行很好奇跑过来参观。周道杰非但不加以拦阻，相反，他很欢迎同行参观。因为这一参观，就把他那些同行吓怕了，没有一个同行看到他那些复杂的工序不感到头大的，竞争的心自然就减弱了。拉面本来就是一个小本买卖，为了赚那么点钱，让自己吃这么大苦，恐怕没有人愿意。周道杰这一招，就叫做"不战而屈人之兵"。

点评：

食品行业大凡做得好的，都会有一两样独家的配方，是打死也不能外传的。周道杰并非不知道"配方"的重要性，他之所以不怕同行看，欢迎同行参观，是因为他有信心，没有人能够仅凭着两只眼睛溜一溜，就能够将他那复杂的配方看走。相反，看来看去把同行都看"怕"了，这些人自动就把前进的道路给他让了出来，这是很高明的竞争策略。

是金子就得卖出金子的价。

周道杰的手工营养面前后有 12 道工序，制作相当复杂。尽管周道杰和工人做得很辛苦，但拉面的产量却极其有限，每天最多只能做 300 来斤。面对产量一时难以提高的局面，周道杰心想要赚钱，只好在价格上面做文章了。

当地市场上的拉面一般都是 2 元钱左右一公斤，尽管周道杰的拉面味道好，名气大，在当地有口皆碑，但是提高价钱后，顾客是否能接受，周道杰心里没底。为了调查城里人的想法，周道杰在城里找了几个地方为自己搞代销，然后进行跟踪调查。周道杰想弄明白的是，那些第一次买了他拉面的顾客会否继续购买，成为他这个品牌的固定消费者？他想，如果第一次买过他拉面的顾客不再继续买他的拉面，而每次销售都需要靠新顾客的话，事情就会不太好办，他暂时就还不能放弃乡镇市场，将目标全面转向城市的想法就要搁浅。

到 2002 年 1 月，周道杰在 3 个多月的时间内，持续走访了 100 多位"杨柳"牌拉面的顾客，详细记录了每位顾客购买拉面的情况、能够承受的价位以及对"杨柳"牌拉面的想法和希望。统计分析后的结果让周道杰兴奋不已：这些购买他的拉面的城里人，70%是用于馈赠亲朋好友，只有 30%用于自身家庭消费。而更让周道杰高兴的是，还有几位城里人这样告诉他：这个年月人们的消费水平提高了，但薪水的涨幅并没提高多少，逢年过节，亲戚朋友来往，送几百元钱的礼品还不像那么回事，普通的烟酒人家也不缺，还不如送点像你们这样的拉面之类的土特产，既说得出口，也拿得出手。

此后一段时间，周道杰一直都在琢磨这几个城里人的话。他想，自己当初之所以办拉面加工厂，就是因为在城里当干部的那位同乡觉得自己的拉面味道好，想多要些给熟人和朋友送礼。人活在这世上，谁都难免会有一些人情世故。不是每一个人都那么有钱，送礼总是金戒指银耳环，既然如此，礼品拉面会不会是一个方向？这么一想，周道杰豁然开朗。他下了决心，放弃现有的乡镇市场，将目标全面转向城市。

既然是做礼品，那么就一定要有一个像样的包装。为此，周道杰一连在南充市里跑了好几天，联系印刷厂，但人家都要他自己拿礼盒样品出来，有些可以帮他设计又要价太高。收费最低的一家印刷厂，每个盒子也要收他 2.5 元，要知道，他每公斤拉面才卖 2 元钱！周道杰心想，这样一来，盒子岂不是比里面装的东西还贵了，真是岂有此理！他一连几天都处于犹豫不决之中。后来冷静下来，他又仔细想想，觉得情况大概就是这样的吧，礼品这东西，大多数不就是卖一个包装吗！这样想着，他心理平衡起来，终于找到了一家印刷厂，经过反复磋商，对方提出，由周道杰自己设计，印刷厂按每个盒子 2 元钱收取费用，3000 个盒子起印。

周道杰仔细测算了一下，包括包装成本、原料成本、人工成本、房屋、水电、税费、城里代销商家的利润，加上其他开销，每公斤拉面至少要花费 7.8 元左右，如果每公斤拉面能卖到 10 元钱，那么就会有 2 元钱左右的纯利润，比他原来在乡镇卖拉面利润翻了数倍。他已经做过市场调查，相信每公斤拉面 10 元钱的价位城里人完全能够接受。

10 元钱一公斤的天价拉面！消息一传出，周道杰所在的蓬安县杨家镇立刻沸腾了。周道杰的"杨柳"牌手工营养面被当地居民称之为"贵族面"，从此远离了他原来的主打对象——乡村消费群体。

也正是从这时候起，原来人们习以为常的、土头土脑的、与其他拉面毫无二致的"杨柳"牌营养面不见了，取而代之的"杨柳"牌手工营养面全都换用了精致的礼盒包装，每盒重量是 1 公斤，定价 10 元。尽管周道杰带着他的工人每天辛苦地做面，但他们的手工营养礼品面仍旧供不应求。以至于后来杨家镇当地的干部、教师都觉得稀奇了：想买点周道杰的面尝尝竟然还要走后门、排队。与此同时，周道杰有句话也已经有些说顺了嘴："现在没货，你要得提前一周预订！"——周道杰从此结束了为拉面四处找买主的历史，现在谁要货，都只能自己到他的拉面厂去拿，而且还得提前预订，不预订的话，十有八九拿不到货。

从办厂至今不过短短数年时间，周道杰仅加工厂的固定资产就已经超过了 30 万元，这还不包括一幢新修的、投资近 20 万元的楼房。周道杰准备用它来扩大生产。周道杰同时在南充市、蓬安县还拥有好几间门面房。以当地的水平来说，周道杰已经不止是小康，而应该算个富人了。

如今，周道杰的拉面已远销北京、昆明、成都、大连、攀枝花、南充、巴中等地，并被一些超市、百货商场摆上了地方土特产礼品专柜，有的地方每盒拉面价格卖到三四十元，周道杰也成了当地小有名气的"拉面大师"。

周道杰说："不管多出名，我的拉面每公斤只保持赚 2 元钱，其他的全都跟着市场走。"

点评：

南方的拉面和北方的拉面不太一样，北方的拉面大多是"湿面"，一般现吃现做。南方的所谓拉面却是一种干面，做好后晾干了切好，再装袋或装盒出售。但无论南方、北方，也无论拉面、切面、刀削面、手擀面，面条都可算是一种廉价的大众食品。将这样一种廉价的大众食品做成礼品，本身就有一种出奇制胜的效果。周道杰在竞争中，先是采取了"口味为王"的策略，这也是一般食品行业首先都会想到的策略，也是所有食品生产商首先要做好的一个工作；周道杰的第二个竞争策略是"吓阻"，御竞争对手于"国门之外"；周道杰的第三个竞争策略是产品差异化和建立产品防火墙，即实行产品区隔，这是比较高明的策略。这个策略是根据其拉面工序复杂、产量不高成本高的实际情况做出的。这一策略的实行，避免了和同行在低层次上进行产品和价格竞争，使其在一个区域市场长期拥有一份独享利润。这也是周道杰的事业快速成长的根本原因。但周道杰的事业也存在着两个隐患，第一，周道杰现在急于扩大他的市场覆盖面，这是没错的，但他将市场瞄准北京这样的大城市就错了，以北京等地的消费水平和人们的风俗习惯，礼品拉面能有多大的市场，值得怀疑；另一方面，北京等市场素以进入成本高昂著称，小本经营的周道杰，能在多长时间内、多大程度上承受这种成本，同样令人怀疑；北京等北方城市，历史上即以"面食"为主食，"面文化"发达，当地人喜欢吃现做现吃的"湿面"，而不喜欢吃"挂面"类的"干面"，饮食习惯同样限制了人们对周道杰拉面的"亲近"。我们认为，周道杰的理想目标市场应该是南方那些经济不甚发达的中小城市，包括其赖以发家的南充也属这一类。周道杰应该将主攻方向放在这些地方，而不应将有限的财力、物力浪费在对北京等大城市和成都、昆明等省会级城市的市场开拓上。第二，周道杰正准备在当地推出价格每公斤3元左右的拉面，不知道他在用料和配方等方面会做些什么改变。如果不做改变，那么，以现有配方的高昂成本无疑难以支持他的低端产品，如果加以改变，会不会因对低端产品的不满而影响到其高端产品的销售，甚至引起恶性循环？这是周道杰应认真考虑的问题。如果周道杰一定要在做高端产品的同时，推出低端产品，那么，我们建议其在高、低端产品之间建好防火墙，将高、低端产品严密区隔，使其既有联系，又使人能够一眼看出两种产品之间的差别。从质量上说，经济不甚发达地区之中小城市消费者因为收入原因，对产品品质与价格之间的关系较之一些经济发达的大城市的消费者更加敏感，我们建议周道杰对此加以注意，高、低端产品不但在用料上要有所区别，在口味上也应有所区别。在产品投放上，我们建议周道杰进行隔离投放，即在高端产品投放的区域、投放的场所，包括商场、超市、便利店等等，不投放低端产品，而在低端产品投放的地区，亦尽量不投放高端产品，这样可以避免产品冲突，避免让消费者在犹豫不决中放弃对你的产品的选购。

案例分析：不一样的旺堆

旺堆是西藏乡下的一个农民。长期以来，人们都以为西藏商品经济不发达，牧民缺乏市场经济意识，但小牧民旺堆却是一个例外。

1969 年，旺堆出生在西藏日喀则地区下辖的日暮县农村。日喀则地区位居藏西北，与印度接壤。由于地势险要，交通不便，人们的思想较为封闭。旺堆一家世世代代都是牧民，他们日复一日地过着放牧的生活，牛羊就是一切。在旺堆的记忆里，他的家族中还从来没有人踏出过那片牧区。

1988 年，19 岁的旺堆对放牧的单调生活厌烦到了极点，他不顾父亲要与他脱离父子关系的威胁，揣着东挪西借的 200 元钱直奔拉萨，他想在那个听说很繁华的地方找一份工作。

由于年轻力壮，旺堆很快便在一家建筑工地上找到了工作。一天，他在街上闲逛时，一个汉族人指着他胸前挂着的绿松石说个不停。由于不懂汉语，旺堆不知道他是什么意思。一个过路的藏族人告诉他，那个汉族人对他戴的绿松石很感兴趣，问他可不可以卖给他。旺堆赶紧点了点头。捏着那 20 元钱，旺堆愣了半天，他怎么也不肯相信挣钱原来这么容易！

旺堆想：既然绿松石这么值钱，不如回家去收集一些拿到拉萨来卖！反正家乡的河流中，这种自然天成、颜色晶绿、上面长满了各种花纹的石头多得是，牧区的人都喜欢捞出来当装饰品，但谁也不知道这东西能卖钱！

旺堆算了算，1 个绿松石 20 元，10 个就是 200 元……只要赚够了钱，他就可以长期生活在拉萨这个繁华的地方！回到家乡后，旺堆向周围的牧民大量收购绿松石，然后将这些绿松石带到拉萨，向汉族人兜售。旺堆只用了几天功夫，便将几十块绿松石卖了个精光，赚了上千元钱。手里有了本钱，旺堆的胆子也越来越大。他看到拉萨店铺里有不少汉族人使用的小镜子、梳子等商品，便买了一大堆，运回牧区兜售。牧民们对这些从来没有见过的小商品十分好奇，大家争相抢购。旺堆成了一个货郎。他背着一个背篓，从拉萨走到日喀则、再从日喀则走到拉萨。

随着时间的推移，旺堆不仅学会了汉语，还将自己的生意拓展到了家乡的周边地带。到 1993 年时，旺堆已经有了三四万元的积蓄。如果在家乡，这笔钱可以买几百只牛羊，过上富足的日子。

在随后经商的日子里，旺堆注意到，随着从内地到拉萨的游客不断增多，拉萨的旅游品市场开始火爆起来。凡是到西藏旅游的外地人，都对牧民们的一些旧东西很感兴趣。旺堆那时候还不知道这些旧东西就是古玩，他只是隐隐觉得，这里有一个很大的市场空间。

于是，旺堆在拉萨市大昭寺前租下了一个很小的店铺，专门销售从牧区收来的古玩。古玩店开业不久，旺堆便和一个叫罗珠的藏族姑娘结了婚。罗珠很有经商头脑，成了旺堆的得力助手。旺堆经常把店交给罗珠来管，自己则到牧区挨户收购"旧东西"。

几年的货郎生涯，使旺堆练就了一双识货的眼睛。他总是能在人家准备丢弃的垃圾里发现宝贝，然后用很少的钱收进来，再抬高几十倍卖出。由于对旅游者的心理琢磨得比较透彻，他出售的东西都很特别，古玩店生意一直很好。到 1996 年，他的存折就已突破了 30 万元，成了一个小富翁。

这时，旺堆发现大昭寺周围竟开了几十家古玩店！他想：牧区的旧东西毕竟是有限的，大家都跑去收购，又能维持多久？这么多人都开古玩店，要分这一杯羹，一个人又能分到多少呢？

1997年的一天，旺堆发现，自己店铺对面的拉萨市挂毯厂开始变得热闹起来，门前总是站着几个外国人，对着厂家摆出来的几幅挂毯指指点点。最后，那些外国人都用高价买下了那些挂毯，并且一个个都像捡了宝似的高兴。

挂毯

旺堆知道，挂毯是每个藏族家庭都拥有的再平常不过的装饰品，有极强的民族文化特色和较高的品位，加之便于携带，是旅游者理想的购物种类。所有的挂毯中，又以手工制作的羊毛挂毯最为贵重。那些外国人买走的挂毯，并不是真正的手工艺品，而是机器生产的，远没有手工制作的挂毯精美耐用，过不了多久，上面的颜色便会褪去。旺堆想：现在全拉萨就只一个厂家生产挂毯，而且是机器生产，如果自己开一个厂，专门生产手工制作的挂毯，生意一定会好！

　　旺堆立即对市场进行了调查。由于手头没有现成的手工挂毯进货渠道，他便将自己家里挂着的几幅挂毯全拿了出来，摆在店里每幅标价都在 400 元以上。调查的结果让旺堆大吃一惊，那几幅已经用过好几年的手工挂毯，竟受到了游客们的一致青睐，不到两天的功夫就全部卖出了！

　　手工挂毯的畅销，让旺堆吃了一颗定心丸。在最短的时间里，他走遍了拉萨市的周边县区，收购手工挂毯在店里出售。

　　由于手工挂毯经久耐用、色泽鲜艳，且久不褪色，刚刚推出就成了旅游市场的新宠，旺堆的店里经常出现供不应求的情况。但是，由于牧民们平时忙于放牧，无法抽出时间专门制作挂毯，收购很不顺利，根本不能满足销售的需要。旺堆只好将希望寄托在自己生产上。他在拉萨租了厂房，招兵买马，四处吸纳会制作挂毯的人，还聘请了专门的设计师，设计了很多新颖的图案。1998 年，旺堆位于拉萨市宇拓路一侧的手工挂毯厂正式开始生产。

　　但是，旺堆的手工挂毯厂开业不久，就遇到了一个棘手的问题：厂里的人平时干活都很拼命，但一到农忙时节，他们就嚷着要回家忙生产，使旺堆的挂毯厂关了半个月的门，损失了好几万元。

　　为解决这个问题，旺堆做出了一个大胆的举动——回到日暮县农村自己家里，招聘了二十几个剩余劳动力，然后请专门的挂毯师傅教他们制作挂毯。等一批人学会后，又招另一批人……就这样，旺堆完成了他的人才培训，从而度过了创业之后的第一道难关。

　　由于全拉萨只有旺堆这一家手工挂毯厂，厂里的人要跳槽都找不到地方，所以，绝大部分人学会手艺之后，会一直留在挂毯厂里打工。人员的稳定使挂毯产量有了很大提高，当应付一个店的销售绰绰有余时，旺堆就赶紧开第二个店。到 2001 年年底，旺堆在拉萨市一共开了 6 个店铺，全部卖自己厂里生产的手工挂毯。他的个人资产已经达到了好几百万元，被朋友们称为西藏"挂毯大王"。

　　如今，旺堆的挂毯厂仍然是拉萨市惟一的手工挂毯厂，和另外两家机器生产挂毯的厂家相比产量低得多，但挂毯的质量和价格却比他们高出了几个档次。旺堆生产的挂毯不仅由货真价实的羊毛绒织成，而且上面的图案也相当丰富，有牛头、羊头、布达拉宫、大昭寺等好几十种。另外，旺堆还特别注重售后服务。他在销售的时候向顾客承诺：所有挂毯如果在 3 年内出现褪色、大量脱毛等问题，可以拿来调换并给予赔偿。所以，无论是拉萨市的顾客，还是外地的旅游者，都对旺堆生产的挂毯赞不绝口。往往是一件产品还没制作成功，便有顾客前来订购。

由于到西藏来旅游的外国人很多，这些老外对展现了浓厚的西藏民族特色的手工挂毯一见钟情，通常一个人要买好几幅回去。这些老外将旺堆的手工挂毯带回国后，立即引起亲友的兴趣，于是，他们便打来越洋电话，寄钱来向旺堆订购。这样的越洋生意，旺堆一个月能接到好几起。

看到老外这么喜欢手工挂毯，旺堆真想把店子开到美国和欧洲去。但只有小学文化水平的他知道，凭借自己眼下的实力还做不到这一点。为了积蓄自己的力量，为将来打好基础，2001年9月，旺堆将年仅10岁的儿子登增昆金送到了美国学习。他希望儿子能在美国学有所成，以后成为自己的手工挂毯在美国的"总代理"。送儿子到美国学习，旺堆每年要花十多万元钱，但旺堆认为这很值得，因为在经营过程中，他已经深深地感受到了文化水平低对事业发展的制约。目前，旺堆正想方设法，准备在内地设经销点，向内地喜爱西藏文化的朋友们推销他的手工挂毯。旺堆已经不是当初那个走出牧区想找一份小工的普通牧民了，在十几年跌跌撞撞的过程中，他的思路越来越开阔，已经彻底地完成了从一个牧民到一个商人的转变。旺堆在创造财富神话的同时，也证实了当年的向往和判断是正确的：在日喀则一望无垠的牧区之外，果然有着更精彩的地方！

点评：如何从相对中寻找财源

经济学中有一个分支叫短缺经济学。在商业上，一般来说短缺就意味着赚钱机会。旺堆牧区家乡的绿松石非常丰富，河里随便捞捞就是一大堆，但想买面小镜子、买个小梳子就非常不容易；拉萨城里镜子、梳子有的是，一堆一堆，但绿松石之类的东西则是稀缺产品。旺堆将家乡的绿松石背到拉萨，将拉萨的小镜子、小梳子背到家乡牧区，将相对的丰富与相对的短缺来了一个对流，很容易就赚到了大把钞票，完成了原始积累，这是对短缺经济学最简单的理解和最朴素的运用，成效显著。

经济学家说，货币只有在流动中才能产生增值，商品也是一样。在流动中产生的这种增值，就是商人利润的来源。

有"中国的犹太人"之称的温州人，最初生产皮鞋、服装之类的产品只在本地卖，后来本地市场饱和了，他们就将这些产品向上海、北京等地

"运动"，上海、北京又饱和了，他们又将这些东西向甘肃、青海、新疆"运动"。在这个过程中，很多温州人发了大财，成了千万富翁、亿万富翁。同样，向上海倒哈蜜瓜、葡萄的新疆人，向北京倒西瓜、蔬菜的海南人，都有不少发了财的。这是利用地区发展的不平衡和地区间的物产不同而赚钱的案例，其实利用的就是地区间在商品和物产上的相对短缺，和旺堆的故事有异曲同工之妙，但旺堆做得是双向流通，和远程货车一样，往返都拉货，不空驶，所以赚钱要更快一些。

除了地区间的相对短缺可被有心商人们用来赚钱外，聪明的商人还善于利用同一地区丰富商品市场上品种的相对短缺赚钱。一般来说，利用地区间发展不平衡，物产和商品的相对短缺来赚钱，更多赚得是苦力钱，是跑来跑去的辛苦钱，而利用同一地区丰富商品市场上的相对短缺品种来赚钱，则需要有更好的眼光和更高的智慧。首先，你需要发现哪些是短缺品种，这很不容易，在商品极大丰富的市场上，一个人很容易将眼睛看花，从而将目标看错；其次，在很多情况下，你还需要亲自动手制造这些短缺商品。但它的利益也是显而易见的，因为是丰富商品上相对短缺的品种，所谓物以稀为贵，一般都能卖到比"大众化"商品更高的价钱，使商人在同样的时间段内，在同样的体力、物力和资金投放下，能够获得更高的收益，获得超过平均利润的超额利润。

以旺堆做手工挂毯而论。一般人如果看见别人在做机制挂毯赚了钱，也会跟着做机制挂毯，这是大多数人都会有的从众心理。旺堆却是反其道而行之，你做机制毯，我就做手工毯，第一，既避开了同行间的竞争，相互杀价；第二，又使产品出现差异化。而且从文章中我们可以很清楚地看到，相对机制毯，手工挂毯是稀缺品种，所以，旺堆能够赚到比一般人更多的钱也是理所当然的事情。

如果你是一个目光深远的人，从旺堆的故事中你可以学到许多东西，而不只是简单地看一个热闹。

案例分析：商业眼光成全了她

丛华滋是山东威海人。威海刘公岛因悲壮的甲午海战而天下闻名，而丛华滋却以胆量大、水性好、脑子好使闻名。

说到丛华滋的胆量和水性，不得不提到一件事，这件事至今仍然为人们津津乐道。事情发生在 1992 年冬天，海军驻岛部队的一艘运输船被缆绳缠住，想了很多办法都解不开。这时有人找来有"赶海大王"之称的丛华滋。当时是冬天，滴水成冰，又刮着大风，海上风急浪险，大家都为她捏着一把冷汗。

丛华滋拿着一把新菜刀就下去了，下去发现菜刀砍不动，缆绳太粗，上来又拿了把钢锯，再次潜下去。这样一连弄断了两根钢锯，船解开了。那一年丛华滋 51 岁。这件事使丛华滋在岛上一举成名。

丛华滋是刘公岛上第一个开个体店的工商户。1985 年，丛华滋在刘公岛上开了一个日用品商店，成为刘公岛上的第一个个体户商店。在那以前，刘公岛上只有几家国营商店。丛华滋潜海捞来的海货，像海参、海菜之类，就在自己的店里卖，无人知道丛华滋当年赶海挣了多少钱。

1990 年，为了保护环境，当地政府出台措施禁止潜海捞海货，丛华滋靠赶海捞海货赚钱的方法行不通了。政府不让赶海了，她就转卖旅游纪念品。因为是独家经营，开始的生意还不错，但随着来刘公岛旅游的人不断增多，越来越多的人看到了这块市场。刘公岛上与她一样的个体店、个体经营户一天比一天多，大家卖的东西也都相差无几，这使丛华滋的店面临着越来越大的竞争压力。

怎样才能避免这种盲目竞争的局面呢？做什么生意才能使自己不至于和大家伙儿挤在一个锅里抢饭呢？为了找到一项和自己从前赶海，以及最初开店时一样的独门生意，丛华滋一直在开动脑筋。

丛华滋有两个儿子。1994 年，在一家中韩合资公司里打工的二儿子回家时顺便带回来了一些领带。丛华滋看到这些领带，眼前不由一亮，胸中豁然开朗。她有了主意。因为当时在刘公岛，大家经营的热门项目大多是些如珍珠项链、贝壳做的坠子、搭子一类的手工艺品，大多与海有关。当时在刘公岛上卖领带的几乎没有，卖韩国领带的丛华滋更是第一个。

丛华滋看中的是韩国领带做工好、质感好、花色品种多，而且由于山东离韩国海上距离很近，很多韩国企业喜欢在山东投资办厂，货源不但有保障，而且便宜。丛华滋看中韩国领带后，就让儿子帮着进货。丛华滋的两个儿子一向佩服自己的母亲，他们知道母亲的眼睛很"毒"，只要是她看中了的东西，八九不离十会是一门好生意。

果然不出丛华滋所料，当时生意那个火，按丛华滋大儿子曲波的话来说："两个人站在那个架子上面一天都不能下来，中午饭都吃不了。"生

老板是怎样炼成的

意最火的时候，连批发带零卖，丛华滋的小店一天能走 3000 多条韩国领带。

丛华滋又找到了先前赶海时舍我其谁、独此一家的感觉，但是她的这种高兴劲儿没过多久就消失无踪了。为什么呢？因为跟风。看到丛华滋的韩国领带好卖，刘公岛的那些经营户一哄而上，大家不但都卖起了韩国领带，还兼及韩国其他的小商品。最多时，小小一个刘公岛，从事韩国小商品经营的个体店达到 70 多家。

丛华滋的独门饭又吃不成了。不但独门饭吃不成，先前大批量进来的领带也成了问题。最多时，丛华滋家里积压的领带达到 2 万多条。这可愁坏了丛华滋。她只好一点一点地对这些积压货进行处理，花了好几年，才将这些货清理干净。丛华滋算是第一次尝到了乱拳打死老师傅的滋味。

威海是全国渔具的重要生产基地。威海渔具的产销量占到全国 70%。2000 年 10 月，威海举行首届威海国际钓鱼节。丛华滋的两个儿子劝她去看看热闹。谁知老太太一来二去，竟看出了门道。她开始琢磨做渔具生意。在刘公岛做渔具生意的，丛华滋又是第一个。

渔具进来了，火到连讲价钱的时间都没有。你要就拿走，不要就拉倒。整个刘公岛，就丛华滋一家卖渔具，真正的独门买卖。那时候丛华滋的店里，从早到晚都挤满了人，接钱拿货，应接不暇。

丛华滋看生意实在是太火了，一个店已不敷使用，就又在岛上租了一个摊位。两个儿子也都停薪留职给她帮忙。

但是这样过了没多久，那个跟风的问题又来了。大家看丛华滋的渔具生意好，一拥齐上也都做起了渔具。多的时候，刘公岛上 200 多家商户家家做渔具。儿子们一看这架式，知道这行生意又毁了，做不长了。他们都劝丛华滋算了，这么大年纪了不要再做了，回家享清福吧。

可是丛华滋哪里肯这么轻易认输。有了上回做韩国领带的教训，这回她不慌不忙，沉下心来想办法。

办法还真让她想到了，那就是做批发。刘公岛 200 多家商户不是家家都在卖渔具吗？但大家做的都是零售，做批发的还没有。丛华滋弄清了这一点，2001 年 3 月，一次性拿出 30 万元进了一批鱼杆，在刘公岛上做起了鱼杆批发生意。丛华滋又弄了一个第一。

渔具包含的品种很多，鱼杆、鱼护、鱼钩、鱼线、装渔具的箱子、钓鱼时放鱼杆的支子、钓鱼时坐的凳子，光是一个鱼钩，就有几百个品种。丛华滋只做鱼杆。和别的批发商不同，她不是弄一堆牌子放在一起杂着做，她做鱼杆只认一家，只从一家生产厂进货。因为她进货的量大，可以把价格压得很低。她批发给别的商户的鱼杆价钱也就可以较低。这样一来，就给双方都留出了利润空间，双方都有钱赚。到她这里进货，比出岛进货更加方便。既方便又便宜，品质还有保证，做生意的人都是现实主义者，丛华滋的生意想不红火都不行。

批发的同时，丛华滋也做零售，但她做零售有一个原则，就是她在刘公岛上的两家店，零售的鱼杆价钱和别的店一模一样，别人不降价，她也坚决不会降价，并不因为自己掌握着货源就乱来。这样她就巧妙地在批发和零售两个市场保持了一种平衡，从一头来钱变成了两头来钱。

时间长了，丛华滋在鱼杆市场上的品牌就打出去了。现在，不光刘公岛上的商户到她这里进货，连有些外地客户也不远万里地到她这里进货，因为大家都觉得她的东西既便宜，信誉又好，和她打交道放心、省心。

对于本地一些想做生意而又没有本钱的人，丛华滋在考察了他们的信誉后，往往会借钱给他们开店。这些人开店以后，再到她这里进货，这样她既扩大了自己的销售，又避免了自己开新店的风险，双方各得其所。

去年年底，丛华滋又在刘公岛上开了一家饭店。饭店到现在一直在亏本，但大家着急丛华滋不急。她有她的想法：刘公岛一年150多万的客流量，而且还在不断增加中，开饭店怎么会没有生意做？只是岛上以前没有饭店，那些到岛上旅游的人和带人到岛上旅游的人，没有在岛上吃饭的习惯，需要一个较长的市场培养期罢了。她总是这么有信心。

点评：小区域市场如何创业致胜

经常有读者打电话或写信给我们，询问在小区域市场，如县级市场的经营方法，这是个很难解答的问题。俗话说：兵无常势，水无常形。做生意也是这样。尽管如此，通过丛华滋的故事，我们还是可以探索一下小区域市场的生意经。

小区域市场的特点：一，市场小。小区域市场之"小"，首先不是一个地理概念，而是指其市场容量较小，人口少，消费能力有限。二，门槛低。门槛低包括两个方面，其一，资金门槛低。因为市场容量有限，大资金往往难以运作，一般情况下，在小区域市场几万元到数十万元就可以将生意做起来，希望利用资金门槛来抵御竞争对手的可能性不大。其二，技术门槛低。小区域市场最常见的几种业态是商业零售业、餐饮业、服务业和小加工工业，经营者大多都集中于几种业态。对于商业零售业企业来说，因为两头在外，低价买进来，高价卖出去，高明的生产技术与其无关。在管理方面，因为企业很小，一般也用不着很高明、很专门的管理技巧和技术，在物流方面用不着高技术的设备。其余如餐饮业、服务业和小加工工业情况也大致如此。在管理和服务方面，更加适合小区域市场经营者的是人情化和人性化，因为地方很小，商家和客户之间一般都比较熟悉，口碑往往起着决定性的作用。在这样一种语境下，经营者的人格和道德显然比其在管理与服务方面的技巧与技术，更加易于获得人们的好感，在市场上获取好的口碑。

在一个小区域市场，经营者在资金、技术、管理与服务上既然如此容易看齐，大家的水平经常趋于一致，在人格与道德上一时又难以区分高低，那么，经营者靠什么在竞争中取胜呢？换句话说，竞争者的竞争力源于何处呢？

我们说，是眼光。在一个小区域市场，经营者高人一等的眼光比任何其他因素都更易于使经营者从竞争中胜出。在诸多决定竞争胜负的因素中，具体到一个小区域市场，经营者的眼光通常总是显得比任何其他因素都重要，往往构成经营者的核心竞争力。

小区域市场的第三个特点：跟风厉害。在其他市场也同样存在跟风现象，但因为市场容量大，同时经营者存在更多选择，即使有人跟风，也不会像在小区域市场那么厉害，表现得那么露骨。像丛华滋韩国领带卖得好，所有商户就无一例外地卖韩国领带；渔具卖得好，所有商户就无一例外地卖渔具，这样的现象在大市场非常难得一见，在小区域市场却屡见不鲜，犹如家常便饭。众人拾柴火焰高，但也容易将锅烧坏。大家一起动手的结果，就是迅速将一个市场做烂，这一点同样可说是无一例外。所以，我们看到在一个小区域市场，少有哪一两个经营者能将哪一两项好产品长期、独家地经营下去的，因为跟风者不允许；也不会出现某个经营者经营某个有利可图的产品，很长一段时间不被其他经营者所发现的现象；因为小区域市场经营者实力一般都有限，同时市场容量有限，他们也不可能将某个有利可图的产品"包下来"。小区域市场的这些特点，决定了经营者只有经常更换经营品种，才有可能长期获取较高利润。在这种情况下，最需要的就是经营者的眼光。

小区域市场的第四个特点：市场空缺比较大，商品往往不如大市场丰富、齐全，这一特点为经营者施展他们的"眼光战备"提供了空间。丛华滋的成功过程，就是在一个小区域市场不断施展其眼光，寻找短缺品种和市场空白的过程。

有些人谈起经营者眼光，总觉得很神秘，有种畏惧心理，其实完全不必如此。所谓经营者眼光，不过是要求经营者有意识地完成两个过程：第一，寻找市场短缺和空白的过程。这一过程并不难，市场上有什么，没有什么；多什么，少什么，愿意用眼睛去看的人都能看得见。第二，寻找消费者需要的过程。这一过程相对困难，需要经营者下功夫去对消费者(对市场)进行调查、研究。有心的人可以做一点案头工作，做一个表，把市场空白和短缺列在一边，把你了解到的消费者需求列在一边，当有一天两边某些东西能够对接起来时，那就是你所需要的东西，证明你已经找到了你可以从事的产品。在这个过程中，如果你能够将自己的特长与资源优势结合考虑，那么，成功的把握将会更大。你可以放手去做，一定不会吃亏。实际上，丛华滋有意识完成的只是前面一个过程，对于后面一个过程，完全靠得是她天生的商业感觉。我们不能说她撞大运，商业感觉是优秀商人很重要的一项素质，但再好的商业感觉，也比不过基于科学的调查研究，您说对吗？

案例分析：一生只做一件事

在湖北襄樊市商界，提起王爱萍几乎是无人不知、无人不晓。在襄樊市区，只要热闹的地方就有王爱萍的"小慧龙"玩具连锁超市和王爱萍的"小慧龙迪尼斯"乐园。如今，经过数年的奋斗，不到30岁的王爱萍已拥有了一个由一间生产工厂、十几家玩具连锁超市、玩具乐园组成的总资产达数百万元的企业群。

王爱萍的玩具情缘是打小结下的。

1976年2月，王爱萍出生在襄樊市宜城县李档村一个偏远的小山庄。8岁时母亲因不堪家庭贫穷离家出走，一去不归，抛下王爱萍和一个5岁的弟弟，以及王爱萍老实巴交的父亲。父亲一直在临近的一个砖瓦厂打工。王爱萍11岁时，砖瓦厂倒闭，父亲失业，家里一贫如洗。为了替父亲分忧，王爱萍拿出自己偷偷攒下的10元钱，买了一张到襄樊的车票，打算找在那里做生意的舅舅帮忙，但却遭到了舅舅的拒绝。

走在街上，小小年纪的王爱萍感到十分委屈，但没过多久，她的注意力就被街上五颜六色的玩具吸引了，尤其是一些小孩子捏在手里的烟花，一米多长的棒杆里能喷出很多好看的火球，令她目瞪口呆。在乡下的家里，她几乎没有什么玩具。当她下意识的把手伸进口袋时，却意外地掏出了50元钱，这一定是舅舅在拉扯中塞进她口袋里的。她一咬牙，花了30元买了30根烟花带回家。回到镇上，她学着别人的样子，在一个角落里摆摊。山里孩子从来没有见过这样的东西，一会儿就围了一堆人。大家问她这是什么，她信口开河说：“这是魔术弹，可好玩了。”

“能不能试一下。”“不行，一根很贵的！”“那你不试我们就走了哦！”看着别人作势要走，王爱萍慌忙答应，用火点燃引线，只听“呼”地一声，从里面穿出一个个彩色的火球，比三层楼还高，围观的人啧啧称奇，纷纷购买。每根1.5元，一会儿就卖完了。这笔生意，王爱萍净赚了15元。后来她利用假期再次去襄樊，进了很多弓箭、小手枪、布娃娃等，拿到街上摆摊卖，但这次不知道为什么，卖了两天却只卖出了几件东西。小小的她便在心里琢磨这个事情。一天，当她拿着没有卖完的东西往回走时，在一个村口听到一个小孩子凄厉的哭声。她跑过去一看，原来有个小孩子淘气，她妈妈正在打他。王爱萍马上跑过去，递给他一个小手枪，小家伙很高兴，拿着枪嘴里“砰砰”喊着就跑了。孩子的妈妈问王爱萍小手枪多少钱。王爱萍说：“不贵，两元钱。”其实她是1元进的货。小孩的妈妈说：“小小年纪，真会做生意。要是在街上，没有孩子跟着，说啥我也不会买。”这句话令王爱萍茅塞顿开，她干脆不回家了，串村走巷的叫卖。果然半天就卖完了，一盘算这笔生意净赚了40多元，这在当时的小山村里，可是一个了不起的数字。两次小生意的成功，令王爱萍很兴奋，父亲也受到了启发，干脆干起了货郎这一行，解决了全家人生活和王爱萍姐弟读书的问题。从那时候起，人们就说王爱萍是个天生会做生意的鬼精灵。

王爱萍做生意，并没有耽误学习。她学习非常刻苦，1995年，王爱萍以襄樊市第5名的成绩考取了武汉大学，轰动了整个山村。带着亲人的嘱咐和美好的梦想，她来到了这所著名学府的新闻系就读。

有一次，她偶然听到两个做家教的同学议论：“真是烦死人，我教的那个小家伙老是托我帮他买玩具，我哪知道什么玩具好什么玩具不好。”另个说：“哎呀，我那个也是的，我昨天还帮他买了个变形金刚，真是贵。”

王爱萍一听，想起少年时做过的玩具生意，灵感顿现，何不在学校成立一个玩具批发店，专门为那些在外面搞家教的同学服务呢？说干就干，她马上拿出手里所有的钱进了一批玩具，在宿舍里建了个小型玩具批发店。搞家教的同学听说后都跑到她这里来买玩具，一看价格上比外面还便宜，一时间，王爱萍的生意出奇得好。后来她又成立了一个玩具出租店，将孩子们不要的旧玩具收回来，消毒以后再出租出去，利润可以翻番。但可能是王爱萍做生意影响了别的同学，学校里议论纷纷，最后连系主任也来找她谈话，劝她不要因为点小钱耽误了学业。王爱萍只好停止了校园玩具批发和出租生意，但心里面对玩具的兴趣却更浓了。

毕业后，王爱萍被分到湖北当地一家晚报社当记者。尽管记者工作对王爱萍很有吸引力，但她还是放不下心中的玩具梦。经过仔细思考，一年后，王爱萍做出了一个令所有朋友都感到惊讶的决定：辞职，下海做玩具生意。

辞职后的王爱萍回到了襄樊。在对襄樊市场进行仔细考察后，她惊喜地发现，襄樊还没有一家专门做玩具的商店。她又专程跑到有关部门，了解到襄樊大约有 100 多万名儿童，这是多大的一个市场啊。她信心更加坚定，赶紧在市场上找门面，找好后办执照。一切都很顺利，2000 年 10 月，王爱萍的第一家小慧龙玩具超市在襄樊市中心诞生了。由于经营有方，头一年就让她赚了个眉开眼笑。她又趁热打铁在市里开了一家分店，分店的生意同样好。在王爱萍的印象中，无论是小时候，还是在大学里，她做玩具生意从没有失败过，现在她又成功了，几乎垄断了襄樊市的整个玩具市场。

但是，正当王爱萍踌躇满志的时候，所谓乐极生悲，一件件意想不到的倒霉事接踵而来。先是一天早晨她刚到店里，就发现门口有人吵闹，原来是一个当妈的领着一个不满 10 岁的小孩子正在和她的一位店员理论，说她买的变形金刚少了一些零件。那位店员不相信，硬说是她家的小孩子搞丢了。王爱萍上去训斥了那位店员几句，让她再拿一件赔给这个母亲，这个母亲才转怒为喜。可是没过多久，她又回来了，因为变形金刚仍然缺零件，这件事引起了王爱萍的警觉。她马上跑到仓库，结果打开箱子一看，十几箱变形金刚竟有一半缺胳膊少腿。她生气地把负责进货的表弟叫来，指着那些缺胳膊少腿的变形金刚问他这是怎么回事。表弟支支吾吾，半天才说，原来他那天喝酒喝醉了，货都是由别人装的。王爱萍怒不可遏，当即把表弟辞退。接着又赶紧打电话给厂家，厂家说，出厂是好的，有你们进货员签字。王爱萍没有办法，只好下令封了这批货，直接损失十多万元。

一波未平，一波又起。变形金钢的事刚解决，一场更大麻烦又扑面而来。一位母亲将王爱萍和她的小慧龙玩具超市告上了法庭。原来，这位母亲的孩子在小慧龙玩具超市买了一把可以发射强力塑料子弹的玩具枪，将隔壁小孩的眼睛打瞎了。工商局经过检查，发现枪上没有提示"危险"的中文标记，只有小孩子看不懂的英文，便以经销"假冒伪劣"产品为由查封了她的两家超市，并处以 20 万元罚款。加上给小孩治病的钱，加上法院判决的赔偿，这把玩具枪给王爱萍带来的直接损失超过 100 万元。她不仅赔光了所有的积蓄，还欠了一屁股外债。有一阵她几乎连门都不敢出了。她一生中第一次尝到了生意失败的痛楚。

2002 年上半年的大部分时间，王爱萍都在家里闭门思过。经过认真总结，她认为自己失败就失败在进货渠道上，质量上没把好关，如果有自己的玩具厂，加强管理，就不至于出现如此严重的质量问题，并且成本会少得多。但要开个玩具厂对于一没有技术，二没有钱的她谈何容易。她想来想去，决定到深圳玩具厂，一边打工偷艺，一边等待机会。不久，她就在深圳沙井找到了一家玩具厂，以普工身份被招了进去。这是一家台资的五金塑料玩具厂，工厂的环境和工作都很艰苦。王爱萍抱着学艺决心，每天都是最后一个离开工作岗位。工厂实行计件工资，按劳付酬。有一次，她发现一个工人为了增加计件数量，将一些不符合标准的枪壳丢进好的产品中。王爱萍想起自己因为一把不合格的玩具枪所遭遇的"惨祸"，不禁本能地上前制止："你不能这样做，这样做会害人的。"这个工人听了，朝她破口大骂，正好老板走了过来，听到他们的争吵，当场炒了这个工人的鱿鱼。

这以后，老板和王爱萍慢慢熟悉了。有一次，台湾老板对王爱萍说："我看你说话做事，越来越觉得你和车间里那些工人不一样，你读过不少书吧？"见瞒不过去，王爱萍只好说出了实情。当听到王爱萍说自己大学毕业，同时看过王爱萍的文凭后，这位台湾老板感到非常吃惊，想不到眼前这位竟然是武汉大学的毕业生。王爱萍将自己如何创业、如何失败、如何偷师学艺准备东山再起的事一五一十地讲了出来。这位老板被她的叙述所打动，决定与王爱萍合作，一起开拓襄樊玩具市场，并将公司一些半新的设备给了王爱萍一部分。

有了这位台湾老板的支持，不久，王爱萍就带着技术人员和设备，风尘仆仆从深圳回到襄樊。在一位朋友的帮助下，王爱萍顺利地从银行贷到了一笔款，解决了启动资金问题。她在襄城南郊选择了一块价格低廉的土地，盖起了厂房。不久小慧龙玩具厂正式投产，这是襄樊市的第一家玩具生产厂。工厂投产时很多市领导前往祝贺，当地报纸在头版头条做了报道。

小慧龙玩具厂以生产塑料玩具为主，王爱萍又在玩具的新、奇、特上做文章，努力开发新的玩具市场，比如小孩之外的成人玩具市场。一个漂亮的汽车模型，掀开盖后就会变成一个环保烟盒，按动底部开关，就成了收音机，如此之类，受到市场的热烈欢迎。王爱萍知道玩具业是一项拼智力的产业，她不惜重金聘请高手，同时在社会上公开设奖奖励有创意的建议，对经过论证可行的创意立刻付诸生产。

王爱萍还请专业人员建立了自己的网站，推销玩具。她在自己的玩具超市安装上摄像头，这样，人们便可以在网上逛她的玩具超市。对看中的玩具，只要客户一个电话，他们就会送上门去，极大地方便了消费者。

为了迅速占领市场，王爱萍以免收加盟费、免收培训费、免收装修费、无偿赠送现货铺底等方式诚征下岗者加盟。由于小慧龙玩具属于自产自销，当地产当地销，与外来玩具相比，具有巨大的成本优势，利润空间相当大，吸引了众多加盟者，短时间襄樊和襄樊周边县市就出现了十几个小慧龙连锁超市。小慧龙玩具的优质低价，与尚不富裕、注重实惠的襄樊消费市场气氛正好合拍，使得在襄樊玩具市场，几乎无人能与小慧龙争锋。王爱萍还见缝插针，在襄樊市的热闹地方建立了数家小慧龙玩具乐园，里面有城堡、智力游戏厅、碰碰车、马丁赛车等，取得了很好的经济效益。在竞争中，她不肯给对手留下哪怕一点空子。对路的产品加上对路的市场营销策略，使王爱萍在财富道路上速跑，在一年多时间内，不仅还清了所有外债，个人名下还有了一笔可观的资产。

点评：为什么是襄樊，不是武汉

乍看这个故事，似乎并无出奇之处，故事既不跌宕起伏，引人入胜；论商业操作手法，王爱萍的所作所为也远不如一些创业者那样花样翻新，奇招迭出。那么，究竟是什么吸引了我们，使我们希望将这样一篇文章、这样一个创业者推荐给我们的读者？

撇开具体的创业过程和具体的企业运作手法，我们来分析王爱萍和她的创业，可以发现一个有趣的地方，那就是，为什么她选择创业的地方不是繁华的武汉，而是湖北的二线城市襄樊？她在武汉读大学，毕业后又留在武汉工作。武汉是湖北省的省会，同时也是湖北最大的城市。一般人如果处在她这样情况下，想创业一定会留在武汉，因为，第一，武汉城市大、人口多，这也就意味着市场大；第二，武汉是湖北最富裕的城市，在湖北城市中居民的消费能力最强；第三，武汉位处九省通衢，水、陆、空交通均十分发达，便利的交通对生意人至关重要；第四，武汉商业气氛浓郁。俗话说，天上九头鸟，地下湖北佬，这里的"湖北佬"主要就是指武汉人。这些都使她拥有了充足的理由将武汉作为自己创业的首选之地，这也是大多数人都会作出的选择。

那么，王爱萍究竟为什么没有选择武汉，而是选择了湖北的二线城市襄樊作为自己的创业之地呢？王爱萍对记者说出了她的理由。她的理由是：第一，自己从小在襄樊长大，对襄樊及襄樊周边县市十分了解；第二，自己的亲戚、朋友大多在襄樊，有什么事他们可以就近帮忙；第三，这是最为重要的一点，自己初创业，资金不足。资金不足带来的局限也体现在几个层次：一，如果在武汉，以自己现有的资金只能选择一个边缘店铺，而在襄樊，同样的价钱却可以在城市中心租铺。二，武汉人在湖北城市人群中消费水平最高，相对来说，他们的要求也最高。比如玩具，武汉人很多钟情的都是电子等高档玩具，这类玩具少的一个需要数百元，多的要几千元甚至上万元，以自己的资金实力，这样的高档玩具一次只能进上一点点，根本形不成人气。中、低档玩具，武汉人更习惯到汉正街玩具批发市场之类的地方去买，一般的玩具店不会有多少生意。而襄樊则不同。襄樊经济不甚发达，当地消费水平不高，能够消费的大多是中低档玩具，以自己现有的资金，再向亲戚、朋友借一点就足够了。三，武汉商业气氛浓郁，商业气氛浓郁意味着竞争激烈。一方面，武汉玩具市场已呈饱和状态，而襄樊甚至连一个专门的玩具店都没有，存在着很大的市场空白，另一方面，自己虽然做了十多年玩具生意，但都是小打小闹，正儿八经的开店还从来没有做过，所以，竞争太激烈的地方并不适合像自己这样缺乏经验的初创业者。而在襄樊，就不存在这些问题了，自己在襄樊玩具市场上经验算是丰富的了。

这大概就是商业中的相对论。仅凭这一点，就让我们由衷佩服她的头脑，这应该算是一种更高明的财技吧。使自身资源与周边环境资源相匹配，这一点对创业者来说十分重要，也是创业者最容易犯错误的地方之一。

记者在采访中还发现了一份由中国社会事务调查所组织的对国内玩具市场的专项调查报告，该报告表示，34%的城市消费者对电子型玩具情有独钟，46%的城市消费者认为智能型玩具更有吸引力，20%的城市消费者则青睐于高档的毛绒、布制装饰类玩具。农村消费对象仍然以传统的玩具类型为主，48%的农村消费者愿意购买电动型玩具，28%的农村消费者愿意购买拼装型玩具，24%的农村消费者愿意购买中低档次的毛绒、布制类玩具。这里所指的城市主要是像北京、上海这样的大城市和像武汉、南京这样的省会城市，如襄樊这样的城市，可以看作是像武汉这样的省会城市和农村之间的中间体和过渡地带。这个调查支持了王爱萍的判断。对照这份调查报告，我们可以发现王爱萍后来在襄樊以经营塑料玩具和电动玩具(非电子玩具)等中低档玩具为主的思路是十分正确的。

王爱萍的精明，还表现在她对成本的重视上。王爱萍现在的问题，一是如何面对襄樊市场的狭小，不解决"走出襄樊"的问题，她的事业要想更上一层楼恐怕很难。其次，襄樊的消费者大概不会永远满足于玩她自我生产的低档次塑料玩具和电动玩具，面对本地消费者的压力和外来竞争势力的压力，她应该怎样做，才能够保持自己在竞争中的领先地位？这两个问题，都需要王爱萍展现出更高的智慧。希望她在今后的岁月中会有更加精彩的表现。

[第四章]

商海横流，顺风行船走得快

Entrepreneurship in China

我们讲了很多做生意的具体方法或手法，这当然很重要，但对于初创业者来说，最缺乏的就是经验和判断力。过多的方法介绍，反而让他们容易产生眼花缭乱之感，如天狗吃月亮，不知从何下手了，你的感觉是不是这样？对于那些刚刚开始自己的商业征途，刚刚踏上自主立业的创业者来说，可能他们更希望获得的是一些带有规律性的东西，更渴望的是对规律的探索和指导，因为规律性的东西更加容易把握，也更加容易学习和效仿。对创业者来说，意味着含金量更高。那么，在看似杂乱无章的商业洪流中，存不存在规律性的东西？在花样百出的市场操作中，存不存在某些具有模板特征、可供无限复制的组合性方法？换句话说，企业赢利存不存在模式？我们说这是存在的，不但存在，而且我们已经发现了它们。在我们所发现的这8种创业赢利模式中，有一些非常简单，可以让人一看就懂，另一些则显得比较复杂、隐晦，需要经过较详尽的解释，才可能让人理解。但不管是简单，还是复杂，它们都有一个共同的特征，就是都行之有效，而且为众多创业者的实践所证明。

需要说明的是，所谓模式，就好像武术中的套路。在武侠小说中，包括像金庸这样的大家笔下，运用武术对付敌人，都是从起式打到终式，可以周而复始的使用，直到敌人摸清你的"套路"，并想出针对之法，你才必须另换一种套路。但在真正的格斗中，是不可能出现这样的情况的，让你从容地将一套剑法或者拳法、掌法，从白鹤亮翅，到黑虎掏心，从头到尾使将开来。你可能只用到其中的一招或某几招，就将敌人打倒，或被敌人打倒。套路是供人看，供表演供训练供记忆的，在实际操作中，则"运用之妙，存乎一心"，需要根据情况灵活掌握，该用那一招就用那一招，该用那一式就用那一式。招式并非越多越好，俗话说"千招会，不如一招精"，有用的招式，其实一招就够。

谈到模式，我们想先给大家讲一个故事，这是一个有关猴子的故事。

话说一只猴子四处寻找食物。后来它从一个岩石的间隙中看到在岩石那边有一棵结满果子的果树，于是拼命想从岩石狭小的间隙中钻过去。如果对于猴子来说，岩石那边的果实是它渴求的利润，猴子会怎么做呢？它选择的是意志坚定地一直使劲钻，身体都被岩石磨破了好多处。因为劳累和饥饿，猴子瘦了。就这样，在第3天时，它竟然很轻松地钻了过去，并美美地吃上了果子。等树上的果子全部吃完后，猴子准备继续寻找食物，这时它才发现，因为自己吃得太饱了，已经钻不出去了。当几天以后，它终

Entrepreneurship in China

老板是怎样炼成的

140

于饥饿、疲惫地从岩石的间隙中钻出来后，它甚至已经无力行走，如果没有别的猴子的帮助，它想必会饿死在那块岩石旁边。其实它尽可以选择这样的方法：在自己辛苦钻过去后，把果子先搬到岩石的那一边，然后再钻出来，边吃边寻找下一棵果树；它也可以叫一个小一点的猴子钻过间隙，把果子运出来一起分享。这个故事想说明的，解决问题需要正确的方法。而经过无数次运用，均证明行之有效的方法，就可以形成模式。事物一旦形成模式，便不可轻易逆之而动。明智的人都懂得尊重前人经验，不轻易挑战规律。

企业赢利模式或曰商业模式，就像人体的血管。血管有毛病，血液通行就不可能顺畅，一个人就不可能活得健康、舒适。企业也一样，没有一个合理的赢利模式或曰商业模式，不管你这个企业名气有多大，多么能折腾，你所能做的，也只是苟延残喘。对于企业经营者来说，这是一件多么痛苦的事！

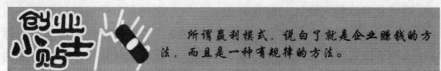

所谓赢利模式，说白了就是企业赚钱的方法，而且是一种有规律的方法。

企业赢利模式是近年来企业界和学术界经常谈到的一个话题。所谓赢利模式，说白了就是企业赚钱的方法，而且是一种有规律的方法。它不是那种东一榔头、西一棒槌的打游击，更不是抖机灵。它是这样一种东西：能够在一段较长时间内稳定维持，并为企业带来源源不断的利润。

有多少企业就有多少赚钱方法，但只有最优秀的（而不一定是最大的）企业才谈得上模式。模式因为它的规律性，所以可以把握、可以学习、可以仿效、可以借鉴。它就像一块陶土、一个半成品，你可以根据自己的情况，加以改造。通过我们的调查研究所发现的这8种企业赢利模式，如果创业者认真加以学习研究，或许有助于其中的某些人走出困境。

创业赢利模式之一

—— 鲫鱼模式

找到与大行业或者大企业的共同利益，主动结盟，将强大竞争对手转化为依存伙伴，借船出海，借梯登高，以达到争取利润的第一目标并使企业快速壮大。

温州临海，据说温州人对鱼类的生长极为熟悉。在大海之中，鲨鱼是一个十分凶狠的家伙，非常不好相处，许多鱼类都是它们的攻击目标，但有一种小鱼却能与鲨鱼共游，鲨鱼非但不吃它，相反倒为它供食，这种鱼就是鲫鱼。鲫鱼的生存方式，就是依附于鲨鱼，鲨鱼到哪儿它就跟到哪儿。当鲨鱼猎食时，它就跟着吃一些残羹冷炙，同时，因为它还会为鲨鱼驱除身体上的寄生虫，所以鲨鱼不但不反感它，反而十分感激它。因为有鲨鱼的保护，所以鲫鱼的处境十分安全，没有鱼类敢攻击它，能够攻击它。这种生存方法和生存哲学，说起来让人十分泄气，但却十分有效。

正是基于这种"适者生存"的自然启示，聪明的温州人从中悟出许多道理，这就是：弱者借助强者生存，不但是智慧的，而且是有效的。

温州立峰摩托车集团的前身只是一个生产摩托车车把闸座的小厂。但这家企业最初开发的产品具有独特性，其表面防腐性能超过了日本企业标准，填补了国内空白，从而成为摩托车生产企业用来替代日本进口原件的替代品。企业最初通过推销争取到中国一家著名摩托车企业的产品配套，之后又与这家大型企业进一步合作。1992年，双方共同出资在瑞安建立了一家摩托车配件有限公司，注册资金600万元，立峰占股70%，这家企业占股30%。立峰专为这家企业生产摩托车把闸等零配件。由此立峰成为依附于"大鲨鱼"的"鲫鱼"，几年时间产值就翻了3番，规模与效益较之与该企业合作前扩大了十多倍。

随后，立峰利用赚到的钱，不断进行外延扩张，产品由把闸而轮毂、而油箱……最后发展为整车生产。开始为贴牌，后来发展到独立运作，并获得了国家颁发的摩托车生产许可证。时机成熟后，立峰脱离了与大企业的合作关系，成为一个独立的摩托车整车生产企业，"鲫鱼战术"大告成功。

这种模式在加工企业集中的长三角、珠三角一带十分流行，在广东东莞、江苏昆山，类似小企业随处可见。实践证明，这是初创小企业走向成功的一条捷径，风险小而成功概率高。类似立峰这样最后发展到"全面"生产的企业较少，更多则走向了专业化，走"专、精"的路子，如江苏江阴的曹明芳为上海一汽专业化生产汽车保险杠，甚至成为了《福布斯》中国富豪。

"鲫鱼"这种模式的本质在于，大企业有通畅的产品流通渠道，有广大的客户群体，就像一条庞大凶猛的鲨鱼，而中小企业无论在资金、技术，还是在人才等方面，都存在着诸多先天不足。如果中小企业能找到与大企业的利益结合点，与大企业结成联盟，就可以有效弥补自身的短板，自然也就可以分享大企业的利润大餐。

"鲫鱼战术"对中小企业来说，可借鉴程度较高，是一种有效的赢利模式。而其方法可以多种多样，例如：

配套与贴牌生产

全球经济一体化时代，社会分工会越来越细，一件商品的生产和营销往往被细分为众多的环节，由此给配套生产者提供了机会。大的、复杂的整机——汽车、摩托车、家用电器固然有众多的配套厂家，就连小型的商品如桌椅、香烟、白酒、望远镜等，也有许多是分工合作的产物，如山东的白酒很多就是采用四川的原浆，当年的秦池为此还掀起了一场偌大的风波。这些配套厂家就像众星捧月般地拱卫着上游厂家。不要小瞧配套这一角色，它的起点虽然低，利润虽然薄，但投资也少(很多项目往往只需要数十万元投资即能操作)，因此恰恰适合了资金不足、经验缺乏的创业者。只要你和上游厂家搞好关系，勤恳工作，保证质量，那么你就可以借助这个平台，在不太长的时间内完成你的创业过渡期和危险期。

一流的企业卖品牌，二流的企业卖技术，三流的企业卖产品，当然，还有超一流的企业，他们卖的是标准。

替品牌厂家贴牌加工生产，是一种较为新型的合作关系。品牌厂商为了降低生产成本，或者为了腾出手来开辟新的经营领域，往往会将热销中的商品托付给信得过的加工厂商生产。贴牌生产目前不仅在跨国公司之间流行，一些国内驰名品牌或是区域性品牌也提供贴牌生产。这就是那句话：一流的企业卖品牌，二流的企业卖技术，三流的企业卖产品，当然，还有超一流的企业，他们卖的是标准。在这样一个品牌争先的时代，一个品牌的建立需要大量人力、物力的投入。但品牌一旦建立，即可以产生所谓的品牌效应，品牌本身就可以用来赚钱。加工商进行贴牌生产，要的就是品牌的声誉和消费者的认同。贴牌也分两种，一种是贴牌后自产自销，这叫借牌，需要交付贴牌费，一般只在区域市场销售；另一种就是产品生产出来后，交给原品牌所有者销售，也叫做代工。前者风险大于后者，投入也大于后者，但贴牌资格比较容易取得，一般仅限于国内品牌，国际性大品牌甚少采用此方式，创业者可酌情选择。

代理

　　代理商是生产商的经营延伸，举凡影响大一点的商品都有它的代理商。做代理商虽然是为他人做嫁衣裳，但与此同时也是在为自己积累经验。做代理商可以借助厂家有形的商品，为自己完成资本原始积累。与此同时，还能学习营销知识，建立渠道网络，可谓一举两得。寻找那些品牌信誉好或者发展潜力大的产品做其代理，是一桩本小利大、事半功倍的买卖。初始创业者在规模上可考虑只开一家门店，从一个县或者一个地级市做起。

　　不过，傍大腕却不能过分依赖大腕。做代理最大的危险是被厂家卸磨杀驴。很多专家对此均有专业性的分析，一些案例发

创业小贴士

傍大腕却不能过分依赖大腕。做代理最大的危险是被厂家卸磨杀驴。

人深省，各位可以参考。不仅是中小企业，就是一些已经颇具规模的企业，一旦深陷到只有靠"傍"过日子，亦是十分危险。像深圳华为，名列"巨大中华"之一，专门为电信运营商提供光网络、固定网、移动网和增值业务领域的网络解决方案，是中国电信市场的主要供应商之一。而

皮具代理

中国电信凭借垄断优势，成为大腕中的大腕，随着电信事业的发展壮大，华为销售额猛增，早在 2001 年销售额就达到了 225 亿元。华为并没有很先进的管理手段和技术，但它站在中国电信这个巨人的肩膀上，着实大赚了一笔。而近年来，中国电信受分拆影响，投资萎缩得厉害，华为跟着它日子也越来越不好过了。任正非为此写作《华为的冬天》，对华为员工提出警戒。大树底下好乘凉，是说艳阳高照的时候，一旦刮风闪电，站在大树底下就十分危险，随时可能遭电击，或者大风吹折了树将你压死。所以说，小企业之于大企业、代理商之于生产商，只能依附，而不能依靠。依附是庇荫，借着大树遮风挡雨，健康成长；依靠则是藤缠于树，离开了树木，自身便立足不稳。创业者开始创业的时候，难免有一段时间要将自己托付于人，但要尽快度过这一时期，不能沉迷其中，将自己的命运始终交给别人掌握。

小企业之于大企业、创业企业之于成熟企业，最理想的状态是既有经营上的联系，又有资本纽带关系，但不是被人控股，不是挂靠或下属关系。小企业在托庇大企业的时候，它仍旧保持独立，需要拥有较大的经营自主权，有可能的话，尽量同时托庇于多家大企业或成熟企业，则可以收到"东方不亮西方亮"之效果，大大提高企业的生命值。

创业赢利模式之二

—— 专业化模式

专业化的意思就是专精一门，也就是俗话说的"一招鲜，吃遍天"。在这样一个诱惑多多的年代，要静下心来，专精一门是不容易的，要不然就不会有几年来"多元化"在国内企业界的甚嚣尘上了。

专业化的意思就是专精一门，也就是俗话说的"一招鲜，吃遍天"。

也许你认为指甲钳太"小器"了吧，指甲钳是很小，但你想过没有，只要有 1/5 的中国人使用你生产的指甲钳，你的利润会有多大？要是全世界 1/5 的人都用你生产的指甲钳呢？

如果这样的利润空间还不算大的话，你不妨再想想，普通档次的指甲钳利润空间的确有限，但是如果是高档产品呢？如果是专业化生产的全套指甲修护工具呢？

梁伯强就是紧紧抓住指甲钳这个主业不放，在指甲钳上做精做强，所以他顺利进入了利润区。借助"非常小器"的指甲钳，使得圣雅伦牌成了中国第一、世界第三的指甲钳品牌，梁伯强也成为了亿万富翁。

1998年4月，梁伯强从茶几上用来包东西的旧报纸上读到一则名为《话说指甲钳》的文章，文中提到朱镕基以指甲钳为例，要求轻工企业努力提高产品质量开发新产品的讲话。他便产生了一个念头：做一个响当当的中国品牌指甲钳。

很快他便赶去广州"555"国营指甲钳厂，但该厂已经停产。后来他又去了天津、北京、上海和苏州的4家具有代表性的国营指甲钳厂，这些工厂全都已经关门大吉。国企不行固然可惜，但也给民营企业腾出了市场。于是，梁伯强开始学技术，把目标锁定在韩国著名的"777"牌指甲钳上。

梁伯强从韩国订了30万元货，然后组织人员研究"777"的技术，再把买来的指甲钳卖出去，研究人员一遇到什么不懂的地方，梁伯强就飞去韩国。由于梁伯强是以中国经销商的身份前去考察的，韩国人不仅详细解释了梁伯强提出的问题，还亲自带他去厂区参观。这样梁伯强仔细了解了他们的自动化生产技术和设备。

一年里，梁伯强飞了20多次韩国，买进了1000多万元的货。这段时间，他的研究人员基本上把"777"的技术学到了，通过做"777"经销商，他也逐渐铺开了自己的销售网络，不久，他的第一批名为"圣雅伦"牌的指甲钳新鲜出炉。

梁伯强不惜重金请来各方专家，数次拿着精心改良的样品飞赴沈阳五金制品检测中心接受检测。2000年6月，"圣雅伦"得到了全国五金制品协会有史以来颁发的第一张"指甲钳质量检测合格证书"。

当然，真正成就了"非常小器"在中国指甲钳制造业专家地位的，并非是这一纸证书。做品牌必须增加产品的附加值，梁伯强就在产品的细节和文化含量上下功夫，强调产品的个性化和环保概念。仅仅一个小小指甲钳，就开发出了200多个品种。这奠定了"圣雅伦"在指甲钳的专业地位。梁伯强始终循着专业化模式发展，不但让"圣雅伦"成为全世界的名牌，最关键的是让小器终成大器，凭借小小指甲钳获得了巨大的财富。

专业化为什么可以成为你的赢利模式？一个最简单的解释是，因为它精，所以它深，深就提高了门槛，别人不容易进来竞争，而专业化的生产，其组织形式比复合式生产要简单得多，管理也相对容易。在市场营销方式上，一旦市场打开，后期几乎不需要有更多的投入。成本降低的另一面，就是利润的大幅度提高。而在通常情况下，专业化生产一般最后都会形成独占性生产，至多是几个行业寡头同台竞争，行业间比较容易协调，从业者较易形成相互保护默契，有利于保持较高的行业平均利润。这是一个封闭或半封闭式市场，不像开放市场上的产品，一旦见到有利可图，大家便蜂拥而入，利润迅速摊薄，成本迅速攀升，本来有利可图的产品很快变成鸡肋，人人都觉得食之无味，又弃之可惜。

创业小贴士

专业化因为精，所以深，深就提高了门槛，别人不容易进来竞争。

经测算，普通产品的生产者，如果其利润是 15%，那么，一个专业化生产的产品，它的边际利润通常可以达到 60%~70%。当一个企业进行专业化生产时，其多数成本都用在解决方案的开发和创意阶段，一旦方案成立，就可不断复制，并依照自己的意愿，确定一个较高的市场价格，因为你是惟一的或少数能提供该解决方案(或产品)的人，所以，市场对你的高定价根本无力反对。专业化生产的另一个方式是，以简单化带动大规模，迅速降低行业平均利润，使小规模生产者根本无利可图，从而不敢也不愿与你进行同台竞争。格兰仕用的就是这种办法。

梁伯强采用的方法则是使产品个性化。在德国的来根州，梁伯强见过世界上最好的指甲钳，就是德国"双立人"指甲钳，但就是这样一家企业也只把指甲钳当作一个附属产品生产。"双立人"的主业是做厨房用品。日本的绿钟、玉立等品牌，也是依附在卡通产品上，进行代理生产。这几个著名指甲钳品牌的利润率都远超过梁伯强的"非常小器"，但它们所赚取的是依附性利润，即依附于其他产品，借助其他产品而产生的利润，而并非指甲钳本身所产生的利润。这是一种很好的生产形式，也是一种有效的利润生产方式，但它们称不上是专业化生产。

梁伯强是专业化生产，因为他只生产指甲钳一项，所有利润都来源于指甲钳。所以他有兴趣研究男人的指甲是什么样，女人的指甲又是什么样，小孩的指甲是什么样，老人的指甲又是什么样，脚趾甲和手指甲有什么不同，并针对不同人群设计专门性产品。比如专门针对婴儿的指甲钳，指甲钳面是平的，比成人的要短一半，这样的设计充分考虑到婴儿指甲的特点，避免因器具原因对婴儿造成伤害。产品一经推出就成为妈妈们的爱物。从产品研发到生产组织，再到市场营销，因为面对的都是同一产品，只是外形的变化，实质完全一样，所以，同一过程可以反复重现，不断复制，基本不会增加什么新的成本。相反，随着各个环节熟练程度的加深，成本反而会悄悄下降。这就是专业化生产的优势，简单而优雅。

专业化利润的一个重要来源是专家，但这里的专家与我们通常所说的专家不同。它不但指研发方面的专家、生产和组织管理方面的专家、市场营销方面的专家，还包括技术精湛的一线蓝领工人。专业化生产，反复重复的过程，有利于迅速培养专精于一个环节的专业人员。这是一种更能产生和带来利润的专家。一般来说，这种专家型员工会比普通员工给企业多带来 10%~15%的利润，这是专业化生产独有的好处。

创业赢利模式之三
—— 利润乘数模式

借助已经广为市场认同的形象或概念进行包装生产，可以产生良好的效益，这种方式类似于做乘法。利润乘数模式是一种强有力的赢利机器。关键是你如何对你所选择的形象或概念的商业价值进行正确的判断。你需要寻找的是这样一种东西，它的商业价值是个正数，而且大于 1，否则，这种东西就不但对你毫无意义，反而会对你造成伤害。

几年前，几个中国人倒腾出了网上即时交流平台 ICQ 的中国版——OICQ（也称 QQ）。随后 QQ 以迅猛的速度得到发展，目前注册用户已超过 1 亿人，每天独立上线人数达到 1200 多万，独占中国在线即时通讯软件市场 95%以上的份额，几乎覆盖所有中

国网民。而且 QQ 的卡通形象——一只憨态可掬的小企鹅也渐渐被数以千万计的网民所熟知和喜爱。

此时，以经营礼品进出口业务起家的广州东利行公司，看准了 QQ 小企鹅形象在商业领域拓展的前景，在 2000 年 12 月与 QQ 的所有者腾讯公司签署了为期 7 年的 QQ 形象有偿使用协议。

一个企鹅的形象能够带来多大的利润空间？这对一直经营礼品进出口的东利行来说再清楚不过。所以从一开始，他们就已经有了一个清晰的赢利设想。这个赢利设想或曰赢利模式的"专利"并非属于东利行。他们的思路来源于运用卡通形象获得最大利润的迪斯尼公司，他们需要做的只是将模式移植，这样可以更好地保证他们的成功。

美国迪斯尼公司是这一模式的缔造者和忠实实践者。它将同一形象以不同方式包装起来，米老鼠、美妮、小美人鱼等卡通形象出现在电影、电视、书刊、服装、背包、手表、午餐盒上，以及主题公园和专卖店里。每一种形式都为迪斯尼带来了丰厚的利润。

在签署协议前，东利行对 QQ 用户进行了深入调查，发现乐意通过 QQ 聊天的用户以年轻人为主，而他们对时尚产品的购买能力极强。于是，东利行提出"Q 人类 Q 生活"的卡通时尚生活概念，把衍生产品消费群定位在 14~26 岁青少年。

随后，东利行相继开发出精品玩具系列、手表系列、服饰系列、包袋系列等 10 大类 106 个系列，约 1000 种带 QQ 标志的产品。

如果你以为东利行会拿自己的钱进行投资，生产这些产品，那你就错了。多年从事进口业务的经历，使他们很清楚在国外十分流行的一种创造利润的手法：形象授权。实际上，东利行正是凭借这个授权而掘到了他们在 QQ 上的第一桶金。所谓的授权生产，就是将某一形象或品牌的使用权通过收取一定的使用费授予生产厂家。厂家得到的好处是，可以通过已经为人们所熟知的形象或品牌迅速打开市场。

东利行在 QQ 上的获得是累加式的，先通过授权获得一笔收入，当授权产品种类达到一定数量后，2001 年，东利行的第一家"Q-Gen"专卖店在广州最繁华的北京路步行街开业。专卖店甫一开张就受到 Q 迷们的大力追捧，日营业额已逾 10 万元，超过了同一条街的原有"铺王"佐丹奴专卖店。

东利行还有第三步，即广招加盟。开专卖店并不是东利行获取利润的最终方式。在他们的计划中，最大的利润将来源于加盟商店。说白了，广州北京路上的专卖店不过是东利行的一个样板店，它的用处是向潜在的加盟者展示可观的商业效益。换句话说，广州北京路上的专卖店不过是东行利抛出的一个饵，他们的目的是钓后面更多的鱼。短短数月，"Q-Gen"已经拥有了100多家加盟商，遍布全国各大城市。

一个小小的卡通形象，就让东利行在极短的时间内尝尽了甜头，由于QQ的知名度，部分QQ商品的毛利率达到50%以上。

实际上，这种做法在出版界更为盛行，如随着成君忆《水煮三国》的走红而出现的"水煮"系列，随着《把信送给加西亚》，出现的"加西亚"系列，还有以前随着《谁动了我的奶酪》出现的"谁动了我的……"系列，所卖的都是一种已为人们所熟知的概念，甚至为人们已经习惯认知的几个简单文字。这种模式的风险来自于形象或概念拥有者不加区别的广泛授权，对于一些难定归属的形象或概念，如上述的"水煮"之类，则风险更大，其利润乘数很可能小于1，甚至为负值。也就是说，对于这类形象或概念，你不用比用更好。你不用，还有可能赚到钱，你用了，就只能干等着赔钱。

创业小贴士 利润乘数模式的利润来源十分广泛，可以是一个卡通形象，可以是一个伟大的故事，也可以是一个有价值的信息，或者是一种技巧，甚至是其他任何一种资产。

利润乘数模式的利润来源十分广泛，可以是一个卡通形象，可以是一个伟大的故事，也可以是一个有价值的信息，或者是一种技巧，甚至是其他任何一种资产，而利润化的方式，则是不断地重复叙述它们，使用它们，同时还可以赋予它们种种不同的外部形象，如世界上最昂贵的一只猫——Hello Kitty（凯蒂猫）、世界上最著名的一只狗——SNOOPY（史努比）、世界上最受欢迎的一只熊——Winnie Pooh（维尼熊）等卡通形象，都是利润乘数模式最经典的案例。

凯蒂猫、史努比狗、维尼熊之类卡通形象是如何使企业实现利润的呢？仔细研究不难看出，对人们所熟知的卡通形象的使用，使企业得以降低产品研发或开发成本，缩短研发或开发的时间。最关键的一点是，通常大多数研发都生产不出任何有价值的适应市场的终端产品，而使用这些形象则不存在这个问题。借助为人们所广泛熟知的形象，可以使产品更迅速地深入市场，降低了企业风险，提高了企业的成功率。东利行正是运用了这种利润乘数模式，得以迅速发展。

通过以上模式进行操作，是创业成功的一条捷径，但也存在种种问题。正如我们前面所言，此类形象或概念授权一般范围都比较广，产品线往往拉得很长，这需要注意以下几点：第一，要清楚容易接受该形象或概念的人群集中在哪些地方，并关注这些人的喜好。如果当初东利行把 QQ 产品定位于中年消费者，或是做成一个实用而非时尚产品，肯定是死路一条。第二，由于同质产品的泛滥或将来可能的泛滥，你需要将你的产品极度个性化，并保持这种个性化。要不你就要有能力创造出一种别具一格、别人难以模仿的经营方式。此外，你还可以有一个选择，就是将产品迅速铺满某一个细分化的市场，不给后来者提供机会，但前提是需要有相当大的投入。第三，借助于某一流行形象或概念进行产品生产和市场营销，在国外已经十分成熟，但对于国内的企业经营者还是一个十分陌生的领域。它需要有一些很专门的人才，同时还要有一些专门的或独属的手法。如果你打算在这方面发展，那么，最好寻找到这样一些专门人才来帮助你。第四，流行形象或概念大多属于易碎品，你需要对它们精心呵护，尽量避免将其应用到可能威胁其形象或概念的产品中去。

创业赢利模式之四

—— 独创产品模式

这里的独创产品是指具有非同一般的生产工艺、配方、原料、核心技术，又有长期市场需求的产品。鉴于该模式的独占性原则，掌握它的企业将获得相当高的利润。比如祖传秘方、进入难度很大的新产品等。

一个偶然的机会，胥定国遇到了一位因吃了有毒蔬菜而中毒晕倒的老人。晚上，胥定国回到家中和房东老伯说起白天碰到的事情，老伯告诉他说，他的一个亲戚，也曾因吃了有农药的蔬菜中毒，抢救不及而死亡。老伯的话再一次触动了他的神经，当天晚上，胥定国在网上泡了一个通宵，搜索有关"农药蔬菜"的信息。结果他发现，"农药蔬菜"除了可能造成人们急性中毒或死亡外，更为可怕的是一些"农药蔬菜"所造成的慢性中毒，具有致癌、致畸、致突变的"三致"作用，甚至通过遗传危害后代(已得到科学公认)。通过检索相关资料他还发现，国家质检总局对全国23个大中城市的蔬菜抽查结果表明：市场上农药残留量超标的"问题菜"高达47.5%，全国有将近一半的蔬菜属于不能食用的"农药蔬菜"……

面对令人生畏的"农药蔬菜"，市民通常采取方法是"一洗二浸三烫"，但专家认为这种方法作用不大。也有人采用洗洁净洗涤，但洗洁精本身就是一种化学物质，用多了对人体一样有影响。胥定国由此想到，能不能研制出一种可以除掉蔬菜中残留农药的机器呢？他觉得这是一个机会。

胥定国第二天就专程到厦门大学请教了有关的专家教授，得知利用臭氧技术可以脱掉蔬菜中的残留农药，不过因为技术原因当时还没有企业将之运用到民用仪器上。得知此信息，胥定国兴奋不已。

胥定国很快就完成了"果蔬脱毒机"的方案，经深圳的一位朋友引见，他找到了目前中国最具权威的臭氧专家李忠汉教授，并和李结成了生意上的合作伙伴，两人分工合作：李负责产品研发，并在胥拥有的品牌下组织生产，而胥则负责销售和推广。

2002年4月，在与李教授商谈合作的同时，胥定国通过朋友帮忙，筹借资金50万元，在厦门注册成立了"厦门百事特科技发展有限公司"。一个月后，李教授在多年积累的臭氧应用技术基础上，很快研制了"果蔬脱毒机"，并顺利通过了由国家质检总局组织的产品质量鉴定。"果蔬脱毒机"采取纯物理原理，不添加任何药物，在20分钟内就能强力除掉残留农药、化肥，无毒副作用，无二次污染，无营养损失。通过农药残留检测仪器检测，其蔬菜残留农药去除率达93%~99.23%，是一种真正能为消费者提供干净卫生"无公害"蔬菜的机器。

拥有独创产品并不意味着就自然可以拥有市场。胥定国开拓市场的第一步是打广告。广告刊登后，来了很多人要求做产品代理。为了尽快回收资金，胥来者不拒。可是很

创业小贴士

拥有独创产品并不意味着就自然可以拥有市场。

快他就发现这样做弊端丛生。一些没有实力的代理商，在分销了少部分产品后，便减少进货数量或干脆停止了进货。表面看起来这虽然对双方都没

有损失，但实际上胥却丧失了不少有潜力的市场，因为他在一个地区指定了一个代理商，就不能再发展别的代理商，而如果这个代理商不得力，那么这个地方市场也就丧失了。面对这种局面，胥很快调整了销售策略，只选择有实力和开拓能力的商家作一级代理，实力较弱的则发展成为分销中心，由总部派人协助开拓市场；对一些小本经营者，推出"百事特蔬菜脱毒配送中心"，提供加盟。这些方法有效满足了不同层面的投资者需求，也使胥定国很快就掘到了第一桶金。

在胥定国开发"果蔬脱毒机"的时候，臭氧技术的应用还是一个很独特的概念，所以他的产品也称得上是高科技产品，具有很强的独创性。目前随着科学技术的迅猛发展，一些具有独创性的科技产品的寿命正在迅速变短。两年前还很新鲜的臭氧脱毒技术，两年后就已经失去了新鲜感。随着后来者的不断进入，这个市场的竞争日趋激烈。

胥定国的精明之处在于，他利用不同手段迅速拓展市场，在跟进者到来之前，就赚取了大量利润，落袋为安。从目前状况看，大家都在寻找赚钱机会，一种有利可图的产品，很难长期保持它的"独特"性。每个人都在寻找它的弱点，或克隆，或改造，所以，高效率地利用市场空白期迅速赚取利润是这种模式成功的关键。

独创产品模式，实际上也是很多创业企业在创业之初可以大力借助的模式，"独创"的魅力所能带来的高额利润早已不是什么秘密。但是独创产品模式并不是进入利润区的"万能钥匙"，它也有很多局限性：

第一、因为独创，即意味着"前无古人"，所以往往需要很大的研发费用和很长的研发时间。

第二、因为独创，即意味着市场认知度不高，也即意味着打开市场，获取市场认同需要花更多的钱。

第三、尽管你事前可能做过很细致的调查，但一个独创产品在真正进入市场之前，是很难测度市场是否最终会接纳它。常常发生的一种情况是：你花了很多钱，花费了很大的力气拿出了产品，结果却不获市场认同。这样，你所有的投入就都打了水漂。所以说，依靠独创产品打市场具有很大的风险性。

第四、由于对产品缺乏细致的了解和认知，国家有关部门很难对某一种独创性产品提供完善的保护，生产者将面临着诸多带有恶意的市场竞争，这种竞争经常会使始创者陷入困境。

保护和延长独创性产品的生命周期，延长利润产出周期的办法：

第一、提高专利意识，积极寻求国家有关部门的保护。

第二、增强保密意识，使竞争者无隙可乘。

第三、进行周期性的产品更新，提高技术门槛，使后来者难以进入。

第四、使企业和产品更加人性化，提高消费者的忠诚度。

第五、有饭大家吃，在产能或投入不足的情况下，积极进行授权生产或技术转让，让产品迅速铺满市场，不给后来者以机会。这一点，一般不为经营者所注意，但却是一种十分有效的办法。

创业赢利模式之五

—— 策略跟进模式

策略跟进即强者跟随，与"跟风"的盲目性、哪里热闹就往哪里钻不同。策略跟进需要经营者对自己作出正确评估，并分析清楚自己的优势、劣势之后，对未来走向作出判断。

1995 年，山东某市的姜贵琴到城里的亲戚家小住几日。看到副食店中卖酱鸭翅的柜台前竟然排着长长的队伍。亲戚说，这个副食店中的酱鸭翅就是姜贵琴所在的郊区县里一个小工厂生产的。因为酱烧得十分入味，所以在城里特别受欢迎。一连几天，姜贵琴每每路过这家副食店，就会看到那条排队的长龙，而且经常是晚到的人买不到。

姜贵琴看着别人像开着印钞机一样赚钱，很羡慕。她也想照着做。但是，她很清楚虽然自己能吃苦、肯学习，可最大的弱点是对市场一窍不通，而且市场敏感度差，又没有过丁点经营管理的体验。这些都是做生意忌讳的事。该怎么做呢？她希望在动手之前先搞明白，怎么做才能让自己获取利润。

于是，她就找到了这个小厂子，软磨硬泡、托人送礼进了厂子，当了一个车间工人。姜贵琴一共工作了2个月，白天将小厂的货源、制作工艺、酱料的调配、送货渠道摸了一清二楚后，晚上再回家偷偷试着制作。终于等她将自己的酱鸭翅调弄得差不多了，请来品尝的人都说好后，她马上辞职回家，开始着手准备自己生产。

这家厂子不是做得很好吗？不是已经在城里打出了名气吗？不是已经有了现成的模式了吗？干脆在创业时全部向小厂看齐。小厂从哪里进鸭翅，她就去哪里进，这样可以保证原料品质与小厂一致；小厂生产的酱鸭翅味道是什么样，她也向着靠拢，这样可以缩短消费者认知的过程；小厂在城里的哪个街道铺货，她就尽量选同一街道的另一家副食店，这样可以省下了自己开拓市场的成本；惟一不同的是她总比这个小厂晚一个小时送货，这么做的目的，是为了告诉这个小厂，自己仅仅是一个无关紧要的尾随者，不会因此而对她加以防范，甚至采取破坏性举动。跟进的结果使她的创业过程特别省心、顺利。由于那家小厂的酱鸭翅在城里早就出了名，每天很多人想买而买不到，所以姜贵琴这种跟着铺货的方式正好让她捡了一个漏，省下了她开拓市场的成本。最关键的是，那家小厂的厂长知道后，根本没放到心上，还和姜贵琴开玩笑说："您就跟着吧，我们吃肉，当然也不能拦着你喝碗汤呀。"

看到对方根本没把自己的小作坊放在眼里，姜贵琴心里踏实了。开始时，她每天只送一家，后来慢慢发展到 5 家、10 家，不到 1 年的时间，只要是这个小厂在城里选的销售点，走不出二三百米就一定可以找到姜贵琴的酱翅售卖点。仅仅 1 年时间，姜贵琴靠跟在人家后面卖酱鸭翅赚了 17 万元。

后来，那家小厂又开始增加一些类似酱烧鸭掌、酱烧鸭头等其他产品。姜贵琴并没有马上跟进。她知道跟在后面的人的最大优势就是在后面能清楚看到前面所发生的事情，以及这些事情所带来的后果。而且既然是跟，那就不能心急，等等看，人家什么好卖，再决定跟什么。所以，她交待送货的伙计，让他们每天送完货后不要马上返回，一定要等到小厂的售卖点商品卖完后才许回来，晚上再统一向她汇报"侦察"的结果。比如，哪些售卖点是最先上新产品的、哪些新产品畅销、哪些新产品不太受欢迎。姜贵琴将伙计们的反馈一一记在小本子上。等到小厂的新产品销售半个月之后，姜贵琴才考虑是否要增加新品种，先增加哪些品种，增加的品种先送到哪个售卖点。就这样，不紧不慢地跟在小厂的后面，姜贵琴轻轻松松地发着自己的财。

到 1997 年时，姜贵琴最初依靠一口锅开出的酱食小作坊规模已经发展得与那家小厂不相上下。她开始小规模地着手拓展那家小厂以前没有铺货的街道和社区。此时她也已经琢磨出了一种新的酱料，生产的鸭翅味道更香浓。但是，她并不急于将这种鸭翅推向市场。她一边等待时机，一边继续研制着新品种。

1998年春节前，姜贵琴的资金积累已经达到了将近50万元，新厂房也已经竣工，而姜贵琴对市场销售渠道、销售环境等更是烂熟于心。她准备发力，一举超过那家小厂。

农村很多小厂在春节期间都给工人放假，停止生产。姜贵琴则将厂里的工人组织到一起让他们加班，每天多付 3 倍的工资，当天的加班费当天就结清，年三十加班每人再另发 500 元奖金。同时，姜贵琴又将那家小厂放假回家的工人招来了 15 个，承诺在放假的这段时间里，每天的工资是那家小厂的 2 倍。从阴历腊月二十到正月十八，姜贵琴将产量提高到平日的 5 倍，产品品种由 5 种增加到了 11 种，其中不但有老品种，还新增了她自己研制的新品种。同时将送货的时间进行了调整，不仅每天下午的送货时间提前了整整 2 个小时，而且还专门增加了一次上午的送货。

春节期间是副食消费的旺季，大家无事在家，亲朋好友相聚总难免要喝点酒助兴，而姜贵琴生产的酱货成了最好的下酒菜。春节前后短短一个月，姜贵琴工厂的利润相当于平时的 6 倍还多。

春节过后，市场依然红火。姜贵琴工厂每天保持的送货品种至少在11种以上，并且不断有新的品种推出。每天上、下午各送一次货的制度也得以保留，从此，消费者随时都可以享受到姜贵琴厂生产的新鲜食品。那家小厂等春节后再恢复生产时，发现顾客都跑到姜贵琴那边去了。

如今，姜贵琴当初紧跟的那家小厂，早已不是姜贵琴的对手。现在姜贵琴盯上了城里的一家酱食连锁店。她悄悄地跟到后面，慢慢地积蓄力量，等待时机成熟时一举超越。

在马拉松比赛中，经常可以看到运动员会形成"第一方阵"和"第二方阵"。一个有趣的现象是：最后取得冠军的往往是开始位居"第二方阵"的运动员。因为"第二方阵"的运动员在大部分赛程中都处于"跟跑"的位置。所以可以清楚地看见"第一方阵"运动员的一举一动，并根据其变化很好地把握赛程，调整自己的节奏。另一方面，作为"第二方阵"的成员，他们所承受的心理压力也相对较小，又因为一直处于引弓待射、蓄而不发的状态，积蓄的体能有利于在最后冲刺阶段爆发。所以，"第二方阵"

老板是怎样炼成的

中的运动员获得冠军并非偶然。

姜贵琴在创业的过程中重复了马拉松比赛中经常发生的这一幕：在成长的道路上，瞄准一个目标，紧跟其后，时刻关注对方的一举一动，学习他的长处，寻找其弱点，等待时机成熟一举超越。

甘居人后是大赢家的制胜谋略。前面的最怕有人超过他，因此也最痛恨紧随其后的人，甚至会不惜一切手段打压后者。这时，如果你懂得"示弱"，表现出不能也不想和前面对手竞争的态势，对手就可能放过你，而且可能反过来帮助你。姜贵琴总是比对手晚 1 个小时送货，希望传达的也就是这样一个信息，即：我所追求的仅仅是你们剩余的空间，根本无心也无能力与你们抗争。因此从一开始对手就没将她放在眼里。这给了姜贵琴成长的空间和时间，使她能够在对手的眼皮底下悄悄地壮大。

"跟跑"实际上是压缩投入成本的最好方法。

从策略上讲，"跟跑"实际上是压缩投入成本的最好方法。姜贵琴可谓是将"跟跑"策略发挥得淋漓尽致。第一，她不用费心去考虑市场环境，消费者爱好什么，厌弃什么，因为对手已经为她做了这一切。初出道者因为经验不足，对于市场的需求往往把握不住，采取观望态度，审慎地注视对手的一举一动，进行跟随，是一种明智的策略。像姜贵琴，她只需要跟在对手身后，对手在哪里卖得火，她就在哪里卖，卖的同时，讲究策略，丝毫不引起对手的注意。姜贵琴巧妙利用了前者开拓的市场，一步就跨越了新产品上市消费者所需的认知过程，将风险降到了最低，节省了大量市场开拓的成本，同时也减去了产品反复实验所带来的损耗，相应提高了利润。第二，在实力逐渐累积以后，如何策略地攻占对方市场也大有讲究。这表现出了姜贵琴的富于心计的另一面。在与对手发展得旗鼓相当时，她先采用侧面迂回的方法，在对手尚未来得及涉足的市场试水，利用开拓新市场空间的办法，在实力不济或尚未完全把握争胜之时，避免与对方在有限市场空间里正面交锋。等到时机成熟，再进行强力反扑。因为蓄势而来，待机而动，对手根本无还手之力。

从利润角度讲，"跟跑"者向来比跑在前面的要省力，因此利润率也相对要高。在商业活动中，每一个商业行为都有成本的代价，拣取胜利果

实等于将成本最小化了，从而也就等于获得了最大化的利润。

"跟进"哲学是一种应变哲学，绝不是懦夫哲学，甘当"第二方阵"目的在于在次位上充分谋求利益，避免自身劣势，充分发挥优势。

从利润角度讲，"跟跑"者向来比跑在前面的要省力，因此利润率也相对要高。

创业赢利模式之六

——婚介所模式

婚介所模式，说白了就是吸引供应商和消费群两方面的关注目光，而为供货商和消费者两方面提供沟通渠道或交易平台的中介企业从中获取不断升值的利润。但这个模式对于操作者来说要求很高，而且前期的投入成本很大，风险也很高。

方轶酷爱时尚，而且是那种喜欢将自己从头到脚的每一个细节都带上精致女人标签的女孩。大学毕业后在上海的一家外企公司工作了3年后，因为母亲身体不好，她这个独生女不得不放弃在上海大都市的时尚生活，回到了广西老家。

不久母亲去世，留给她两处房产和20万元的积蓄。方轶也想过再次回到上海，可是就在她准备回上海前，她参加了一次中学同学的聚会。聚会上，方轶的容光焕发让在场的女性都十分眼红，她们纷纷问方轶，怎么让皮肤这么细腻？为什么你的头发看上去这么好？同样的衣服怎么你就可以配出不同的感觉？你的指甲怎么做得这么漂亮？怎么让自己的举止也可以如此得体？当方轶一一做答后，她看到的竟然都是失望的表情。方轶所提到的为大都市女性熟知的SPA、香浴、发膜、形体培训等词汇，对这个小城市中的女性来说却都是闻所未闻的东西。这次聚会让方轶在家乡发现了一个庞大的市场。

形象

回家后，方轶将自己这几年在上海每月最主要的美容消费一一罗列出来。突然眼前一亮，对呀，何不将这些项目都集中在一起，开一家专门打造美女的店呢。而且这个店的名字也马上就脱口而出：气质美人店。

可是怎么运作这家店呢？仅仅是从各地进货然后销售吗？这不是方轶所擅长的，她甚至厌烦每天盘货、记账、计算库存这样琐碎的工作。但是如果做零售业，这些工作不到位就根本不可能赚到钱。她想，气质美人店应该是可以满足女性装扮最全面的店铺，是一个女性主题的小百货商场。只要是想将自己装扮得更加漂亮的女人，都会到这家店得到专业指导，选购商品。这样的话，就可以吸引各类女性商品的品牌代理到这个店租专柜。方轶要做的只是在收取各品牌代理的租金外，利用她的专长让更多女性关注这个店，并且到这里购物就可以了。于是，一个以打通商家和消费者沟通瓶颈，撮合双方交易为主要任务的婚介所模式雏形在她脑中形成了。

她很快在最繁华的市中心花20多万元买下了一个500平米的底层商店。然后，就赶赴上海、广州、北京、深圳，寻找各种适合气质美人店的商品。方轶意识到，这种做法前期的风险很大，第一，她所在的是一个极小的城市，很多大品牌还没有进入这个市场；第二，她必须要做到确保店铺的流量和消费量后才能吸引这些品牌的加入。而要做到这些，仅仅凭她向品牌代理们描述是不成的。她必须先做出一个规模。所以，她决定第一步自己先进一两批货，将店面推广开。

在方轶的概念中，气质美人店，不是简单的美容店、饰品店、或者是服装鞋帽店，它是可以寻找到哪怕细微到一个发夹的整体装扮店铺。它是一个让平凡的女孩进入后，经过精心装扮而成为一个真正气质美女的店面。这就要求方轶必须要进大量的商品。整整5个月的时间，方轶寻遍了各大城市美仑美奂的女性商品，其间因为资金不够，她甚至将母亲留下的两处房子都卖掉了，自己搬到店里去住。她又花了将近20万元，才勉强让这个500多平米的店铺不再显得空旷。之后，她从广州、深圳高薪聘请了3个高级形象设计师，气质美人店终于开张了。

为了显示与其他女性商品店的截然不同，方轶让高级形象设计师手把手地培训售货员，并且严格考核，不合格的一律不录用。

但是，刚刚开张的气质美人店因为商品、装潢都极显高档，每天路过观望的女性很多，却少有进入者。方轶意识到，即使在上海这样的大都市里，她的这种店铺都可算是独一无二的新形式，更何况是这么个小地方呢。于是，方轶拿出了最后的6万元积蓄，一部分印制了极为精美的宣传册，内容是以方轶为模特，展示其进入店铺后，形象设计师对她的每一个环节的设计和改造，并且在宣传册上面印上了每一笔的费用，大到服装、鞋帽、背包的价格，小到一个指环、修眉的开销。并且，专门罗列了气质美人服务系列，如脸部化妆指导系列、服装搭配系列、肌肤保护个性服务化指导系列等，方轶带着员工每天到各写字楼分发宣传资料。另一部分资金则选择当地一家报纸，包下了几块版面，介绍了不同服务的类型、内容、费用等。终于，在春节即将到来时，店中生意渐渐有了转机。

随后，方轶又有针对性地举办了很多培训班，如气质美女的服装搭配、气质美女的肌肤保养、气质美女形体训练等。经过1年多的努力，气质美人店终于迎来生意火爆的场面。

方轶终于可以开始着手她的下一步计划，吸引品牌代理们到她的店中租设专柜。为了保证店面的定位，方轶只是有选择的与各著名品牌的代理商接触。终于一家意大利的仿真首饰品牌答应进入气质美人店，成为了方轶的第一个商户。慢慢的很多商家看到这个小城市的市场空间，并在考察了气质美人店后也陆续进入。

品牌逐渐增多，气质美人店的顾客也越来越多；同时店铺销售业绩越好，也吸引更多的品牌加入。方轶的整体运作也圆满地获得成功。

由于参加的品牌越来越多，方轶已经考虑在邻近的一个城市开设一个更大的分店。她甚至希望在不久之后，自己的气质美人店能从现在的中小城市，杀入到像上海、广州这样的大都市去。

实际上方轶的赢利模式仅仅体现了婚介所模式的一个部分。

究竟什么是婚介所模式呢？准确的说，婚介所模式是在某些市场，许多供应商与许多客户发生交易，双方的交易成本很高。这就会导致出现一种高价值的中介业务。这种业务的作用类似于婚介所，其功能是在不同的供应商与客户之间搭建一个沟通的渠道或是交易的平台，从而降低了买卖双方的交易成本。而提供中介业务的企业、以及身在婚介所中的供应商都可以获得较高的回报。这种方式在北方也有一些叫"拼缝"，就是弥补供需双方的缝隙，撮合双方交易，从而作为中介的企业也可以从中获得不菲的利润。

方轶属于搭建婚介所的中介，她所获取的利润来源于几个方面，首先租赁柜台让她可以每年获得一定的利润率。500平米店铺每年的维护费用5万元左右，人员开支每年约20万元；而一个标准柜台的租费平均每月3000元，一年3.6万元。商户在租下柜台后，每个标准柜台配备两个售货员，售货员的工资和奖金由租户承担。所以她只要租出6个标准柜台就足以支付全年的费用支出。500平米一般可以分出30~40个柜台出租。另一方面，开设各种女性感兴趣的培训课程，通过这种方式，除了可以达到宣传目的，每年培训费利润亦可达到10余万元。通过做婚介所，方轶每年获取的利润是比较高的。但需要说明的是，这种模式的投入比较大，并不适合资金量小的创业者。方轶为做这家气质美人店，前期投入将近60余万元，风险较大。

我们之所以说婚介所模式对创业企业来说是值得借鉴的模式，是因为它有很大的市场空间和强烈的市场需求。绝大多数初创企业在市场开拓上都会存在困难。一些创业者有好的产品却找不到合适的消费者，而一些消费者有消费需求又找不到合适的产品。通过婚介所模式，可以将供需双方连结在一起，让初创企业直接面对他们的客户，做成生意的可能性大大提高。以北京为例，目前北京设立了很多专题性购物街区，如东直门的餐馆一条街簋街、三里屯酒吧一条街、马连道茶叶一条街等，以及各种专业批发市场，如天意小商品批发市场、西直门服装批发街等，实际上这些专题街区、市场的建立，就等于是为创业者提供了一个婚介所。由于专题购买使得这些街道人气鼎盛，生意火爆。选择这样的市场，自然会大大缩短创业者开拓市场的周期。

老话讲，货卖扎堆，说的就是这种情况。当一个"场"形成了规模，自然带动人气的直线上升，身处这个环境的商家也就省掉了宣传、推广费用，并且大大缩短了客户对其的认知周期，从而提高进入利润区的速度。

据统计，运用婚介所模式在单位时间内，可能做成的生意数量会达到传统运作模式的 2 倍或 3 倍。而由于婚介所模式的运用，等于集合了供应商与客户之间的力量，因而宣传成本、运作成本都得到很大幅度下降，因此在单位时间和单位努力程度所带来的利润也是传统模式的 7~10 倍。

除了像方轶一样自己做婚介所，创业者不妨来一个反向思维，寻找一个适合自己的婚介所加入进去。对普通创业者来说，这是对婚介所这种赢利模式更为有效的运用，可以降低初创企业的成长风险，加速成长过程。

创业赢利模式之七
——产品金字塔模式

为了满足不同客户对产品风格、颜色等方面的不同偏好，以及个人收入上的差异化因素，从而达到客户群和市场拥有量的最大化，一些企业不断推出高、中、低各个档次的产品，从而形成产品金字塔，在塔的底部，是低价位、大批量的产品，靠薄利多销赚取利润；在塔的顶部，是高价位、小批量的产品，靠精益求精获取超额利润。

在南京的一条街上，曾在一年间冒出了多个泰迪熊专卖店。对于泰迪熊这一比较单一的商品，中国市场的容量虽然很大，但对于一个城市市场容量却是有限的，于是，这几家店的竞争很快就进入了白热化。

一下子出现如此多的泰迪熊专卖店有它的原因，从上世纪 90 年代开始，港台地区迅速席卷一股来自欧美的收藏泰迪熊的热潮。很快，日本、韩国等地陆续建立了泰迪熊主题公园和泰迪熊博物馆，也让这种对泰迪熊的喜爱迅速升温。而随着泰迪熊的制作订单被大量地送到劳动力便宜的中国生产，也同时带动了中国消费者对泰迪熊的关注。

泰迪熊是一种很特殊的商品，它像芭比娃娃一样，可以被设计成不同的造型。并且不同厂家、不同品牌设计的款式，市场价格差距也很大。加之每年 3 个专门为最新设计的泰迪熊而设置的国际大奖，催生了很多经典收藏的款式，激发了全球更多人的收藏，因此泰迪熊的价格一路攀升。在中国生产的出厂价不过 30 元的商品，在国际市场上竟然可以销售到 60 美元甚至更多。如此大的利润空间当然不会被中国的商人们忽视。

然而，当多家泰迪熊专卖店聚集在一起时，中国刚刚发展起来的泰迪熊收藏市场由于空间还很有限，市场一下子就饱和了，几家店的日子都越来越难过。其中拥有泰迪熊数量最多、库存量最大的一家店的店主，开始寻找新的赢利模式，以摆脱目前的现状。经过长时间调查他发现，大多数购买泰迪熊的消费者都是 20 岁以上的高薪收入阶层，主要盯紧中高档泰迪熊，每次新款一出来，连价都不问就会买下来。这个群体也会偶尔购买中低档次的泰迪熊，不过绝大多数是为了买给孩子，或者用作馈赠普通朋友的小礼物。所以对中低档次的泰迪熊，他们反而会讨价还价。与此同时，很多购买低档泰迪熊的人随着拥有泰迪熊数量的增多，就会开始希望选择更好的更有特色的产品。

发现了这一特点后，这个店主决定改变一下销售方式。由于中国市场销售的泰迪熊绝大多数都是加工厂家在完成出口订单后，剩余的小批量尾货，所以虽然款式繁多，但是数量都很有限。通常是这家包下来几十个，其他人就无法拥有相同的商品。所以这个店主将店中的泰迪熊重新选择了一番，选出尾货数量比较多、别家店铺也有的中低档款式直接以进价大批量销售，以吸引人气和有效销售，同时使店中的资金流动起来。而那些只有他才能提供的泰迪熊则相应提高了价格。除此之外，以前他每月到江浙、广州一带寻找新货源，现在改为了几乎每周一次，以确保第一时间获得厂家新推出的款式。没到 1 个月，店铺的生意就开始好转起来。

他的这一举动让其他几家经营同类产品的店顿时乱了手脚，相互之间不得不开始比拼价格。而由于这家店主每周都有新款式的泰迪熊上架，吸引了大量的泰迪熊收藏爱好者，也使得很多厂家主动与他联系，提供给他独家的货源。为了更广泛地推广他的产品，他找人专门制作了一个网站，随时更新新款泰迪熊，让更多人开始关注他的店铺。

随着生意的逐渐好转，店主手头的资金也开始充裕起来。于是，他再次采取了一个大胆的举动，专门选购了一批价位在 150 元以上的中档泰迪熊；另外与外贸公司联系，花重金进了一批单价在千元以上的泰迪熊。

这样一来，他的店就开始形成了产品的梯次架构，形成了一个产品金字塔。中高档次泰迪熊的品质和收藏价值，低档泰迪熊的物美价廉，都让不同层次的泰迪熊好爱者开始关注这个小店。甚至有人每天下班路过时，都要进来看看。很快其他店铺就纷纷败下阵来，转租的转组，关门的关门。

这位店主没有想到，他的这一举措在击败了对手的同时，又使他获得了更多的利润。

实际上，这家店主并没有意识到他所运用的是在面对充分竞争时，一些商家最经常采取的战略——构建产品金字塔。之所以他可以在几家的竞争中胜出，正是因为他利用低档的泰迪熊的有效销售建立了一个防火墙，使其他店主在价格上无力与之竞争。但是在产品金字塔模式中，利润的最大来源却是中、高档产品。也就是说，靠低档产品低价产品占领市场，吸引人气，而靠中档产品、高档产品赚取利润。如果仅

靠低档产品低价产品占领市场，吸引人气，而靠中档产品、高档产品赚取利润。

仅是在低层设置防火墙，而没有在上层构筑的利润来源，企业的竞争将很难持续。

将产品金字塔模式演绎得最为完美、经典的是美国的马特尔公司。现在中国也有很多芭比娃娃的购买者会抱怨，仅仅购买一个芭比娃娃并花不了多少钱，但是如果要按照包装上提示的，将芭比娃娃的各种小佩饰购买全，就不得不花费比买一个芭比娃娃多出几倍的钱。甚至芭比娃娃的一个小小化妆盒都比芭比娃娃本身价格高。马特尔公司就是著名的芭比娃娃的生产商。在该公司推出芭比娃娃后的几十年时间里，他们都要面对各种各样的模仿者，面对一波又一波低价产品的冲击。经常遇到一个尴尬的局面，刚刚推出一个20~30美元的芭比娃娃，模仿者马上就制造出15美元的仿制品。马特尔公司的芭比娃娃的市场一度面临危机。为了彻底扭转这种被动的局面，马特尔公司研究了一个方案，即建立一道产品防火墙。该公司史无前例地推出了一个价格仅10美元的芭比娃娃。这样的价格几乎无利可图。但是这款10美元的芭比娃娃进入市场后，立即吸引了全美国女孩子的目光，让她们纷纷走进马特尔公司设立的各个芭比娃娃专柜。这一招对于模仿者显然是致命的，市场上的仿造品很快就消失了。与此同时，马特尔也陆续收到来自全国各地专柜的捷报，那些一开始仅仅购买10美元芭比娃娃的女孩子们，会继续购买其他辅助性的玩具设备以及其他类型的玩具，使马特尔公司从这些辅助设备和玩具中大获其利。

不过，这还不是马特尔公司运用产品金字塔模式最经典的地方。在捷报频传的同时，马特尔公司也开始重新寻找其他获利的商品。经过努力，看准了价值100~200美元一个的芭比娃娃的市场机会。价格高昂的芭比娃娃的目标客户不再是那些小女孩们，而是小女孩的妈妈。这些妈妈们在20或30年前就是玩着芭比娃娃长大的，她们会怀着无比愉悦的心情记住这些芭比娃娃，而现在她们都拥有了自己可以支配的金钱。这些妈妈会给自己买上一个精心设计的芭比娃娃——精良的工艺和独特的设计，唤起自己对过

去美好年华的回忆。这种芭比娃娃已经不单纯是玩具，而是一件收藏品，就像瓷器茶壶或珍贵的邮票一样，爱好者情愿花大价钱购买。这既给客户带来了极大的满足感，又给马特尔公司带来了丰厚的利润。

如果循着这个思路想下去，你会发现，产品金字塔模式不仅仅是玩具公司的一个伟大创意，它甚至可以成为很多想从恶性价格竞争中摆脱困境的创业者的一个经典模式。

产品金字塔模式的运用必须有一个前提条件，就是在一个成系统的产品或者领域中运用，而且必须要与客户的市场定位紧密联系，并且高中低档商品的客户群之间都必须拥有一定的联系因素。比如，购买中高档泰迪熊的用户一般同时会选择购买一些低档产品，作为朋友之间馈赠礼物；又比如，给女儿购买10美元芭比娃娃的母亲，一般也会同时给自己购买一个价值100~200美元的芭比娃娃，作为对自己的奖励一样。

关键是构建的金字塔不仅仅是不同价位产品的简单罗列。一个真正的金字塔是一个系统，其中较低价位的产品的生产和销售，将为你赢得市场和消费者的注意力。对于拥有完善产品线的企业来说，你的竞争对手根本不必指望可以依靠比你更低的价格抢走你的市场份额。

创业赢利模式之八

——战略领先模式

起步领先不代表永远领先，不能确保你永远赢利。因为马上就会有后来者参与激烈的竞争。所以适时改变你的竞争策略，由一个静态到一个动态的飞跃，可以确保你从起步时的飞跃领先到战略上的始终领跑，使你的利润源源不断。

俗话说，创业不易守业更难。在商场中滚打过的生意人对这点都深有体会。

1997年，李守亮凭着自己的专利技术产品"多功能服装垫肩机"，创办了合肥奇正实用技术研究所，开始了自己的创业。一年后，凭借产品的推广，他在市场占住了脚。随后又开发了"纸杆铅笔机"等几项专利产品。这些产品实用性强，市场前景广阔，产品一上市后，理所当然成为后来者觊觎的目标。一时间，武汉、郑州、北京、石家庄、广州、合肥等地，不断有企业纷纷瞄准奇正的产品和市场，服装垫肩机和纸杆铅笔机的招商广告铺天盖地而来。对于后来者来说，由于不需要投资任何前期开发费用，只要购买一台样机回去测试一下，就可以大批量生产，成本之低廉可想而知，奇正的市场一下被蚕食鲸吞。

面对市场的冲击，李守亮突然明白，他必须避开这种恶性竞争，迂回出击，迅速转入新产品的研制开发，用更快的速度甩开侵袭者，赢得更大空间的新市场。

2000年，李守亮研制开发的空调专用清洗剂出世并投入生产。这是一种精细化工产品，它由特种去污剂、特种缓蚀剂、特种发泡剂、整合剂、抗菌剂及多种助剂组成，经过5道工序，通过专业设备生产复配而成，适合家庭、办公室、公共场所等各种空调的清洗。这一专用产品在清洗空调时只需喷入空调室内机蒸发器和室外机散热器内，不用高空作业，不用拆卸空调，短短20分钟就可以洗净污垢、净化空气、恢复空调制冷制热功能。

新产品问世后，很快得到了广大消费者的认可。这一次，在经营战略上，李守亮进行了一次大规模的调整，开始从单一的生产销售转为生产、销售、培训、保洁清洗等"一条龙"服务。为了让更多的消费者通过这一产品提高生活质量，也为了拥有更大更久的市场空间，李守亮推出了自己的营销策略：在全国范围内发展下岗失业人员加盟，并且不收任何代理费和加盟费，免费培训清洗技术、赠送操作光碟、提供市场推广策划等。一时间，"市场你来做，质量我来包"的理念深入人心，很快就在全国发展了200多家代理商和加盟店。而当后来者也开始进入空调专用清洗剂的市场竞争时，李守亮已经形成了稳定的销售渠道。他又开始琢磨下一个项目的研究了。

如果你跑到了最前面，大大拉开了与后来者的距离，你就会有知名度，会有追星族。如果你跑得比别人更快，你就能得到领先奖赏，赚得更多。所谓早起的鸟儿有虫吃，说的就是这个道理。

有一个故事：一个小伙子有一天坐火车去另一个城市。当火车要绕过一座大山的时候，车速慢慢地减了下来。这时候他看见了一栋光亮亮的水泥平房，就把它记在了心里。在办完事回来的路上，他中途下了火车，走了一段山路，找到了那座位于高山上的房子。他向房主提出想买下这栋房子。房子主人很痛快地答应下来并以2万元成交。小伙子回到家后，很快写好了一个方案，复印了很多份，递交给许多知名的大公司。3天后，可口可乐公司迅速与他取得联系，并专程派代表开车驶往房子所在地，经过一天周密的考察和分析，当场和他签订了一年18万元的广告合同。为什么2万元的投入可以换来18万元的收入？原来房子有一整面墙正对着铁路，每天都会有数十趟火车经过这里，而因为是上坡，每当火车经过这里时总要减速，这时就会引起许多好奇或无聊的眼光向窗外张望，而在这个前不着村后不着店的荒凉地方，惟一能长时间吸引他们目光的就是那幅可口可乐的巨型广告。

不过这已经是很多年前的事情了，现在，你再坐火车经过这个地方时，就会发现山坡上的农舍已经被各种各样的广告遮满了。这也证明了一点，只要有人做出了第一，就会有蜂拥而至的追随者去争抢剩下的空间。

这个故事告诉我们，对于创业者来说，开创第一虽然是件好事，但领先永远只是暂时的。如果你在领先的时候不抓紧时间赚到钱，就像上述故事中的小伙子，在他还是第一的时候就抓紧时间将广告卖出去，他就有可能赚不到钱，或者即使赚到钱，也会比他应该赚到的少得多。

对于创业者来说，开创第一虽然是件好事，但领先永远只是暂时的。

李守亮的第一个项目夭折在利润区外就是因为这个原因。所以在进行第二个项目的操作时，他就变得聪明了。他知道自己必须要抢时间，因此一改传统的生产销售模式，并且用最短的时间找准市场定位，利用下岗失业人员资金少、技能差、需要短时间见效益的心理，推广产品。免费加盟、免费培训，对于他的产品使用者来说是低门槛，使得产品推广速度迅猛增长，并且迅速抢占了市场。对于紧随而来的跟风者意味着进入门槛的提高。虽然前期李守亮收到的回报并不高，但是他的利润却是持续的，因为每个加盟者都在使用他提供的产品。

目前，创业者要做到战略领先已经越来越不容易了，这种时间战的竞争对创业者的要求也越来越高。如果你准备运用这种模式，不妨从下面3个方面动动脑筋。

　　第一是主业领先。创业者在决定企业核心主业时，千万不要贪慕虚荣，非选风华正茂的"绝代"佳人不可，不妨寻求暂时市场竞争和挑战不大，但有发展前途的领域，抢在他人前面，摘个大苹果。

　　第二是技术领先。有新鲜的技术，企业才会有生命力。李守亮凭借空调专用清洗剂，在绕开一直困扰他的恶性市场竞争同时，还抢占了一个新领域的利润。

　　第三是人才领先。同样是做服装行业，别人请国内知名设计师，我请国际知名设计师，哪一个更胜一筹呢？湖南圣得西开始时只不过是个小型的个体服装加工企业，后来一步步壮大，成为了全国有名的服装品牌，它的成功经验就是其决策者懂得运用人才领先的战略领跑赢利模式。他们请来了意大利著名设计师，有了世界一流的设计师，当然就会有一流的品质，一流的品牌。圣得西顺利进入利润区也就成了顺理成章的事情。

　　除了以上所述 8 种赢利模式，创业者针对自身特点，自己所处行业特点，肯定还可以寻找到更多行之有效的赢利模式，这需要创业者自己去发现。另外，我们想说的就是，如果你发现上述 8 种创业赢利模式中，哪一种或哪几种对你有用，那请你马上拿起来就用，不要犹豫，这都是经过许多人实践检验的，具有高度的可靠性，可以使你事半而功倍，可以让你早半个月到达罗马。

[第五章]

商机发现，如何寻找藏宝图

在讲述商机发现的诀窍之前，我们先来看一个故事。这个故事是关于山东农民赵德春的。赵德春是如何发现他的商机、如何走上成功之路的呢？

走出来的商机——赵德春的故事

要说赵德春，可是山东省平原县的名人。赵德春是该县王打卦乡赵庄村人。1982年，经常到济南走动的赵德春忽然发现济南盛行起来烧烤，但木炭却十分紧缺。他想：这不是一个发财的机会吗？有了这个想法后，赵德春将济南4个比较大的土产公司都跑了一遍，了解到当时济南的木炭都是从南方一些山区购进的，路远价格高，还不能保证供应。济南当时烧烤市场一天需2吨木炭，而实际供应不到1吨。赵德春想，光济南一个城市就有这么大的缺口，全国所有城市的木炭市场该有多大？

赵德春拿出几年积蓄的3000元钱，雇了一辆货车到安徽贩运了3吨木炭。他算了一下，以济南当地木炭的价钱和他的进货价，3吨木炭足可以让他赚上1000元。可是，车到济南一家土产公司一过秤，6000斤木炭竟变成了5500斤，更要命的是木炭质量太差，点燃后烟雾缭绕，而且劈啪响声不断，这家土产公司说什么也不要。赵德春好说歹说，人家总算答应收下木炭，但每斤价格比他的进货价还少一角钱，加上车费，这一趟生意赵德春非但分文没挣，还倒赔了1000多块。土产公司老板看着赵德春，同情地说："小伙子，你进货的时候，对方一定将木炭浸了水。木炭吃水十分厉害，然后一路挥发，到济南后6000斤炭就变成了5500斤。像你这样做生意，不赔本才怪呢。"

贩运木炭这条路看来很难走，自己动手烧制木炭行不行呢？1987年夏，赵德春开始考虑自己开窑烧炭的问题。在征得村里同意后，赵德春承包了远离村子的马颊河西岸的一块河滩地。用了将近两个月时间，将坑坑洼洼的河滩平整好，然后建起了一个小土窑。赵德春自己拿着铁镐在野地里挖了一些树墩子，经过修整后装入土窑，点火后封闭窑门，开始烧制他的第一窑木炭。但由于没有技术，树墩子没有烧透，根本没法成炭。

第一次开窑以失败告终。他埋头又开始了第二窑实验。经过多次失败后，赵德春终于掌握了烧制木炭的技术。当一窑2吨重黑灿灿的木炭最终出现的时候，赵德春就像抱着宝贝一样，又哭又笑。

赵德春雇了一辆车将炭运到济南西门清真楼饭店。饭店老板见到这么高质量的木炭欣喜万分，当即现钱买下了所有木炭，并在饭店门口打出了广告：新到"兰花花"木炭（因为木炭的火花是蓝色的），烤串敞开供应。这一次，赵德春赚了300元。清真楼饭店的老板还许诺，以后赵德春有炭尽管送来，他送多少就收多少。

有了清真楼老板的这个许诺，赵德春回到家立即增加了土窑数量。烧炭的树墩子不够用，他就打出广告高价收购树墩子，这样就解决了原料问题。赵德春又雇佣了两个人给自己做帮手，每人每月工资400元。这一年，赵德春有了5000多元的收入。

然而，好景不长。由于露天烧烤严重污染城市环境，一些城市相继整治取缔露天烧烤，木炭市场逐渐萎缩。赵德春的木炭销量一天天减少。经过苦苦支撑，到1993年，年底一算账，刨去各项费用、开支，当年收入竟不足千元，赵德春不得不放弃木炭烧制，来到德州一个建筑工地打工。

在赵德春的打工同伴中，有一个叫王见礼的人，两人很快熟悉起来。有一次收工后，两人坐在工棚里拉家常。王见礼告诉赵德春，原来自己在德州有个露天烧烤，最辉煌的时候，一个晚上能赚200多元。露天烧烤取缔后，自己又开了一家"王记"室内烧烤店，用电烤羊肉串，但电烤总没有木炭烤出的那种原始自然的香味，挑剔的食客吃一次就够了，绝对不会吃第二次。而且电烤成本太高，这样惨淡经营一年后，不得不关门了，还将以前开露天烧烤时赚的钱赔了一部分进去。王见礼说：怎么就没有一种无烟无尘适合在室内烧烤的木炭呢？要是有这样一种木炭，价钱又合适的话，我就再回去做我的烧烤去。

真是言者无意，听者有心。听了王见礼的话，赵德春心中不由一动。他想，大家都喜欢吃烧烤，又都想多省点儿钱，如果能研制出这样一种木炭，既环保，价格又实惠，那一定前途无量。

带着这个意外的发现，赵德春离开了工地。1998年，赵德春开始专心研制环保木炭。

首先是原材料问题，能不能找到一种材料能烧制出无烟木炭？赵德春花费了2000多元购买了榆树、松树、枣树、苹果树、柏树等几十个树种，甚至连灌木型的木槿、红槿条也找来做试验。为了避免树种混淆，他每次只实验一种木料，把树干、树墩分开装进土窑进行烧制。为了保证烧制质量，他干脆在土窑旁边搭建了一个小窝棚，日夜守着土窑，晚上不时出来看看燃烧情况是否正常，但结果都失败了。

能找到的所有木料都实验过了，赵德春一心想寻找的环保木炭仍旧毫无踪影。一天晚上躺在土炕上，赵德春辗转反侧，土炕暖暖的热气让闷头想心事的赵德春热得直冒汗。"怎么这么热啊，"赵德春坐了起来。"这锯末真是好东西。我只烧了一点，没想到这么热，"妻子说。这句话让赵德春心里一动，是啊，什么材料都试过了，就是没试过锯末。

第二天，赵德春早早起来，在院子里点了一小堆锯末，然后蹲在旁边静静地观察。他没想到锯末竟然会燃烧得那么好，不见冒火，却热气腾腾，也没有多少烟雾。赵德春马上到附近的平原县宏达木器厂装了一编织袋锯末回家，可在试烧的时候，又碰到了一个难题：怎么把零散的锯末变成固体？后来，他在一部叫《大马帮》的电视剧中找到了方法。赵德春照方抓药，先把锯末弄湿，然后找来几块大石头压在上面，经过一天后，锯末真的结成了一整块。收拾好一个原来用过的土窑，赵德春进行了烧制，结果还真不错，点燃后一试，效果非常理想，热量既大，也不冒烟。

赵德春知道自己找对了路子。这样烧了几窑后，他想，手工制作如此麻烦，这样做下去赚不到钱不说，恐怕连老本都会保不住，可不可以进行机械化作业呢？经过多方打听，他得知有这种机器。1999年春天，赵德春花了4万多元从沈阳某厂购进了棒机、干燥机，又花了2万多元买了4个炭化炉，开始生产。他先把搜集来的锯末进行筛选，去除一些较大的木条木块，然后通过传送带将锯末送进干燥机烘干，烘干后传入棒机中进行高温压型，压制出长45厘米、直径7厘米的六棱型锯末棒，最后放入棒机中炭化。一系列工序下来，最后产出了令其较为满意的形状规则的木炭。成品木炭呈六楞棒型，长40厘米，直径约5厘米。

赵德春把木炭送到济南一些饭店试用，结果却不甚理想，有的火力不足，有的发出劈啪的声响，也有的仍有少量烟雾冒出。很多饭店要求退货，有人说赵德春的环保木炭是"挂羊头卖狗肉"。

赵德春对外界的议论充耳不闻，日夜考虑着环保木炭质量不过关的原因，终于发现锯末炭不过关的症结所在，原因竟是锯末质量不过关。从各个小加工点搜集来的锯末不纯净，里面有土和各种杂质，这些东西掺到锯末里制成木炭后使木炭出现了各种不良"症状"。

明白锯末炭不过关的原因后，赵德春专门找到德州木器加工厂求购锯末。有了纯净的锯末，赵德春的环保木炭大功告成。2001年，赵德春带着5

吨环保型锯末炭来到北京，准备冲刺北京市场，在货车上，赵德春竖起一块木牌，上写：绿色环保型木炭，耐燃、无烟、无尘、不爆花、火力足，更适合室内烧烤。一些烧烤店对赵德春的广告词表示怀疑，认为他吹牛。当赵德春来到一家叫做"天天烧烤"的烧烤店推销锯末炭时，该烧烤店老板不屑一顾地说："如果你的木炭真有你说的那样好，你的炭我全要，价格由你说了算。"赵德春说："如果达不到我说的效果，我这车炭全部免费送你，我一分钱都不要！"

双方现场实验。木炭点燃后，安静无声，没有一点烟，也看不见明火，红彤彤的木炭块持续地散发着强劲热量。最后，赵德春以每公斤1.8元的价格卖给了这家烧烤店250公斤锯末炭，而他的成本只是0.8元，每公斤可以赚1元钱。赵德春拉着一车木炭在北京转了7天，将5吨锯末炭全部售完，获利5000多元。

绿色环保型木炭一炮打响，名气不胫而走。不到3个月时间，赵德春就和北京、天津、济南等地的80多家室内烧烤店建立了长期供货关系，木炭销售每月在20吨左右，收入2万多元。随着环保木炭市场的做大，赵德春建立了自己的木炭加工厂，雇佣了15个农民为他打工。随着生产能力的扩大，仅使用德州木器厂一家的锯末已经不够了，赵德春又和济南、泰安等地的一些大型木材加工厂和木器制品厂签定了收购锯末的合同，安排专人守在这些厂里收购锯末。

赵德春让妻子在家负责生产，自己全力推销。在推销过程中，赵德春发现，如果直接和室内烧烤店联系是一件很费事很烦琐的事情，烧烤店每次进量很有限，这样在送货收货款时很麻烦。浪费了精力，而且销量上不去。赵德春转变了销售思路，把目光瞄准了土产商。2001年，赵德春和北京市一家土产经营商联系销货，但那家土产商说和哈尔滨一家木炭生产厂早就建立了长期联系。赵德春说，那要看质量好坏了，我的货可先进少量，让别人免费使用，如果好就用，不好就算了。结果，使用过环保木炭的烧烤店再进货时指名要赵德春的木炭。不出一个月，那家土产商一个告急电话打给赵德春，要他赶紧供货，一次是10吨，且一月送一次。这样赵德春每年仅供给这家土产商的木炭就有120多吨，仅从这一家，赵德春每年就可获利12万多元。

在给土产商送货卸货时，赵德春发现由于木炭是裸露的，所以很容易弄的黑乎一片，而且单根木炭装卸不方便，弄不好就破碎了。一些土产商

Entrepreneurship in China

告诉赵德春，在大城市打市场，产品质量好，还要上档次，价格高点没有关系。在以后的生产中，赵德春把单根木炭用白纸包上，然后40根装成一箱，一箱重量约有17斤，这样木炭装卸时一箱箱搬运方便多了。虽然每根木炭由此增加了5分钱的成本，但赵德春觉得很值得。

2002年，赵德春为自己的绿色环保型木炭注册了"峰火"商标。木炭生产出后，赵德春把它们装在精致的小盒子里，销售到全国各地，木炭生意越做越大。

现在赵德春的环保型木炭已经远销到北京、天津、唐山、塘沽、泰安等地，一年销售400多吨，以每吨售价1800元，成本800元计，可获纯利40多万元。赵德春的环保木炭厂目前雇佣了30多个工人，自己购买了2辆大型货车运输木炭。

案例分析

赵德春的故事讲完了。读完赵德春的故事，除了佩服他的创新意识，我们更佩服的，是他在艰难困苦中坚韧不拔的精神：在哪里跌倒，在哪里爬起；自己跌倒，自己爬起。这是创业者所需要的，同时也是一些创业者所缺乏的。但这就是这个故事所给我们的全部吗？它还告诉了我们什么？是产品需要不断创新？是这样的！但仅仅如此吗？

就算是产品创新，我们知道，产品创新一般可分为两类，一类属于"无中生有"型的，好像凭空飞来；一类就是在现有产品上推陈出新。前者更多见于科技领域，需要人们更多的知识积累，同时需要更好的财务上的支持，后者则随处可见。赵德春的锯末炭应该更多属于后者，但"绿蚁新醅酒，红泥小火炉；晚来天欲雪，能饮一杯无"，中国人烧炭几千年，几曾听过其中有一味锯末炭？所以，从这个意义上来说，赵德春的创新，又有点天外飞仙的意思，还不完全等同于在现有产品上的推陈出新。

企业的关键不在于资金、学历，而在于你的思维方式。

赵德春故事的真正意义，是向人们揭示出，即使是在大多数人都感叹商业机会已经大不如 10 年前甚至 5 年前的今天，白手起家仍然是一件可能的事情。对于创业者说，能否创业成功的关键，不在于你是否有足够的资金，是否有足够的学历，而在于你的思维方式，在于你是否有足够的眼光去发现机会，并且在发现机会后有胆量立刻付诸行动，然后不屈不挠，将其坚持到底。

经济发展，商业繁荣，确实是阻碍了一部分人的创业活动。这种阻碍来自两方面，一方面来自于市场。随便到市场上走一走，你就会发现，现在的市场好像什么都有了，什么都不缺，商品琳琅满目，竞争空前激烈，你简直不知道自己还能够做些什么？你眼前的市场密密实实，好像一片茂草，让你几乎找不到一点空白。像李晓华那样，随便在北戴河卖卖冷饮、放放录像，就能赚个几百万元，这样的事以后恐怕只好到梦里去找了。对于创业者，尤其是白手起家的创业者，如今的机会确实已经大不如刘永好、鲁冠球们创业的时代。另一方面，更大的阻碍来自于物质市场对创业者精神和思维的影响。面对似乎应有尽有的市场，创业者难以找到自己的位置。他们想创业，却茫茫然，如天狗吃月亮，不知从何处下手才好。这种状况对创业者造成了极大的困扰，并使他们中的一些人最终放弃了自己的创业行动。

但是，犹如一枚硬币的两面。商业繁荣，商品丰富，在阻碍人们创业的同时，也在另一个层面上为创业者提供着机会。人性的特点就是这样：好了还想再好，舒服了还想再舒服。这也可以说是人性的弱点。物质丰富的时代，社会上更需要有创新意识和创新精神的人，来为人们提供更多更加新、奇、特的产品，比如，如何让沙发坐起来更舒服一点？如何让衣服穿起来更好看更舒适一点？如何让饭菜更可口更健康更方便一点……过去人们有河水喝就满足了，后来要喝自来水，现在要喝纯净水，更讲究的，只喝果汁。过去什么果汁都喝，现在只喝健康果汁。由河水到自来水到纯净水到果汁到健康果汁，这一过程，就是一个产品不断改进的过程。改进也是创新，是相对容易的创新。一项产品改进还可以再改进。待改进的产品与服务无以计数。人们的追求永无止境，对产品和服务的改进也就可以永无止境。对于有眼光的商人来说，理解并掌握大众这一心理，就等于找到了一个无穷尽的财富源泉。如果说过去人们由于贫困，对物质产品和精神产品的追求只能有心无力，那么，现在经济发展了，富人越来越多。既有愿望，又有与之相配合的实际给付能力的人越来越多。对有眼光的商人来说，这就是他们所看到的硬币的另一面，也是赵德春所看到的那一面。木炭常有，而热量既大，又不冒烟吐火、经久耐烧的锯末炭不常有，这就是赵德春所看到的机会。如果放在早几年，他就是生产出这种锯末炭，恐怕也没有人肯要，因为他的机制锯末炭远比一般的窑烧木炭贵。但现在，国家讲环保，人民讲健康，他的锯末炭就有了市场。现在，赵德春还只有一个锯末炭品种，也可以叫做杂合炭，再往后，随着人们生活的水平的提高，说不定他还会改进出枣木锯末炭、梨木锯末炭(北京烤鸭就讲究用枣树、梨树等材料)，取暖锯末炭、烧烤锯末炭、吸湿保健锯末炭等等专项品种来呢，这并非不可能。还是那句话，人的物质和精神追求没有止境，产品和服务改进就没有止境。照着这个思路做下去，您说您的生意还能做得完吗？

读出来的商机——李鸣的故事

　　从产品的完善与创新角度进行推演，去寻找商业机会，已经被实践证明是一条行之有效的办法。但有些人却采取了另外的办法，比如一个叫李鸣的年轻人。他寻找商机的办法，是去寻找空白。将市场的空白与人们的需求对接起来，他成功地创立了自己的事业，轻而易举地完成了自己的原始积累。

　　李鸣是西北甘肃人。1995 年参加高考，因差 6 分而落榜。为了李鸣的前途，在一家小石料厂工作的父亲不惜向人借高利贷，把李鸣送进了一所大学自费读书。李鸣学的是装潢设计专业，学制为 4 年。谁知才读了不到 1 年，老人家竟在一次采石事故中丧生。望着一贫如洗的家和因日夜操劳而过早苍老的母亲，李鸣不得不含泪退学。

　　当时家里欠了近 3 万元的债，这在李鸣们贫困的家乡，可以说是一个天文数字，李鸣甚至认为这辈子也无法还清。为了还债，李鸣决定出去打工。

　　1997 年春节过后，李鸣来到人称"打工天堂"的广州，在一家建材市场找到了一份工作。老板夫妇是李鸣同乡，他们在建材市场开有一家建材行。李鸣做营业员，管吃管住，老板每月发给李鸣 600 元。李鸣知道找工作不容易，为了保住工作，在工作时非常拼命。为了尽快熟悉业务，李鸣把各种产品的规格、性能、产地、价格列成了表，挂在床头，一有空就背上几遍。

　　李鸣勤奋地工作，得到了老板的赏识。半年后由营业员提升为采购员，工资也随之涨到了1000元。一年时间内，李鸣除掌握了大量建材行业商业知识和商品信息外，还练就了一手绝活，就是无论拿出任何一种建材商品，哪怕是边角废料，只要瞅一眼，再用手掂一掂、摸一摸，就能报出它的产地、规格、性能和价格。老板夫妇为此更加器重李鸣。如果李鸣一直在这里干下去的话，根本不用愁温饱问题，因为这时候李鸣的工资已拿到了3000多元。但是在打工的两年时间内，看到的有钱人多了，也使李鸣的心逐渐大了起来。李鸣不想一辈子都做打工仔。

1999年夏天，经过反复思考，李鸣向老板提出辞工。当时老板夫妇颇感意外，他们说："老弟，在这不是干得很好吗，干嘛要走？如果嫌工资低可以提出来嘛！"李鸣说："这几年谢谢你们照顾我，但是我不能一直这样下去，我想自己出去闯一闯！"

离开建材一条街后，有朋友劝李鸣自立门户。说实在的，做建材生意很好赚钱，况且自己又是内行。但这一行也有许多黑幕，不是一般人能够应付得过来的，而且做建材需要较多的资金，当时李鸣也没有那么多本钱。

其实辞职的时候李鸣就已经找好了要做的事情。在广州市郊，李鸣有一位开名片印刷代理店的老乡，因为生意不景气，准备把店转让出去回老家结婚。他说如果李鸣有兴趣，只要给几千元转让费就行。这个店离市中心比较远，地理位置有些偏僻，一般人都看不上。但李鸣有李鸣的想法。

早先，李鸣在读报纸的时候，就看见过一则报道，谈到专业灯具经营这个冷门项目。报纸上说，随着社会各行业的飞速发展，越来越多的仪器设备需用各式各样形状各异、规格繁多的专业灯泡。很多仪器用过一段时间，灯具出现故障，一时难于找到配套的灯泡，非常影响工作。因此，市场空白较大。另外，专业灯泡属高消耗品，包含每个应用领域，有着所有经营者偏爱的经营特点：附加值高，获利丰厚；无失效期，风险小；体积小，方便保管携带；无需保修，有质量问题可直接与厂家调换……报纸上还说，"冷门"将是新世纪个人创业成功的一大诀窍。当时看完报纸，李鸣心里就不由一动，心想，这不正是一个机会吗？建材市场有专门的灯具部，李鸣做了两年建材，对灯具经营早已不陌生。尽管李鸣要做的是特种灯具，也总会有些异曲同工之处吧。李鸣还对广州的灯具市场专门进行过调查，尽管广州经营各类灯具的商家有好几百家，但经营专业灯具的甚为鲜见。显然，这是一个被商家忽视了的"空白区"。李鸣当时就想，也许一个鲜为人知的"金矿"就隐藏在那里，正等着李鸣呢。

李鸣还买了很多有关专业灯具介绍方面的书，并上网查阅了很多这方面的资料，知道专业灯具主要消费对象不是普通消费者，所以不必非得在人流量大且租金昂贵的市中心或商业繁华区。这正是李鸣接下老乡那个偏僻小店的原因。那个店虽地处偏僻，但附近有医院、学校，还有卫生部门的一个研究所，专业灯光属科技消费品，能和这些单位为邻再合适不过。

将老乡的店盘下后，李鸣接下来要做的就是确定经营种类。在这方面李鸣也早做过市场调查。李鸣将小店的经营品种确定为两大类：一类是医学科研领域，包括各种光学显微镜、无影灯、内窥镜、电子腹腔镜、生化分析仪器、牙科设备、五官科仪器、眼科仪器、X光、CT、直线加速器等设备用灯泡灯管；另一类为歌厅影楼、舞台用灯，包括冷光灯、汞灯、氙灯、智能光源、伞灯、魔术灯、高色温灯等。

营业前，李鸣对店面进行了简单装修。为了突出特色，李鸣将店面的门头设计成了一个巨大的灯泡形状，上面装了几十盏灯，又在店面的卷闸门上喷上"专业灯具"、"特殊光源"的字样，最后店面的内部进行简单配色处理，使店内光线能随不同光源及时配色。店内设施很简单，一个三人沙发和茶柜供顾客选货及休息时用，一部电话联系业务，一辆人力三轮车送货物，一个大灯柜展示各种灯具及十几个试验灯具质量的专用插座。

李鸣确定的进货原则是少而全且精，每种专业灯泡、灯管只进3~5只，但品种覆盖面广泛。在经营思路上，由于专业灯泡生意属于"跑商"一类，所以店面铺售作为辅助部分，主要精力放在外出跑业务方面。

开业前，李鸣印制了一批宣传函，并和一家节能灯供应商及一家图书批发商确定了按市场价 7 折提货的业务关系。说实在的，当时最缺的就是资金，好在广州混了两年多，结交了不少同乡和朋友。借的钱加上自己手里有 1 万多元，问题总算得到了解决。经过一个多月的准备，1999 年 9 月 18 日，李鸣的"光源在线"专业灯泡灯管销售店在一阵鞭炮声中正式开张。

· 最初店里就李鸣一个人，两个月后因忙不过来又招了两名兼职女学生。李鸣要求她们在半个月内完全熟悉店内所有专业灯泡种类、名称、应用场合及价格。专业灯光虽科技含量较高，但通过专业书籍帮助，一两个星期内完全可以掌握相关专业应用知识。第二步，李鸣开始实施"钓鱼"计划。对广州市消费市场做了一番调查，确定第一批可能成为顾客的客户，寄去一封商业信函，说明只要拨打他们的电话，即可免费赠一本精美图书。信函发出一个星期，电话铃声不断。李鸣让两位大学生询问并记录对方姓名、联系电话、索书名称和具体通讯地址。然后按来电需求与图书批发商联系，亲自购书送到用户手中。同时向他们介绍本店经营品类及特色，如需要，李鸣负责送货。最后，告诉每一位得书者，自接到赠书之日起两个月内，凡到小店参观者，均免费赠送价值35元的新型节能灯一盏。自此小店人流不断，大多数参观者在参观后都会购买一些李鸣们的商品，这使李鸣们的营业额迅速提高。

接着李鸣又出了一招：向购买了他们灯具的顾客发出邀请，请到本店领取退还给你们的部分现金。凡在本店购买灯具的顾客，可在下次购买时凭购物单领取上次付款金额的20%。这种变相"奖金"的方式，激起了顾客的好奇心和购买热情，很多第一次购买灯具的顾客，在领取退款后，会很快进行第二次购买。由于填补了广州灯具市场的一项空白，再加上销售方式比较灵活，短短几个月，李鸣的小店不仅有了很大名气，同时拥有了一批稳定客户，营业额直线上升。记得第一个月毛收入仅8600元，刨去各项开支，基本没有赢利，第三个月营业额就上升到了1.3万元，有了几千块钱的赢利。后来就连珠海、汕头等地的用户，都慕名跑到李鸣这里买特种灯。

半年以后，李鸣的小店每月的毛利达到了5位数。生意之好，大大出乎自己的意料！

后来随着业务量猛增，李鸣不得不另外租房扩大店面，又新招了十几个人手。其中除4名柜台营业员外，多数是有经验的市场销售人员。这些人很好管理，李鸣不提供吃住，给一个很低的底薪，然后根据每人完成的业务量给10%的销售提成。因为兑付及时，从不拖欠，大家干得热火朝天。

一个外地人在广州创业很不容易，除了要应付工商、税务的检查，街道还有名目繁多的"赞助"，还经常要应付一些街头小混混的纠缠骚扰。记得有一次李鸣带领员工打了一个小痞子，还被抓到派出所关了一夜。不过也正是在处理各种令人头痛的复杂关系中，李鸣的社会生存能力不断提高。这也为自己日后的发展，打下了一个坚实的基础。

创业是很辛苦的，但在辛苦中李鸣也品尝到了很多乐趣。李鸣现在的收入，已远超过了广州一般的白领，也算是进入了小富阶层。李鸣相信，现在自己只算是小富阶层，再过几年，自己一定能够进入中富阶层，若干年后，也许还有机会进入大富阶层。李鸣相信，只要自己努力奋斗，最终一定会有一个好的结果。

李鸣的故事，让我们想起了北京餐饮市场的"爆肚现象"。你看：餐饮市场→清真餐馆→专做牛羊肉的清真餐馆→专做牛羊内脏的清真餐馆→专做牛肚、羊肚的清真餐馆→金生隆→爆肚王，这不是一组密码，它说的是北京餐饮市场的一个奇特现象，好像一根针，越到头上越尖，越到头上越细，又好像倒溯流水，比如长江，入海口浩浩荡荡，往回追溯，来到唐古拉山各拉丹冬雪山，却只剩下了涓涓细水。你很难想象，像这样一股一股细流，似乎连蚂蚁都淹不死，怎么可能汇聚而成长江。

话说在北京健德桥西北角，有一个清真馆子名叫金生隆，以做牛、羊水爆肚闻名。过去在篡街开店的时候，它的生意就火得不行，那时候人们总说篡街那里老北京多，好这一口儿的也多，生意火可以理解。后来它搬到了现在这个位置，面积比原来大了 5 倍不止。这地方在北京有名的冠城园后面，是一片新开发的地区，按理说老北京不多了，它的生意应该没有那么火了，但是不，它的生意照样火，饭点儿仍得排大队，而且有时候一排排半天。它的菜谱很简单，薄薄的一页纸，套着塑封，里外连点心加起来，不会超过 15 种。你说单调吧？它确实很单调。但它还不是最单调的，最单调的是位于地坛北门后街的爆肚王，店里一共三张桌子，干干净净，做的东西一共只有 5 样，其中有一样还只起个凑数作用：水爆牛肚仁、水爆牛百叶、酱牛肉、芝麻火烧，凑数的一样是水爆牛肚仁并牛百叶，其实就是一个两样东西的拼盘，可它的生意还是好得很。尤其是前面提到的百年老号金生隆，从投入、产出角度来说，可能不会比北京任何生意火爆的餐馆差，如北京餐饮市场当年有名的"三刀一斧"：大三元酒家、明珠海鲜酒家、香港美食城、山釜餐厅，而"三刀一斧"虽然有名，后来顺峰一上来就将它们顺手全"灭"了，但金生隆却仍然稳稳当当地停在那儿，稳稳当当地做生意，稳稳当当地赚钱，没有人能跟它竞争，也没有人能竞争得过它。如果不是政府强制拆迁，它在那里做上一百年，可能根本连地方都不必挪动一下。

这是什么原因呢？这里的原因就在于，无论是金生隆也好，爆肚王、爆肚冯、爆肚满也好，它们做的是一个细分的市场，对于北京餐饮市场这个庞大的巨人来说，它们只是巨人身上的一根毛细血管。既然是毛细血管，里面的血量就有限，有力量的不屑于跟他们抢，没力量的想抢却抢不过。

这使这些店家能够在一个相对的高利润点，稳稳当当地享受着他们的生意，而不必关心外面的烽火连天。

李鸣做的特殊光源商店，其实也就是这样一个细分市场下的生意：建材市场→灯具市场→灯泡灯管→特殊灯源。它几乎是惟一的，或者只有很少的几个竞争者(李鸣的调查证明了这一点)，因为它的市场太小，引不起有力量的竞争者的兴趣，而其他的人或者没有那样的眼光，或者眼光到了，胆量、资金又不能够到位，这几乎是细分市场的一个共同特点，在这样的情况下，从业者一般都能够获得相对较高的投资回报。细分市场的另一个特点，是市场容量小，市场较易饱和，所以发展空间有限，这也是如金生隆之类虽然号称百年老店，却从不开分号的原因。因为其消费只是局限于一小部分人群，满足这部分人群的特殊需要。像这样的人群，其数量总是十分有限的。只要有需要，这部分人群总是会不惮其烦、不辞路程遥远地前往，因为不到那些专门的地方，如金生隆，他们就没法满足他们的特殊需要。在这样的情况下，开分号只是抢老店生意，还要增加投入，得不偿失。但这只是相对的。就李鸣的特殊光源商店来说，可能广州市场很快就会趋于饱和，但是广东境内，除了广州，还有深圳、还有珠海、还有东莞、汕头……广东之外，有同样需要的地方就更多。从这方面来说，只要放开眼光。李鸣的特殊光源商店大有可为，它的横切面虽然不宽，在一个区域的市场虽然有限，但它可以无限延展，就犹如一根红线。如果李鸣是一个精明的经营者，他应该将他的主要思考方向和精力放到这个方面，比如通过连锁等方式，将自己的特殊光源商店拓展出去。这样做会使他更有机会赚大钱，成就他的"大富翁"梦想。

做细分市场或曰夹缝市场，其实是在做一种特殊需求市场。这样一种市场，相对大市场来说，投入肯定要少得多，竞争也不会那么激烈，对经营者的经营、管理水平也不会像面对大市场那样高，比较适合初创业者。初创业者要解决的问题是，如何先于竞争者发现合适的细分市场。在这方面，除了初创业者处处留心、多看、多想外，还可以尝试运用"树枝法"来对市场进行理性分析，这种方法在经济分析上常用，运用这种方法，会比较容易发现那些容易被人们疏忽的环节，发现被一般人所忽视的市场信息。

赵德春是从产品倒推去发现商机，李鸣是从市场连接点的空白处(夹缝市场)去发现商机，还有一种发现商机的方法，就是从社会潮流中去发现商机，尤其是从时尚化的社会潮流中去发现商机。湖南创业者黄荣耀在这方面做得非常出色。

想出来的商机——黄荣耀的故事

黄荣耀的年纪不大，今年才只有27岁。黄出生于湖南湘西自治州三拱桥镇，由于家境贫寒，16岁时就辍学跟随父亲学徒，在当地一家土窑学做粗碗和泡制腌菜的坛坛罐罐。1997年12月，黄荣耀去佛山一家陶瓷厂打工，后来又到东莞万江区一家陶艺馆做技师。

1998年8月，黄荣耀在制作一批图腾陶罐时，由于陶土配料失误，致使全部产品裂缝，这批产品价值1万元。1万元对那时的他来说是一个天文数字，这是一次深刻的教训，所以黄荣耀下班后，便经常到堆放废品的院子里进行反思。有一天，他又面对废品思过，连下起了雨也不知道。朋友刘齐拉他进宿舍，他却甩掉刘齐的手，神经兮兮地说："等等，你听到一种声音没有，叮咚叮咚的，很有节奏，很清脆，就像家乡泉水叮咚声。"刘齐仔细一听，果真如此。原来雨水沿陶罐外壁而下，通过裂开的口子滴入罐内，产生共鸣的声音，由于每个陶罐口子的位置不同，所以罐内滴水声产生的音调也不同，众多罐体的滴水声就形成一首欢快的泉水交响曲，像是弹钢琴一般。黄荣耀仿佛从梦中惊醒，对刘齐说："我们就开发这种产品，就叫水琴。"

于是黄荣耀和刘齐找到老板推荐了水琴，同时也开出了一个条件：原来1万元赔款责任不再追究，就当作给黄荣耀研发奖励，再就是黄荣耀和刘齐以做水琴的技术智力入股。没料到和老板一拍即合：这种能自动弹奏大自然音乐的水琴，在东莞一定有市场。

有了老板的承诺，黄荣耀和刘齐就集中精力研发水琴，他们把罐体一分为二，利用小水泵把水抽到上层，上层的水汨汨而出，沿外壁浸到口子边，再结成水珠滴入罐体。为了让一个陶罐能够发出多种音调，他们在陶罐体上开两到三个口子，这样就能听到泉水叮当响的美妙声音。

黄荣耀只用了一个月时间，就完成了水琴的研发工作。当年10月，老板把这批每只平均定价5000元的水琴推向市场后，立即受到东莞及周边城市有钱人的追捧。不久，一个台商闻讯而来，并以平均每只4000元的价格，买断了5年经销权，也就是说，黄荣耀一年生产的800只水琴，可获纯利240

万元，而黄荣耀一人就能拿到60万元！

面对喜人形势，黄荣耀和刘齐商量："既然广东人这么喜欢水，那么我们何不把家乡的小溪搬到东莞，克隆到有钱人的客厅里，在东莞兴起一个造水运动。在客厅里还原山村小景，并不需要多少投资，几块石头也能构成一个风景。"

说干就干，2000年，黄荣耀和他的伙伴开始了造水运动。没有客户，他们就先从购买水琴的顾客中打开缺口。出乎意料的是那些顾客很感兴趣，有一位姓安的女士说："客厅里有了小溪，我就把水琴摆到卧室里去，聆听着泉水声睡觉，真是一大享受。"第二天，安女士就付给黄荣耀10万元施工材料费。

为了确保第一单生意做得完美，黄荣耀决定先做试验。他找一块空地挖了一条沟，然后再在小坡上慢慢倒水，可试了几次，就是达不到水琴声音的效果，究竟是哪里出了问题？为什么人工小溪水声没家乡自然泉水那么动听？

于是，黄荣耀专门跑回湘西老家的深山老林观察小溪的造型以及泉水声是如何产生的。一个星期后，在四肢和面部被蚊虫叮得红疹遍布时，他找到了窍门。黄荣耀发现，泉水的音调受水坑深浅影响，浅坑所产生的声音单调而没有韵味，深坑则声音清脆而悠扬，如果深坑有洞相通，还会传来回味无穷声音。

去了一趟家乡，黄荣耀对室内造水运动信心大增。随后，他和刘齐带着3个帮工，开始对安女士别墅的客厅进行改造。他们把一条长10米的弯弯曲曲小溪设计在客厅的大门口，然后在水源处的墙壁上插入一根竹筒，水从距离地面2米高的竹筒里汩汩而出，落入不同深浅的坑洞里，于是一曲真正的泉水叮当的山村交响乐就在人们耳旁响起。为了避免小溪出现水泥的痕迹，他们还在小溪里铺了一层河沙和鹅卵石，在两岸栽上适合在室内生长的花草，置放石块。

黄荣耀用一个月时间就造出了一条小溪，安女士按约定付齐了20万元费用，而黄荣耀的成本只有5万元。两人一个月时间就纯赚15万元，这可比做陶罐强多了。正当黄荣耀准备大干一场的时候，安女士发现这条小溪存在缺陷：一是客厅自从有了一条小溪后，横看竖看都不协调；二是小溪的水一直流到下水道很浪费水；再就是鱼死了一大片。为此，她只好把水源关了，现在干涸的河床就像是她家遭受地震一样裂开一个口子。怕给亲友留下一个笑柄，所以她请黄荣耀再把这条口子填了，还原客厅。尽管安女士答应给工钱，但对黄荣耀却是莫大的讽刺，比抽他一个耳光还难受。作品刚问世就被否决了，这太令人心痛。难道真的把那条小溪给填了？

黄荣耀和刘齐第二天来到安女士家，进行现场"会诊"。终于找到了解决方案。他们发现，小溪和客厅不协调，是因为当初在设计的时候，只注意局部而忽视了客厅的大环境，一边是江南田园风光，一边却摆着真皮沙发，墙壁上挂着西洋油画，客厅与酒吧之间还设计了西式的石膏柱及假壁炉。

于是他们建议安女士把客厅改为中式装修风格，真皮沙发换成藤椅，茶几换成青石桌，而酒吧间则用一节一节的楠竹拼成。但一个客厅改头换面，起码得再花20多万元，客户情愿吗？

安女士说："只要钱花得值，我就重新装修，不过前提是把剩下的问题解决。"这些问题都难不到黄荣耀，他把水改成循环用水，在下水道附近挖一个水池，再用水泵抽到水源处。至于鱼死的问题，主要是因为用的自来水里残余氯气，把水换成渔场里的水就可以解决了。

工程竣工后，效果不同凡响：潺潺乳泉盈盈涌水，落地窗旁石笋点点，景架壁上巧悬幽兰……就像一幅引人入胜的山水画。每当有人来作客，安女士就向亲友推荐这个得意之作。通过安女士及其亲友的宣传，黄荣耀和他的造水运动渐渐有了名气，生意越做越大。两年时间，黄荣耀和刘齐就联手在东莞造了20多条小溪，积聚了200多万元财富。

2002年秋，正是室内装修的黄金季节，黄荣耀踌躇满志，准备更上层楼。正在这时，他奇怪地发现请自己造室内小溪的客户越来越少了，连续3个月都没有接到一单生意，究竟是哪个环节出了问题？通过调查，他发现许多装修公司把室内园林作为主攻方向，由于装修公司专业技术力量雄厚，设计出来的室内园林作品更科学、更美观，而在室内做水景对他们来说简直是小菜一碟，如果拿自己这支"游击队"和专业公司争夺市场，无异于以卵击石。

黄荣耀对装修公司所做的室内水景进行了仔细分析，发现他们把心思花在水景的造型上，尽管花样比较多，但是忽略了对水声的处理，流水和滴水声音杂乱无章，没有节奏感，显然他们没有做水坑。做水坑可是黄荣耀的看家本领！

黄荣耀决定选择一家装修风格相近的装修公司合作，实行客户资源共

老板是怎样炼成的

享。这样既可以解决资质问题，又能拓展业务。

很快他就和一家颇具实力的装修公司达成协议，分包该公司的造水工程，借这家公司的金字招牌，黄荣耀如虎添翼，业务量大增，施工队增加到100多人，业务拓宽到各个娱乐场所和酒店，东莞市银丰路美食一条街的水景店铺都是黄荣耀造的。

随着事业不断壮大，他们的施工技术力量也得到加强，目前已经拥有工程师8人，助理工程师22人，还成立了一个室内水景设计室。这样他们制造的山泉、小溪造型更具专业化，根据客户不同的喜好，有小家碧玉型、山野粗犷型等50多个品种供客户挑选。

此时，黄荣耀重点把精力放在调查市场需求和新产品开发上。一次，一个姓李的客户参观黄荣耀的造水案例，他虽然对这些水景赞不绝口，却流露出满脸的失望："可惜，你们都是为少数富豪服务，而忽视了我这样占绝大多数的中产阶级。"

客户的话中蕴藏了无限商机。黄荣耀和他交谈后得知，现在东莞的大户型和别墅空置率较高，而针对白领阶层的小户公寓型的楼盘却求大于供，购买小户型的一般都是白领阶层人士，他们都有一个共同点：讲究小资情调。水景正好和小资情调"接轨"，迎合白领人士的需求。黄荣耀的造水运动其实是地产的副产品，如果不注意地产市场的风向标，扔掉小户型的份额，迟早有一天会走进死胡同。

一语惊醒梦中人。黄荣耀有了开发小户型市场的想法。李先生又说："你设计的水景都很大，小户型客厅面积只有10平方米左右，也没有太多的空间浪费。你设计的水景不能放在客厅的地板上。你可以利用墙壁的空间资源，把水景做成一幅画挂上去。"

心有灵犀一点通，黄荣耀击掌叫好："这样，水景就收放自如了。搬家的时候还能把小溪打包，住到哪里，就挂到哪里。"

2002年10月，黄荣耀就开始研发可以打包搬迁的水景，用传统的水泥来制作山野小景肯定不行，牵引力太差，没有韧性易碎。那么找什么材料来成型呢？没多久，他发现玻璃成型效果好，那怕是一条细线也能刻画出来，就别说制作水坑和回音洞了，而且成本便宜，于是，他找到一家玻璃制品厂进行生产，为了不让产品走样，黄荣耀组织设计室员工制作模具。玻璃粗坯出来后，黄荣耀在光秃秃的山头植绒，再把人造草木插上去。在小溪设计方案中，他也吸取水琴的精华，使用循环水，先把小水池的水抽到山上，然后流在水车上，而水车再把水从筒里倒在水坑里，水通过射灯的照射，散发五彩斑斓的光芒。

后来，黄荣耀又对壁挂水景进行改造，化整为零，能够像拼积木一样变幻造型，使之更便于包装和运输。

壁挂水景投入市场后，立刻受到好评。壁挂按面积定价，每平方米1500元，而投入成本只要700元。到2003年10月，黄荣耀只用一年的时间，就完成了5000平方米的销售，获利400多万元。

现在黄荣耀已经把造水运动的目标瞄向海外市场。东莞是外商扎堆的地方，目前，已有10余名东南亚地区外商成为其居室壁挂水景的总代理。

案例分析

黄荣耀的故事让我们想起几年前在社会上曾经风行一时的一篇民间"段子"。这个"段子"是这样说的："俺们刚穿上西装你们又休闲了；俺们刚吃上大米白面你们又改吃粗粮了；俺们刚换下对襟大褂你们又穿肚兜了；俺们刚除完草你们又种草了……""段子"很长，题目叫《农民对城里人的抱怨》。虽然是民间"段子"，我们认为反映的却是一段社会实情。事实就是这样，当城里人尽情享受着现代工业文明给他们带来的舒适便捷和钢筋水泥丛林给他们带来的安全与自豪时，他们中间的敏感分子却分明感受到自然对他们的疏离与反叛，他们很不甘心这样。他们站在二十几层、三十几层的高楼的落地大玻璃窗前，眼睛所希望看到的，却是"枯藤老树昏鸦，小桥流水人家。"他们靠着别墅或绿或白的豪华外立面，耳朵里所希望听到的却是泉水叮咚，燕雀啁啾。他们脱下西装穿上休闲装，放下白面吃起粗粮，敲碎水泥地种上红花绿草，不过是竭尽所能，希望将自然尽量多一些地、尽量久一些地挽留在自己身边。同一现象，各种人可以看出各种不同的含义，但是对于商人，他们看到最多的却是金钱——有需要就是有市场，这时候谁能满足人们回归自然的愿望，谁就能够赚钱。

几年前，北京就有人到云蒙山的深山老林里，采集据说饱含"负氧离子"的空气拿到城里来卖，一罐能卖到15元，之后有人触发灵感，生产出负氧离子发生器之类的东西，摆到商场柜台火得不行。东北林区原来解木头剩下的带皮外板都是当边角余料处理的，当地人当柴火烧，和废物差不多。有人灵机一动，拿到城里卖给城里人当装修材料，却一下子遭到疯抢，卖出了天价，因为从这些带着粗糙树皮的"废材"中，可以"闻到原始森林的气息"，而这正是城里人所稀罕的。四川有个人到岷山采集千年积雪，封在水晶玻璃盒中供人欣赏，都说只有疯子才会买他这样的产品，谁知道他从几百块钱起家，一年多时间就攒下了10万多元。郑州有一个女孩和她的男朋友，靠到野外捕捉蝴蝶做成贺岁卡出售，后来又孵化活蝴蝶供人欣赏，几年时间竟做成了四下有名的蝴蝶大王，连缅甸的客商都闻名而至。韩国有部电影《春逝》，一男一女整天扛着个录音机在全国各地逛来逛去，录流水的声音，录风声，录鸟声，录花开花落的声音，在广播电台原声一放，竟成了最受欢迎的节目。中国也有人做这样的事，配上音乐推向市场，成为了最畅销的热门货，叫自然之音，或天籁，热度经久不衰。

　　但是这些和这位叫黄荣耀的湖南乡下人比起来都差得远。这位湘西陶工，在广东东莞给人造水，将家乡山林里的泉水叮咚引到城里人家，走出了一条与众不同的淘金之路，赚得眉开眼笑。

创业小贴士

人就是这样，越缺什么越想什么。

　　人就是这样，越缺什么越想什么。现在城里有钱人最缺的，就是与大自然的亲近感觉，所以才会有近年来乡村度假屋、度假村的兴起。亲手采摘，吃农家饭、睡农家炕，竟成为对城里人最具诱惑力的号召。然而，这些行为毕竟只能偶尔为之，非日日可得，触手可得。如果有人有办法将大自然的风声、雨声、泉水叮咚、檐溜嘀嗒、鸟鸣啁啾、云山雾海搬进自己家中，就像这样湘西陶工所做的一样，使他们随时随地可以欣赏，可以享受，城里的有钱人是不会吝啬掏出大把钞票的。这就是黄荣耀故事给我们的启发，其实想赚钱很容易，想一想什么是你所有的，而却是别人想要而得不到的，拿出来交换就是钱，不但乡下人与城里人之间可以交换，城里人之间、乡下人之间也都可以交换。所以，每当开春的时候，有乡下人从山里挖了荠菜到北京城里来卖，10来块钱一斤，仍旧卖得乎乎的，而超市温室大蓬里种出来的荠菜，长得油光水滑，好看又养眼，2、3块一斤，却乏人问津，为什么？因为吃地道野菜现在是城里白领阶层的风尚。绿色与健康的概念，正迎合了城里白领们的时尚追求，所以那些挖野菜的山里人一次赚个饱，也就不足为奇。

　　所以，不要将商机发现看得太神秘。有人总结商机发现的最佳办法，无非是"四多"：多看、多走、多读、多听，另外加上一"多"，就是多想，处处留意。李鸣的商机，是读出来的；赵德春的商机，是走出来的；黄荣耀的商机，是想出来的……类似的案例无

计其数。我们从任何一个成功创业人士的身上，都可以发现这"五多"的身影。但是"五多"说起来容易，做起来却容易让人摸不着头脑。这就好像有人问路，我想到某某地方该怎么走？你告诉人家：朝正确的方向走！听起来答案显然是万分正确的，但如此正确的答案，却无疑等于废话一句。那么，寻找商机有没有什么科学的方法可以遵循？有没有什么具规律的原则可以依从？我们说有的。这里有发现商机的 7 个办法可以提供给大家作为参考。这 7 个办法是：

1. 从意料之外的事件中寻找商机。所谓意料之外的事件，既可以指意外成功，也可以指意外的失败，以及其他的一些意外的事件。每当意外事件发生时，敏感的人总是能从中提炼出一些蛛丝马迹，来发现属于他们的机会。实践证明，意外的成功提供的商业机会是众多来源中最多的，而且它提供的商业机会的风险也要比其他来源的风险更低，其获得过程也相对比较简单，其前提是你要做一个有心人。如黄荣耀的商机发现，就是从意料之处的失败中得到的，如果不是做陶罐弄错了配方，也就不会有他后来发现"水琴"的故事。一些人面对意外事件，总是不由自主立刻陷入或惊喜或沮丧的状态下不能自拔，而独独忘了思考意外事件中存在的意义，从而坐失大好机会，因此我们建议创业者，当"意外"发生时，请先冷静下来，思考一下"意外"事件的意义，对这些"意外"之物进行认真审视，考察其中是否潜隐着赚钱机会。

2. 从事物的不和谐与不协调中寻找商机。所谓的不和谐与不协调，如实际的结果与预期的结果不一致，这就是不和谐与不协调，从中很可能蕴藏着新的商业机会。关于如何从事物的不和谐与不协调中寻找商机，我们希望给大家介绍一个年轻的创业者 这位名叫徐菲的年轻女性的创业故事很精彩。这个故事将帮助各位了解从事物的不和谐与不协调中寻找商业机会的方式和方法。

于不和谐处找商机——徐菲的故事

　　徐菲是广西人，老家在广西梧州滕县太平镇。1995年7月，从湖南一所工艺美术学院广告装潢专业毕业后，徐菲就直接和同学南下广州找事做。由于没有工作经验，想找一份设计师的工作很难。在老乡处一直借住了两个多月，工作还是没有找到。老乡劝她抛开专业，随便找份工作，先在广州立住脚再说。

　　在老乡的劝说下，徐菲进入了广州天河区一家小广告公司做业务员，前3个月只有600元底薪，之后，每个月要完成5万元业务量才能拿到基本工资和提成。虽然条件苛刻，但徐菲别无选择。1995年9月初，徐菲报到上班后才发现，好活儿全都被老员工圈走了，留给自己的只有广告页张的业务。跑广告单页又苦又累，有时几单业务的广告费还没有别的项目一个零头多，加上徐菲初来乍到，没有客户资源，整天像无头苍蝇般乱跑。4个月下来，业绩只有1万多元，拿到的那点儿收入连维持生活都困难。后来在一位部门经理的帮助下，她才慢慢拥有了几个固定的客户，每个月可以勉强完成公司的定额。

　　在广告公司时间长了，徐菲认识了不少朋友。其中，有一位姓周的朋友，供职于广州某地产公司策划部。周先生知道徐菲是学广告装潢专业的，自身又爱钻研，对广告单页颇有研究。有一天，他找到徐菲，让她帮着看看他们设计的广告。"我们每天派发30多万份报纸夹页单张广告，连着做了一个多星期，没有什么效果。你看看我们的广告设计是不是有问题？"说着，他递给徐菲一张广告单页。徐菲左看右看，说："我看不出这个广告在设计上有什么问题。"周先生说："设计上没问题，那你觉得问题出在哪里？"徐菲告诉他，报纸夹页广告最容易出问题的有两个地方，一是广告设计，一是报纸夹派。"难道问题出在报纸夹派上？"他告诉徐菲他们的夹派工作由某报发行站负责。徐菲问他对方给他们夹一份广告，他们给对方多少钱？周先生说："一毛钱。"

　　这个价格比徐菲所在公司的价格要便宜得多。徐菲想，以这样低的价格做报纸夹派，刨掉给报摊和报贩的费用，再刨掉人工成本，哪里还能有钱赚？不亏本就算不错了！要想赚钱，只有想别的办法。什么办法呢？熟门熟路的她心里明白，却没有说出来。她怕说出来周先生会有想法，以为她是在故意贬低对方，以便抢生意。她只告诉周先生："你在我给你指定的范围内，分5天每天再投放一次你们的广告单页试试，我来替你监测一下。一周后，我把监测结果告诉你。"

周先生走后，徐菲请来4名同事帮忙。每天他们骑着自行车，在清晨5时左右，就来到这家报社的发行站，每人跟着一个发行员，把发行员投递的报纸数量、地点全部记录下来。到了第4天，徐菲已经把这家报纸在那个区域内的发行情况弄了个一清二楚。第5天，徐菲找了个捡垃圾的，在发行站闲逛，等到报纸分发结束后，发现分拣台下还有几捆该地产商的广告单页没有夹派，她就让捡垃圾的以两角钱一斤的价格全部收了下来。

周一，周先生请徐菲喝早茶。徐菲问他："他们跟你们说在那个范围内他们报纸的发行量有多大？"周先生说："10万。"徐菲说："他们的话水分太大。在那个范围内，他们报纸的发行量充其量有1万份。"见周先生不相信，徐菲俯身将脚边的一只彩条袋打开："这是不是你们的广告单页？这是我让人在那家报纸发行站当废品收来的，还有几袋我带不过来。"

接着徐菲把调查的过程向周先生说了一番，周先生不住地点头。过后，周先生让人给徐菲送来了一个大信封，信封里装着5000元钱。周先生说这是公司给他们的辛苦费。后来周先生所在公司又更深入地对那家报纸发行站进行了调查，并根据调查结果对那家报纸发行站提出了索赔。索赔成功后，又给了徐菲1万元。这些钱徐菲和她的4个同事平分了。

这件事之后，周先生和徐菲的关系更亲近了。周先生很佩服徐菲的细心和吃苦精神。有一天，他对徐菲说："现在有一些广告代理商缺乏职业道德，做事偷工减料赚昧心钱。他们赚点昧心钱是小事，如果耽误了客户的计划，那就是大事了。如果有这么一个公司，可以替客户全程跟踪广告公司的广告投放，并及时将信息反馈给客户，我想一定会有生意。"他看看徐菲，半开玩笑地说："你为什么不试试呢？就我所知，广州有这种要求的公司可不在少数。"

周先生走后，徐菲认真地想了很久，越想越觉得这是一个不错的主意。这时候她已经在广州的广告圈内呆了有一段时间，对其运作模式已经相当熟悉。她知道广东经济发达，商家乐意花大钱砸广告，广告市场十分繁荣，仅广州市登记在册的广告公司就有2300多家，每年营业额达50多亿元，另外还有专营户外广告的公司700多家，户外广告的经营额一年有26亿元。市场大了，难免鱼龙混杂，一些广告公司就靠虚报广告投放数量，或者与媒体勾结起来，虚报发行量和收视率来欺骗客户。如果真有这么一家公司，可以替广告投放者监督广告公司的行为，说不定还真的会有市场。但是她仍旧不放心，又经过一番认真的市场调查后，徐菲感到心中有数了，她辞了职。

徐菲看到了机会，决心搏一把。1997年3月，徐菲在员村租了一套三居室，又花3000元钱买了5台二手电视机和4台收音机，可以呆在家里监控视听广告的情况。用这种方式，徐菲的专职广告调查员生活开始了。周先生所在的房地产公司成了她的第一个客户。双方商定，当周先生的公司需要对广告投放情况进行调查时，就委托给她，根据工作量大小，每次报酬不低于5000元。如果根据她提供的线索，可以帮助向对方提起索赔，索赔成功后，她还可以按一定比例提取奖金。

正当徐菲豪情万丈，准备大干一场时，她却发现事情远非想象中那么容易。1997年4月底，各大商家准备趁着"五一"消费黄金周投放密集的广告，徐菲决定抓住机会去游说商家，可是到处碰壁。一天，她去拜访白云区一家地产商，当对方听清楚她的来意时，不冷不热地说："我们不需要这项服务。我们的策划部会通过客流量和来电询问的数量分析广告效果。如果效果不行，我们会重新选择广告代理商，我们用不着什么额外的监控。"

怎样才能让客户相信自己呢？徐菲希望找一个突破口。"五一"黄金周这一段时间她没有再外出寻找客户，而是搜集了10家广告投放大户，在家里24小时监控他们广告播出的情况。她买来秒钟，请了几个朋友，大家轮流着守候在电视机前观看广告，把这10家广告投放大户广告播出的时段、广告片长一一记录下来，同时把节目录了下来。"五一"一过，她就把监控报告打印出来，寄给了这10家公司，随信寄去的还有一份广告监控劳务报价表。

监控报告犹如定时炸弹般一个个被引爆。节后第一个工作周，这10家公司的高层都相继约见了徐菲。徐菲的监控报告和广告代理商报的广告播出次数和片长有很大的误差。有的时段根本就没有广告播出，广告代理商也说播出了。这些公司通过律师拿到了节目播出通知，证实了徐菲所言。在事实面前，广告代理商无法狡辩，只有乖乖认罚。这些公司从挽回的损失中拿出一部分奖励徐菲，一共给了她5万元，平均每家5000元。一位老总对徐菲说：你就是广告市场的一杆公平秤，我们乐意为此付费。

通过这个案例，徐菲尝到了甜头。她如法炮制，取得了一次又一次的成功，她的事业蒸蒸日上。到1999年，徐菲已经同时为200多家企业提供广告监控服务，每年收入超过40万元。

2003年8月的一天，徐菲在东莞出差，遇到武汉一家玩具出租加盟商，这位玩具出租加盟商告诉她："为监督加盟商切实把广告费用到广告上，防止他们玩花样，没做广告却说做了广告，中饱私囊，我每年都得在全国各地飞来飞去，累一点苦一点没有什么，可是加盟商究竟是否投放了广告？投放了多少广告？仍旧不得而知。平面广告还好监督一些，让他们拿出样刊样报就可以了，电视、电台广告，只能看播出通知。最难控制的是传单和报纸夹页，究竟印了多少，派发了多少，完全是一本糊涂账。"

当他得知徐菲就是干这个行当时，双方一拍即合。通过徐菲的调查，发现这家玩具出租店在广州地区的加盟旗舰店除了投放了一些宣传单张外，并没有投放其他的广告，但在他们提交给总部的单据中，却有投放报刊、电视广告的纪录。通过徐菲的调查，发现他们的单据都是花钱通过关系弄出来的，有些甚至是请假证贩子做的。

这件事使徐菲了解到，一些厂家把广告投放计划跟经销商的销售业绩挂钩，按比例返回宣传经费，这笔经费需要在厂家监督下使用。问题是很多厂家并不在当地，他们如何才能监督他们的经销商，让这些经销商真正将广告费用在广告上呢？很多厂家为此感到苦恼。这使徐菲又看到了一个大市场：那就是替厂家监督经销商的媒体广告投放。经过调查，她发现自己的这个主意很受厂家的欢迎。为此，她计划在各大中心城市设立广告投放质量监控点，以便组成一个监控网络。到今年3月底止，徐菲已在重庆、武汉、上海组建了广告投放质量监控点。目前徐菲仅在广州地区的客户就达300多家，年营业额上百万元。对很多人来说，这个成绩也许算不了什么，不过，对一个白手起家的女孩子来说，这已经算很了不起了！

徐菲的创业过程，其实就是一个到处给人挑刺的过程。当初徐菲还没有学会给人挑刺的时候，她混到连饭都没得吃，经常要靠同事、朋友接济才能勉强度日。后来一位借给她500元吃饭的部门经理教给她，要想做成业务，要成为一个好的业务员，就要让客户感觉你是一个有用的人，对自己有帮助的人，而不是一个只懂得伸手要钱的人。那么，客户哪里需要帮助呢？客户在什么地方用得着自己呢？这里就显出了徐菲的悟性，她的办法就是"挑刺"，走到哪里就给人把"刺"挑到哪里。有"刺"的地方就是需要改进的地方，也就是用得着她的地方。徐菲的第一单业务就是这样来的。那时候她天天在街上转，满世界收集夹在报纸里、随报赠送的单页宣传广告。有时候一天能收集到几十种。然后，她就坐在那里分析，用自己学广告装潢出身的专业眼光给这些广告挑刺。挑出刺来了，第二天就给人家打电话，或者登门拜访，也不管人家爱听不爱听，噼哩啪啦就将自己的意见倒出来。结果，一家地产公司的策划负责人还真听进去了她的话，不但把自己公司单张宣传广告的设计和夹派任务交给了她，还给她介绍了许多地产圈内的朋友，后来的那位周先生，就是这个人介绍给她的。

徐菲迄今保持着这样的习惯，就是走到哪儿，给人把毛病挑到哪儿。对她来说，挑毛病的过程，也就是发现业务的过程。因为这种做业务的方式，从破坏中创造，徐菲也得罪了不少人，看了不少冷眼，受了不少罪，有一回甚至被一个莽汉约出去单挑。可见，任何人要想做成一件事，都是非常不容易的。

"挑刺"，说白了就是寻找不和谐，不协调。比如说你把这个广告打出去，希望每天会有100个人登门访问，1000个人给你打电话，结果只有10个人登门访问，100个人给你打电话，这就叫不和谐，是愿望与现实间的不和谐，不协调。有心人就会去想，这种不和谐和不协调是如何产生的？是广告制作有问题，还是广告派发有问题？或是产品不对路？顾客群定位有错误？有心人就可以从中发现商机。商机来自改进，来自从不和谐到达和谐的过程。徐菲就是这么发现她的商机的。这个世界不和谐处处存在，商机也就处处存在。我们建议你按照我们所提供的这种方式，仔细检查一下你所能接触到的那些商业流程，仔细比较他们的起点和终点，从中发现不和谐的地方，需要改进的地方，这也许就是你的机会。按照这种方法，相信你很快就可以发现属于自己的商机。

使用这种方法寻找商机，需要几个前提条件。拿徐菲来说，1.要有很好的眼光。徐菲如果不是学广告装潢专业出身，又在广告业历练了好一阵，她就是想给人找毛病，恐怕也找不出来。2.要有很好的心理素质，良好的心理承受能力。良药苦口，忠言逆耳，挑刺找毛病总是不受人欢迎的，哪怕你的指正非常正确。3.要有自己改进或者帮助别人改进的能力。好比一个医生，如果你总是能帮助病人发现他的病，却不能开出药方来帮助治疗他的病。你只有"察疾"的能力，却没有"疗疾"的本事，那你还不如别告诉人家有病，被吓死的人，总是多过真正因病而死的人。光会挑刺赚不到钱，会帮人拔刺才能赚到钱。4.找准属于自己的市场。徐菲做的事并不新鲜，广告监测国外早已有之，国内的央视索福瑞也是专干这一行的。徐菲聪明的地方，就在于专找索福瑞这样的大公司大鳄鱼不屑吃的小食、零食，否则的话，她自己恐怕早就被人吃掉了。徐菲一年服务200多家公司，营收只有40多万元，平均一个服务对象收费不到2000元。这样的收入大公司也许不屑一顾，对小本经营者却是相当不错。小本经营者经常犯一个毛病，就是发财心切，恨不得一夜暴富，其实聚沙成塔、集腋成裘，对小本经营者来说更为可靠。

事情的不和谐与不协调，是事情发生变化的一个征兆，不论是已经发生或即将发生的变化。而且与隐藏在意外事件下面的变化相同的是，隐藏在不协调下面的变化也是发生在产业、市场或程序内部的变化。因此，对于接近或处于这个产业、市场或程序的人来说，不协调是显而易见的，就在他们的眼皮底下。但是它往往被当局者当作理所当然的事而忽略了，这甚为可惜，等于是放任机会从自己眼皮子底下白白溜过。

3. 从过程的需要中寻找商业机会。所谓过程的需要，是指在某一商业的过程中或替换薄弱的环节，或根据新知识重新对现有的过程进行设计，或提供"缺少的环节"。简而言之，过程的需要，就是指现存的工作过程存在着某些缺陷，需要完善。要解决这些问题，需要5个方面的连续过程。哪5个方面？第一，一个独立完整的过程；第二，一个薄弱环节；第三，一个明确的目标；第四，一个解决办法的具体要求；第五，对更好的办法有高度的可接受性。前四个方面是商机的发现，后一个则是为了检验所发现商机的可靠程度，即市场的接受度。经常有这样的事情发生，你发现了一个机会，你认为市场很需要，但当你真正将你的产品推向市场时，你却发现人们所想的与你所认为的完全是两回事，由此，你将不可避免地遭致失败。对于创业者来说，这是要极力加以避免的。很少有创业者能够承受这样随意的失败，因为失败不但将摧毁你的钱财，而且更重要的，它可能摧毁你的信心。钱财还好说，对于创业者来说，一旦信心没有了，就等于什么都没有了。

4. 从行业与市场结构的变化中寻找商机。这个非常容易理解，比如现在处于垄断的电信行业、电力行业一放开，就意味着许多机会将出现。又比如前不久国家放开外贸，实行新的外贸政策，就让外贸行业发生了变化，许多创业者都从中看到了自己的机会。这是政策上的变化导致的行业变化。再比如纺织行业，产品与技术的升级换代，也让许多创业者寻找到了自己的商业机会。有时候，一个行业许多年都不会发生变化，而有时候，仅仅只需要一个夜晚，它就变得面目全非，这需要你有一双慧眼，能在波涛未起的时候，就从潜流中掌握行业的变化趋势。过去计划经济的时候，市场非常稳定，稳定的原因是因为匮乏，你想要的东西一样都没有，想也白想。市场经济以后，有些局部市场仍旧显得非常稳定，这主要是那些带有行政垄断性的市场，但市场整体变得非常不稳定。如今做生意的人都有一个体会，就是市场变化太快，想跟都跟不上。竞争带来压力的同时，自然也带来了机会。就像过去人们只希望吃饱，现在却希望吃饱的同时还要吃好；过去人们只希望穿暖，现在却希望在穿暖的同时还能穿得舒适、时尚！人们追求上的这种变化，带来的是市场的变化。市场发生变化，即意味着新的需求产生。谁有能力首先察觉市场的新需求，并抢先满足市场的新需求，谁就有机会赚钱、赚大钱。

5. 从人口状况的变化中寻找商机。这一点看上去不太好理解，其实非常好理解。人口状况的变化包括人口数量、人口构成、就业、教育状况和收入变化。人口状况的变化，其结果是完全可以预见的。对人口状况变化的描述，人们过去常以为只是统计工作者和社会学家的事情。实际上，人口状况发生变化往往预示着商机出现。一个地区的人口数量、人口构成、就业、教育状况和收入变化将对本地区市场造成重大影响，人多了房子必然紧张，教育素质提高、收入水平提高，对高档消费商品包括奢侈品以及文化消费的需求必然随之提高。如本地区工业化，人口结构变成以产业工人为主，你就不要指望将大量的劳力士卖给他们，进口的高档蔬菜、水果也不适宜于在本地区销售；或者本地区逐渐变成以高收入阶层为主的高档社区，如北京海淀原来的万柳地区，你还在这里以经营天意、天成、万通小商品批发来的廉价货为主，你必然要变得门前寥落，破产关门。人口的变化，对一个地区、一个阶段人们将购买什么样的商品、什么人购买和购买多少会造成重大的影响。杭州的下岗女工王女士在偶然的一次机会中发现，婴儿用品市场前景很好，因为目前我国正处在人口飞速增长时期，同时，由于生活的压力增大，各方面的开支增加，使得越来越多的年轻父母不想为刚出生的婴儿买新的婴儿车、婴儿床，但又买不到二手的，迫于无奈只得掏钱买新的。王女士想：如果能办一个婴儿用品租赁公司，应该会有很多客户。王女士的婴儿用品租赁公司很快开张，在公司中，全新的婴儿用品租价比商场售价便宜1/3~2/5，用过的旧东西租价更便宜，只有商品售价的1/5，但出租前公司都要全部翻新，结果王女士的公司很快就吸引了许多年轻的父母，生意非常红火。创业者应善于从人口的这种变化中寻找商机。

6. 从观念和认识的变化中寻找商机。 从观念变化中捕捉商机往往是困难的，因为观念和认识常常无法予以定量。但你只要能够克服固有困难，从观念和认识中觅到商机，那么你就有可能成为一个成功的创业者。

在德国，人们一直把开胃果园这个品牌归类到"饭后甜食"这个"小类群"中，而在这个小类群中，已经有各种酸奶、布丁和干乳酪，显得十分拥挤，因此，开胃果园面临着巨大的市场压力，要寻找突破，只得另辟蹊径，找到新的商业机会。于是开胃果园被从拥挤不堪的"饭后甜食"类群中取了出来，并将之放到"餐间小吃"这个"大类群"中，在那里与炸薯条、汉堡包、蛋糕等互为近邻。结果，开胃果园一下子置身于一个比以前大得多的市场中，因为"餐间小吃"可以有更多的机会供人消费；与"沉重的"炸薯条相比，开胃果园声称自己是一种"轻松"的选择，从而获得与众不同的独特定位；与此同时，开胃果园没有失去在饭后甜食的市场。

7. 从新知识和新技术中寻找商机。 经过互联网创业的洗礼，有"中国新富豪"盛大陈天桥、网易丁磊、搜狐张朝阳等人的现身说法，如今利用新知识和新技术创业，新知识和新技术中蕴含巨大商机，这一观念已经变得非常容易为人们所理解并被人们所接受了。以新知识为基础的商业机会往往更具有划时代的意义。人们常说的商机，指的就是这种商业机会。但必须注意的是，因为是新的东西，尚未经过市场的检测，所以运用新知识和新技术来创业，往往会面临更大的商业风险。当你忙碌一场以后，很可能会发现自己是白忙，因为市场根本不接受你的东西，而不接受的原因，不是因为他们不喜欢，而是因为他们不理解。另一方面，利用新知识与新技术来打市场，往往需要有较长的市场铺垫期，企业需要较长的成长期，需要较多的投入，大多只具备雄厚知识资本而缺乏金融资本的创业者，很难承受得起这种"成长的阵痛"，很容易"中道崩殂"，半途夭折。这是需要注意的一点，我们的建议是，如果你只具备知识资本，那么，当你想创业的时候，你最好能寻找到一位具备雄厚金融资本的创业伙伴，让他成为你创业的另一半。知识资本与金融资金的有机结合，将大大提高创业者的创业效率和成功率。

[第六章]

创业百战多，实练出真知

Entrepreneurship in China

在研究过程中，经常会接到一些朋友的来信，在感谢我们提供创业方法和理论帮助的同时，希望对一些更具体的创业领域，或者说中国创业者最集中的几个领域，做出更加详细的说明和阐释。一些要求甚至细致到多大的空间应该用多少盏灯、多少瓦数的灯、什么颜色的灯，多少平方米的空间应摆放多少张桌子多少张椅子，桌布是用布质的好还是塑料的好，在布质桌布上再铺一层塑料桌布好不好，顾客会不会喜欢这样的地步。这确实让我们感到有些为难，因为对这些问题也不太了解，而且这样的问题我们想很难会有统一的答案，完全要看经营者的喜好以及当地消费者的喜好。就我们的喜好来说，喜欢布质，尤其是纯棉桌布当然远胜过喜欢塑料桌布，这会让我们在用餐的时候感觉更加舒适，更加愉快，而老板却未必喜欢这样做，因为那会加大他的工作量，棉质桌布的成本当然也会比塑料桌布要稍微高那么一点。

但我们还是希望能对写信朋友的提问尽量做出解答，因为我们不想辜负他们的期望，不希望令他们失败。为此，我们选择了来信最为集中的几个行业和领域，尤其是餐饮业(据我们所了解，餐饮行业是目前国内中小投资者创业最为集中的行业以及首选行业)，对北京、上海、杭州、大连的数十家店作了走访，并对其中的一些各具特色的商家，对其经营者的经营方式、经营理念作了深入调查。现将调查详细阐述于此。需要说明的是，这其中一些经营者的经营方式、经营理念可能并不符合理论家的教导，与通常人们认为"正确"的观点或理念也显得格格不入，但经过实践检验，它们却行之有效。这也许正应了那句话："兵无常势，水无常形"。经营者所要做的，不是墨守成规，做理论或经验的奴隶。一个好的经营者，更懂得灵变，懂得因时制宜、因地制宜、因人制宜。

一个好的经营者，更懂得灵变，懂得因时制宜、因地制宜、因人制宜。

餐饮经营

近 3 年来，北京有一个叫得很响的馆子，名字叫做"俏江南"。"俏江南"的迅速崛起，在竞争激烈的北京餐饮界，被视为一个奇迹。这个精品川菜馆，仅用了 3 年多时间，就在京、沪餐饮市场连开 9 家分店，组成了一个颇具规模的餐饮集团。这期间"俏江南"没有用一分钱的银行贷款，也没有采取加盟引资的扩张策略，完全靠自身滚动发动，堪称另类。

"俏江南"的创办人，是个漂亮的女性，名叫张蓝。1989 年，从加拿大回国探亲的舅舅问张蓝是否愿意出去看看，31 岁的张蓝就这样走出国门去了异国他乡。多年之后，张蓝把这次出国当作了人生的重要转折点。

其实，张蓝应该是属于那种不安于现状的人。生于北京的张蓝虽然出身书香门第，但是由于"文革"的原因，25 岁时，已经有 2 岁儿子的她才有机会复习参加高考。当时张蓝生活很幸福也很美满，就是为圆大学梦，她开始拼命补习，高考头一天突然发高烧，打青霉素过敏，让她晕了过去，好在第二天考试发挥正常，考上了大学。

张蓝坦言，到了国外感觉遍地是黄金，没有想上学的欲望，就有捡黄金的欲望。可那时的加拿大不承认国内的教育，张蓝惟有打工挣钱。其间，张蓝伺候过一大家子台湾人，还有一只狗一只猫；做过美容美发；还干过餐馆，"每天进店就甭想抬起头，永远有做不完的事追着你"，卸车扛猪肉，一扇有上百斤，扛得男人都哭……张蓝有时一天打 4 份工，"每晚都是把腿扛到床上。"

那是一段张蓝不愿回首的岁月。背井离乡，寄人篱下，身心承受着巨大的压力。当电视里播出北京申办亚运会成功的场面，看到熟悉的北京工人体育场时，坚强的她终于控制不住自己的情绪，飞奔进地下室，号啕大哭，开着水龙头，任水淋透全身。

那也是一段积累财富的日子。有形的财富是在加拿大一小时挣的钱等于国内大多数人一个月的工资；无形的财富是见识的增长和品性的磨练。

在加拿大刚刚一年时间，张蓝想回国了，她不是怕那里的生活太苦太累，而是想回国做些事情。家人都坚决反对，因为只要再有一年，张蓝就可以拿下加拿大的身份了。但是 1990 年 12 月，张蓝还是回国了。怀揣着两万美元返回北京的时候，她还带来了一堆的创业设想：比萨、饺子皮、速冻、造纸——因为加拿大的纸浆非常好。

张蓝喜欢强调自己是一个在很多时候凭感觉做事的人，她说女人的第一感和第六感非常强大，而自己在这方面又尤为突出。比如，张蓝选择 1990 年，这个中国经济形势并不很乐观的年头回国创业；再比如，说到选人的标准，除了文凭和从业经验这些有据可查的因素外，张蓝更关注员工的人品，如何判断人品呢？张蓝认为最重要的是直觉。"直觉"好的人，大多数时候都不会有错，"直觉"就不称心的人，大多数时候都确实很糟糕。

张蓝创办"俏江南"的前身"阿蓝酒家"的时候，除了自己从加拿大带回的 13 万元，没有向银行贷过一分钱，也没有向别人借过一分钱。张蓝做餐饮有她的一套。她认为美食必先美器，饮食既要满足味觉上的需要，也要满足感官上的需要。为了制作出称心"美器"，张蓝曾一个人跑到四川郫县，招了一帮当地的竹工上山砍竹子，用火车把 13 米长碗口粗的竹子运到了北京，让"阿蓝酒家"变成了南方的竹楼。

后来"阿蓝酒家"做大了，就变成了现在的"俏江南"，除保持"美器"传统外，又增加了对餐馆的"美形"。张蓝先后和国内 13 家装饰公司的设计师沟通，但没有一家能达到她"中西合璧"建筑风格的要求。正当她苦苦寻觅的时候，有朋友给她介绍了一位既懂中国文化又富有西方设计理念的设计师 Jack——毕业于哈佛大学建筑系的美国华裔，他成功地为"俏江南"分店做了既统一于"后现代江南田园"整体理念，又风格各异的设计。再后来，"俏江南"进军上海，张蓝又力邀世界排名前 10 位的著名设计师——日本的山普荣出山，因为他的设计理念更简约、时尚、更符合上海的城市特点。

到餐馆，一是看，二是闻，三是吃。北京大小餐馆数十万家，在这种情况下，到哪吃，吃什么，怎么吃，成了北京老饕一个头痛的问题。而且对于真正精于饮馔的老饕，重要的不在于吃，而在于一种感觉，一种氛围，一种品味。面对一道精心烹制的好菜，不止是嘴，我们的鼻子、眼睛，耳朵，甚至心灵都会沉浸在一种享受之中……张蓝希望她的"俏江南"的菜式可以体现出一种艺术与文化相结合的魅力，使食客上升为味觉艺术的欣赏者。而这对于大厨的要求极高。张蓝深谙此道理，因此餐厅的大厨是张蓝开店时首要解决的问题。

国贸店的大厨陈舜金，就是张蓝力邀而来的。陈舜金从 13 岁开始在餐饮业学徒，迄今已在餐饮业做了 40 多年，他曾先后在成都市饮食公司、杭州成都酒家、北京豆花饭庄、澳洲米拉吉西来顿、广东国际大酒店、天津川王府等地工作。陈师傅在川菜烹调和厨艺方面有很高声望，通晓川菜山珍海味、时鲜大菜，能根据不同规格的宴会筵席设计风味各异的四季菜单。他所烹制的成都鸭子、锅巴三鲜、仔鸡豆花、麻婆豆腐等很是出名。在他所获得的众多荣誉证书及等级证书中，有这样一本证书，虽然看上去残旧不堪，却是他最珍贵的一本证书——四川省成都市饮食公司技术培训中心毕业证书。目前，在川菜厨师中，有此证书的最多不超过 20 人。因此陈师傅堪称川菜大厨的领军人物。

近两年来"俏江南"相继在北京万泰北海大厦、恒基中心、嘉里中心、盈科中心、亚运村阳光广场、融科中心以及上海时代广场开设分店。仅从店址的选择上看，就足以说明张蓝的一个良苦用心：那就是她坚信都市白领是时尚的制造者与追随者，坚信"俏江南"只要根植于这样一个群体，一定会获得成功。

都市白领的品味不仅仅局限于菜式的色、香、味，他们还希望从餐饮中可以吃出"食尚"。而张蓝希望的，就是自己能够引领白领们的这种"食尚"。

张蓝自认为自己是一个"在不经意中又很经意"的人。每到一个地方，不管是国内国外，大饭店还是小餐馆，她都会习惯性地用心研究店内的装修，研究各种菜谱。有时当场就可能灵感突发，"创作"出一道新菜来。

"摇滚沙拉"这道受人欢迎的新菜就是在这种语境下"创作"出来的。那是张蓝到法国旅游，在巴称一家餐厅吃饭时，有服务员到她面前演示做沙拉。虽是一道很简单的菜，可是却能让客人一饱眼福，带给客人精神上和文化上的享受。当时，她一闪念想到了自己的好朋友、国内著名的摇滚歌星崔健，何不自创"摇滚沙拉"呢？回国后，张蓝跑到北京的宜家家居买了些长玻璃瓶子，回家后就自己动手配料做实验。不久，"俏江南"的顾客就享受到服务员在自己面前演示如何把沙拉"摇滚"出来的整个过程。

其实，川菜馆起名"俏江南"，再配以典雅、清新的装潢，本身就是一次独具匠心的创新。因为在常人的惯性思维里，人声鼎沸，热火朝天，是川菜馆的应有之意。然而，张蓝偏偏就能通过中西合璧的装修设计风格，把江南的柔媚与西南的狂热相结合，让川菜馆少几分豪爽，多几分雅致，别具一格，让人耳目一新。

在"俏江南"吃饭，你还会发现每一道的菜色都极有新意。可以说，打开"俏江南"的菜谱，耳熟能详的菜式并不多见。

比如，"俏江南"不仅名字有趣，菜一上桌就是一种享受，雕刻的仙翁与白鹤间搭上一竹竿，经过精心泡制的白肉搭在竹竿上，下面摆放好佐料，看上去极有意境。

有一道"石烹豆腐花"，被称为地地道道的小资川菜。先是在玻璃盅里预放几颗烧至 300 度的江石，上菜时，将鲜豆浆倒进玻璃盅，豆浆顿时滚烫。再将江石捞出，放入点豆腐的"豆腐王"，盖上盖子，5分钟之后豆浆凝固成豆腐花。同桌另上几款调料，咖啡色的花生酱、粉红色的南乳酱、鲜红色的豆瓣酱、翠绿色的韭菜花，还有一碟炸黄豆。一切程序都在眼前制作，新奇而有趣，吃起来也喜欢，更增添了特别滋味。

"俏江南"中另一道回头客颇多的菜就是回锅桂鱼，把活桂鱼去骨切片，用烹制回锅肉的方式炒制，再加入特制的四川调料，外焦里嫩，鲜美微辣味浓。像这样道道菜看上去都那么新鲜有趣，这样的店不火爆才怪呢。

9家店陆续开业，店店火爆，到这时候张蓝的餐饮思维已经相当成熟，而且形成了定式。

如果说前期的资金和经验的积累是"俏江南"成功的基石，那么准确的市场定位就是"俏江南"成功的关键。一般来说，餐厅的市场定位包括3个主要内容：主营风味、店址及目标群体的确定。张蓝在谈到"俏江南"的市场定位时说：我们选择精品川菜，是因为川菜以其特有的美味及营养价值受到中外人士的喜爱，川菜中多以麻椒、辣椒为主要辅料，菜色赏心悦目，麻辣醇香。从健康角度来说，麻椒、辣椒能够加速肠胃蠕动，燃烧脂肪，促进代谢，尤其是辣椒含有丰富的维生素 C，起到美化和润泽肌肤的作用。川妹子皮肤好是全国闻名的，这与她们平时的饮食有密切的关系。川菜正符合了人们的饮食观念。"俏江南"使爱美的男士和女士在不必担心发胖的同时，吃出健康和美丽，但"俏江南"与一般川味餐厅不可同日而语，张蓝不仅继承和发扬了传统的川菜文化，而且还挑选川菜中的精华部分，不断创新自己的品牌菜。餐厅还推出粤菜及谭家菜中的精品，从而丰富了"俏江南"餐厅的经营内容，满足了不同口味消费者的需求。

其次是店址及目标群体的定位。围绕着北京 CBD 中心，在著名的商贸大厦和高级写字楼内，"俏江南"餐厅如江南女子般秀美。楼宇内中资或外企大公司的中高层白领成为"俏江南"固定的消费群，同时餐厅也接待来自不同国家的使节和喜爱川菜及粤菜不同阶层的各界人士。

当然，每位到过"俏江南"的人，都会对餐厅中西合璧、古今相宜的设计风格留下深刻的印象。小桥、流水、翠竹等江南秀景，成为"俏江南"整体设计的主旋律，而各分店在布局及装潢上又不拘一格，或古朴自然，或凝重清幽，或典雅华贵，或浪漫温馨，整体设计上避免了死板与僵化，呈现出灵活多样。独具创意地利用灯光、线条、色彩的巧妙搭配，烘托江南浓郁的文化内涵，从而树立了中餐西吃的全新模式。

张蓝的胃口很大，她正在筹备着新的分店，这次她选择的是丽都饭店、希尔顿饭店，她说这样可以扩大品牌效应，也可以扩大知名度，然后就是有一家自己的 Hotel（酒店）。当然，以她 3 年扩张 9 个店的速度，没有人会怀疑她的能力。

从"俏江南"的发展中和张蓝的餐饮业创业实践中，我们可以看出餐饮业经营的一些关键方法。俗话说"民以食为天"，有人说餐饮业是永远的朝阳产业，是一个历经千年而魅力不减的投资金矿，这个话相信大多数人都会同意。但是做餐饮并不像有些人相像的那样容易，只要弄一个店面，招两个手艺好的厨师，再把卫生搞得干净一点，菜价定得合适一点，服务人员和气一点，就财源滚滚，坐着数钱就可以了。如果做餐饮这样容易的话，餐饮界就不会有那么多兴冲冲而来，灰溜溜而去的失败投资者了，正是那句话：只听新人笑，哪闻旧人哭！放眼看看，城市里哪天没有新的饭馆开张，哪天又没有旧的餐馆歇业，关门大吉。餐饮市场实际上是一个智慧、魄力、个人能力的竞技场。每一个成功餐厅的背后，都显露投资者的敏锐触觉神经和每一个深思熟虑的谋略。

经营秘笈：选址是关键中的关键

好的开头，是成功的一半。

如何开一家财源滚滚的餐厅，成功者的经验是在经营之前，选择投资的地点是最重要的一步。要是地点选择不当，空有高级的装潢、美味的食物、优雅的气氛，仍吸引不了顾客进门，其效果与预期相差甚远。

北京有家"来壹锅"火锅店，其火爆恐怕是很难用语言形容的。每天中午不到 12 点就需要等在门口排队拿号，而晚上的来壹锅就更加令人羡慕了，从下午 6 点开始到晚上 9 点，门口始终要等上很多的人。

从餐厅外观看，看不出它有多大，进了餐厅你就会被眼前突然出现的场景吓一大跳：七八百平方米的大厅内坐着几百人同时吃着各种火锅。由于这个大厅太高太大，以至于那么多的人"撒"在里面竟一点没有拥挤的感觉，30 台 5 匹的空调和无数的抽油烟机和排风扇，使得每桌一个的火锅并没有升高室内的温度，反而空气凉爽流通。听说餐厅由是一家厂房改造的。显然，来这里兴高采烈吃火锅的人们注意力都在"锅"里，并不在意环境。与其他餐厅不同的是，这儿的单间虽多却远没有大厅散座更受欢迎，通常是大厅实在没位子了，才会有人愿意进入单间，以尽快品尝羊羯子的美味。因为人们吃的偏偏就是一个气氛。

在来壹锅生意火爆后一年左右，周遭地区陆续出现了"盛一锅"、"添一锅"，虽然3家距离很近，但家家生意兴隆。

来壹锅的火爆与选址不无关系。在宣武区的来壹锅店，选择的店铺在两广路路北胡同内，但两广路路南就是北京回民集中居住的区域——牛街。而羊羯子是回民极喜欢的一道菜。虽然两广路路南周遭也有不少回民餐馆，但是规模小，味道一般，因此始终火不起来。来壹锅是第一家专门销售羊羯子火锅的，加上老汤的独特鲜美滋味，很快就红火起来。

而对于"盛一锅"、"添一锅"来说，他们的火红则是由于准确的街市阴阳边的认知。商业区的街道也会因两边差异呈现不同的景象。有句老话叫做"死市"永远不回春。开餐厅要赚钱，就需靠天时、地利、人和齐全方可做到。北京东直门的簋街就因具备了这些条件，每天中午到夜间人潮如涌，多是回头的客人，每天还有不少慕名而来的食客，店老板哪有不乐之理，除了大把的"银子"落入口袋，还享有"饮食文化一条街"的口碑。

地处北京朝阳区的金台路和水碓子路相比，虽说是竖横的邻街，金台路的店家就很难有起色，人潮虽旺，可都是些行色匆匆忙于奔路的过路者，过于拥挤的环境给人以莫名的烦躁，谁还会有心思进餐厅。这里的

聪明的经营者喜欢"择邻而居"，喜欢"扎堆经营"。

餐厅别说赚钱，就连守下去的信心也是空洞的。邻街的水碓子虽说几步之遥，这里的餐厅却开得红火。

聪明的经营者喜欢"择邻而居"，喜欢"扎堆经营"。试想几家餐厅比邻而居，高中低档全有，南北风味俱全，客人有所选择，谁不愿来呢？

经营秘笈：以专精俘虏顾客

建国门外永安里有一个小胡同，这条胡同与长安街相距甚远，从长安

街对面的高档写字楼到这条胡同，如果步行至少要走上15分钟左右。这样的距离，使得这条胡同中的餐厅经营都不很好。

2001年，这里开了一家"三合鲜"餐厅。奇怪的是，不但将附近的白领们吸引了过来，而且连更远的使馆区中的老外也吸引了过来。原因很简单，这家餐厅的老板认为，就像西餐进入中国要根据中国人的口味进行调整一样，中餐如果要吸引更多的外国人和那些喜好西餐口味的人，也一定要进行调整。因此，在它的菜谱中就出现了许多改良的西餐。比如泥肠，经过花刀后过油煎熟，蘸上肉沫番茄酱制成的酱汁，酥脆可口，咸中带甜。而该餐厅的主打菜"麻辣鲶鱼三吃"，保留麻辣味道，同时增加了西餐中的一些辅料，使得菜肴更加香脆可口。每到饭点，引得周遭写字楼中的白领们纷纷结伴而来，每餐座无虚席。

餐厅业者应考虑建立自己菜系的特色。

长久以来，餐厅为了迎合顾客"要吃什么有什么"的消费心理，放弃原本专精的菜式口味，偏偏让学有专精的大师傅做其他菜系的菜，往往难以叫好又叫座。例如，手艺一流的广东菜师傅，可以烤出金黄酥脆、风味绝佳的乳猪，可是做起豆瓣鲤鱼和宫爆鸡丁这类四川菜，会是什么口味呢？

正宗的豆瓣鱼，把鱼在调好的汁料里煮熟，像豆瓣酱、甜酒酿、酒、糖、辣油、香油、胡椒粉、葱花、酱油等，在比例上只能靠长久的经验积累才能做到恰到好处。鱼在酱汁中焖至入味之后装盘，再把烧鱼的剩汁试味、调味，加豆腐、葱花，淋熟油，最后勾了芡才倒在鱼上面，再加点生葱花。而四川系以外师傅的做法，则是把鱼先蒸熟就装盘，另外调一些看来色泽差不多的酱汁淋在鱼上，吃起来味道就差多了。

川菜的宫爆鸡丁虽然黑墨墨的不起眼，入口却是香甜甘醇，慢慢透出麻辣的味道。做法是把青花椒先用油爆出油香，再撇掉焦了的花椒粒，下色拉油，以小火炸干辣椒，成漆黑油亮的光泽，才下鸡丁、葱段，临起锅再加点去皮的蒜茸花生。其他菜系的师傅，干脆用豆瓣酱、酱油、糖、辣油，炒热了干辣椒，就下各主料、配料，胡乱翻炒就算宫爆鸡丁。结果是顾客根本吃不到正宗的口味，而吃得莫名其妙。

一些小型、夫妻档小店，坚持川菜口味，单页菜单提供给食客不多于16款，可是顾客满足了，真正享受到咋舌的佳肴。

北京安外靠蒋宅口不远的路旁，就开有一家不大的"夫妻店"，五六张桌子，夫妻俩外加一位师傅。地道的川味火锅，顺带几款可口的下酒小炒，就连一些嘴巴刁的客人也能成为小店的常客。夫妻俩既是老板又是服务员，忙不过来，客人自己取杯子倒茶，啤酒喝没了自己拿，就跟在家里一样。到过小店的客人，只要几天没去就总想到店里坐坐。

目前，几乎每家大中型餐厅的菜单都包含了各种菜系，其实特色菜早已"四不像"了。如何回归原点，打出本身独特的口味品牌，而不以厚重菜多的菜单为号召，恐怕应是经营的重点。只要都是菜系的精华，哪怕只有 50 款，顾客应该也满足了吧！可见消费者对口味专精还是蛮关注的呢。

经营秘笈：不怕点子怪，只怕没点子

"阿兰菜馆"因街道改造被拆掉的老店位于北京右安门桥北侧的小胡同中，店主用自家的临街房改造而成的。这条路又窄又乱，平时车来车往很是嘈杂。"阿兰菜馆"就在这杂乱的环境中，树立了一个很不起眼的门脸。

我们第一次去是朋友介绍去的。这位朋友一定要带我们尝尝这家的清真菜肴。餐馆非常简陋，但令人不解的是，在我们去的时候，50 多平米的餐馆里已座无虚席，而且很多人宁愿与别人搭桌子一起吃也不愿换地方，这在北京是极为少见的现象。如果没有足够的魅力和经营手段，恐怕做不到这一点。

正当我们百思不得其解时，老板已过来热情招呼。等位时，老板一直搭讪闲聊。不一会儿功夫，有了一张空桌，在老板的热情张罗下，我们坐了下来。环顾左右时，我们再一次感到了吃惊：不起眼的餐馆四壁贴满了照片。都是老板与演艺界人士的合影：徐帆、陈小艺、濮存昕……问起这些明星是否都来过这家小店时，老板神秘地一笑。

服务员端上了茶并拿来一份菜单，毕竟是头一回光顾，点起菜来总有些忧虑。老板见状立马毛遂自荐说道：我介绍几款好不好，吃得满意下次记得再来捧场，吃得不合口就算在我的账上。话说得如此轻松，老板又这么自信，看来一定胸有成竹了，我们也顺便图个方便。

前后一共三个菜，其中一个沙锅是羊羔子，另外两道菜是"羊棒骨"和"红烧牛尾"。三道菜记者都是头一次品尝。羊羔子炖的火候很足，很是入味。羊棒骨要用吸管吸其中的骨髓，其中已经渗入了浓郁的汤料，很香；红烧牛尾烧得也相当入味。我们被这顿意想不到的美餐所折服，心里想：难怪这么多明星都来光顾。

没想到吃完饭和老板闲聊，才发现这些明星根本没有来过这家餐厅。至于老板如何获得与这些明星合影的，老板笑而不答，但可以肯定的一点是，这些照片不是通过电脑合成的。

在影视喜剧中，没有好的噱头，就不会有欣赏喜剧的各种观众。同样的道理，一家餐厅无论其大小，都必须要有自己的特色菜肴。同样是一种食品，会因为餐厅有自己的经营特色而给客人留下难以忘却的回忆。用北京话讲，就是这个老板会"来事"；用影视界顾客的话说，"这个餐馆会搞噱头"。

创业小贴士

开餐厅只怕没噱头，不怕噱头离了谱。

将最好构想变为噱头，关键还在于巧妙利用，任何一种新点子的诞生实属不易，你要好好去用它，使它产生绝妙的功效而不是眼看它只开花不结果，最后白白糟蹋了一个好噱头。

开餐厅只怕没噱头，不怕噱头离了谱。原本客人去用餐也多半抱着消遣、娱乐的心情。只要店家真的有一套，客人也就会一笑了之，更加佩服了。

零售店经营

没有一个人能想到，陈小明能够将一个巴掌大的小商店经营得那样红火，每月的纯收入都超过 2 万元。陈小明经营的并不是所谓的"旺铺"，而且周围同类商店林立，竞争激烈，很多小店就因为没有生意而关门大吉。陈小明到底有什么高招，能够将生意做得如此红火、出色？

陈小明今年只有 28 岁，是江西省临川市茅排镇人。1994 年，高考落榜的他来到广东打工，一直到 2002 年，他仍然只是一个普通打工仔，其间近十次更换工厂。2002 年 9 月，陈小明又从东莞市寮步镇的一家鞋厂辞了工，想再换个环境。

他想自己干过那么多厂子，也算得上经验丰富了，再找一份工应该也不难。那么，他来到岭夏村的良平工业区找工作。在工业区转了一圈，没找到一家合意的工厂，反而在良平市场边上见到有一个门口贴有"转让"字样的小商店。他想，自己在工厂里做了那么多年，为什么不换一换，开个小商店呢？这样一来，不但不用再受老板和工头的气，还可以为自己当老板，多好呵！

他想接手的那家小商店，是一个卖日常生活用品的夫妻店，大概有20多平方米。在广东，有很多夫妻都是守着这样的小商店过生活。那对潮汕籍的夫妻告诉陈小明，他们这是一个旺铺，周围有多少多少人口，有多大多大的消费潜力，说得陈小明怦然心动。后来陈小明接下店铺后，才发现这对夫妻说的都是鬼话。他上当了。

经过一番讨价还价，陈小明用 12000 元将这个店盘了下来。店里的各种货物和冰柜则按照老板提供的账目另外结清。陈小明就这样从打工仔变成了一个小老板。

第二天当陈小明清点存货时，发现存货的价值并没有那老板说的那么多，他起码吃了二三千元的亏。但钱已经给了人家，后悔也来不及了。他只好想，亏就亏了吧，有这么好的店铺，以后把钱赚回来还不是很容易的事。

陈小明满怀信心地开始了经营。一个月后，他才发现这里的生意非但不像那对潮汕夫妻吹嘘的那么好做。他几乎是亏着本在经营。经过仔细观察，陈小明发现商店周围的确像那对潮汕夫妻说的，有很多工厂，但像他这样的店铺也是多如牛毛。而且，虽然这店子的地理位置不错，但租金也相对较高。这时候他明白自己上当了。他接手了一个烂摊子。但事已至此，陈小明已回头无路，他只好努力将店铺经营下去，希望能有翻身的一天。可是，时间一天天过去，小店的生意始终没有什么起色。

到了 2003 年春节，绝望中的陈小明干脆关了店门，回老家江西临川过年去了。回到临川后，他到市里最大的一个超市里买年货，发现那个超市正在搞促销活动，很多商品都以特价出售。东北大米竟然只卖 1.36 元钱 1公斤。陈小明做了好几个月的生意，对许多商品的价格了如指掌，他知道这种大米进价也要那么多，也就是说，超市卖东北大米是零利润！陈小明心想，超市的运作成本比一般的小商店高得多，它卖这个价不但没有一点利润，还要付出人工成本，这是什么道理呢？

看着超市里熙熙攘攘的顾客，陈小明突然间明白了，这家超市卖特价商品，并不是为了赢利，而是在靠低价吸引顾客！少数的特价商品不但可以吸引很多顾客上门，而且会让顾客有这里所有的商品都比其他地方便宜的错觉,从而对其他商品也产生购买的欲望。大部分顾客在购买特价商品的同时,都会买一些别的东西,而这就是那些大商场和超市的利润点!难怪那些商家总是热衷于特价促销!

陈小明恍然大悟。他想,如此浅显的道理自己怎么一直没有想到呢?如果自己的小店也采用这样的营销策略,是不是能够起死回生?这件事闹得陈小明连春节都没过好。整个春节,他都在考虑这个问题。

过完年,回到东莞后,陈小明开始按着设想进行尝试。他先统计了店里所有商品的类别和数目,决定拿出了毛巾、袜子、纯净水和香烟等40种小商品来做特价促销品,这些促销品占所有商品的5%左右。

接着,陈小明在店门口立了一个醒目的告示牌,上面写着特价商品的种类和促销价。陈小明此举引起了周边小店的老板的注意。大家议论纷纷:进价1.60元的毛巾他就卖1.60元?这个季节最热销的袜子,他也卖成本价!这小子回家过趟年,好像过出毛病来了。对别人的议论和劝说,陈小明充耳不闻,下定决心赌上一把。

结果,他那天的生意比往常火爆得多。顾客像走马灯似的络绎不绝。一天下来,营业额竟是以前的十几倍!虽然卖出去的许多东西是零利润,但随带着卖出去的其他商品是平时的几倍,他那一天的利润也是平时的几倍!

陈小明一炮打响,他的小店也很快成了周围最红火的店铺。以前整天坐在店里闲得没事干的他,现在整天忙得团团转。事实证明了他所采用的"营销策略"是成功的。但更大的惊喜还在后面。陈小明很快发现,他的特价促销已产生了连锁反应:他的东西卖得多,在批发商那里进货就多;进货多,批发商给的价格就低,他就有了更大的降价空间或者利润空间。另一方面,他的货走得快了,货物更新也就快,使他的上架商品看上去老是先人一步,小卖部进入了良性循环。

随着陈小明小店生意的红火,竞争者纷纷有样学样,开始学他搞特价销售。但陈小明此时已能把特价销售的策略运用得炉火纯青了,他知道哪些商品特价最能吸引消费者,每过几天,他就调整一下特价商品的品种,常换常新,令模仿者无所适从。

另一方面,陈小明也在想,虽然别人现在还没能从他这里抢走多少生意,但无疑是给自己敲响了警钟——如果自己总在原地踏步,总有一天会被别人超过。为此,他不停地开动脑筋想新的主意。

在工业区开店,顾客群以打工族为主。陈小明发现很多到店里来买东西的打工仔和打工妹的胸口上都别着厂牌。看着厂牌上的照片和姓名，他又想到了一个促销办法——姓氏促销。他每天选定一个姓，凡是这个姓氏的消费者只须用成本价就可以买到他店里的任何商品。

这个新鲜的促销方式一经推出，立刻就引起了众多打工者的关注，每天光顾他的小店的人更多了。陈小明在高兴的同时，也发现了一个问题：因为只要你的姓氏是今天选定的那一个，就可以无限制地购买店里的任何商品，所以，当然会有很多同事朋友委托代买自己需要的东西。这样一来，很多利润就白白地流失了。

发现这个问题以后，陈小明就规定了每天的姓氏受惠者用进价购买的东西不能超过5件。

在"姓氏促销"收到良好的效果以后，陈小明又乘胜追击，推出了"生日促销"。"生日促销"和"姓氏促销"的运作方式一样，只是所选的对象不同。这两种促销方式都有浓浓的人情味，很受顾客的欢迎。陈小明的小店也因此得到了良好的口碑。

有了这几次成功的"策划"，陈小明对市场的嗅觉也越来越敏锐了。广东的天气炎热，而打工仔、打工妹们常常加班到深夜，因此大多数人都有吃夜宵的习惯。于是，陈小明买来了10多张折叠桌，每天晚上就在店门口沿街摆开。晚上10点以后，他供应的酒水和副食品全部打折销售。比如，进价1.80元一瓶的啤酒，在别人那里最低也要卖2.50元，而他只2元钱。对收入不高的打工者来说，能省一毛钱也是好的，所以此举大受打工者的欢迎。虽然利薄，但销量却大了，收入仍然十分可观。因此，这一举措又成为了他的新的利润增长点。

在商战中，价格战最容易被竞争对手模仿。陈小明每推出一种低价的促销措施，过不了多久，总会被周围的小店克隆，陈小明对此十分担忧。为了让小店的经营保持好的势头，并永远领先于同行，他开始研究起市场营销学。他从书店买来几本现代营销的书，从中了解到，现在的市场愈来愈趋于同质化。比如，像他那样的店铺很多，而且所卖商品基本上都是一样的品牌，这就叫同质化市场，而高明的商家就是要在同质化的市场中，让消费者感到它的品牌或商品是与众不同的，从而成功地塑造与众不同的品牌形象，培养起消费者对该品牌的偏好度和忠诚度。原来他以为品牌经营只是大商家的"专利"，但是通过他的经营实践，他发现大商场大超市的一些经营手法，用在小店里同样会收到很好的效果。

陈小明还学了商业心理学，从中得知，人们在购物时，常会有这样的错觉：认为奇数比偶数小，带有小数点的比整数小。因此，他对店里的商品采用了零头标价的策略。比如1元钱的商品，他就把价格定在0.97元。虽然只便宜3分钱，但却让消费者觉得捡了便宜。小商店的"与众不同"就从这样一个个的"细节"中体现出来了。

陈小明在经营中总是花样翻新，点子一个接一个，如：每天早上8点到8点半，米面酱醋和海带、鱿鱼、墨鱼等干菜打折销售，以吸引当地居民；每天中午12点到12点半，部分日用品和副食品打折销售，以吸引中午下班休息的打工群体。他给这个促销方式取了一个名字，叫做"经济半小时"，并请人用毛笔写了大字，贴在店门口。这下子，连央视品牌栏目都为他做了免费广告。后来，他又在店门口摆了一个报架，每天买几份报纸，放在那里给顾客看。他又买来了一套二手的卡拉OK设备，也放在店门口供消费者免费娱乐。这些举措都用不了多少钱，却为他的小店增加了大量人气。

陈小明层出不穷的招数让同行们拙于应付，生意一落千丈，很多店主不得不将商店转让出去，有些店铺就让陈小明接手了。陈小明开起了分店。随着生意水涨船高，陈小明还产生了一个新的想法：他想将"分店"开到广州去，希望将事业越做越大。

零售店经营秘笈

零售店经营必须着重考虑5个方面的要素。这5个方面的要素分别是：店铺位置、资金能力、店铺属性、商品种类和人员组成。五大因素环环相扣。开店要选一个好位址这是毫无疑问的，人所共知，不必多讲。但什么样的位置才叫好位置？应该说任何位置的好坏都是相对的，可能对你所即将要从从事的这门生意来说，这是一个不佳的位置，或是一个次选的位置，但可能对他所要从事的那门生意，这却是一个最好的位置，上佳的位置。所以，选好店址的条一个条件是：你必须清楚自己究竟打算做哪门生意？你这门生意将要涉及的顾客类型？那么，针对你的顾客定位，去优选店址，一般就不会出大问题。在考虑顾客定位的时候，要注意你店铺的属性，是社区店还是专业店，如果是社区店，那么要考虑你所处社区的高、中、低档，顾客的收入水平和消费意愿及消费能力，不要以为你做的是小生意，就无所谓高档低档，即便你卖的只是一些油、盐、酱、醋和日用杂货，如手纸、毛巾、牙膏、牙刷，也会有个档次高、中、低的问题。要针对顾客去确定你的商品种类。对于专业店，则要考虑扎堆的问题，如在北京，搞服装批发的，基本集中在动物园、木樨园、大红门等几个地区，而小商品批发则集中在天意、万通等几个专门性市场，在这些地方开店，因为大家扎堆在一起，人气旺，生意就要好做得多。还有一类是街道店，即为过路行人服务的，那么，关键的就是人流量，比如在北京西单开一个小店，专门卖矿泉水，也有卖发了财的。因为那个地方是一个商业区，每天有几十万的人流量。人渴了就要喝水，所以，那个地方的矿泉水，即使一瓶比别的地方要贵上三五毛，大家仍是趋之若鹜。但是这种街边店，房租一般都较贵，需要有较高的启动资金，在北京西单租一个五六平米的小店，地理位置好一点，月租金可能就要七八千。

一般而言，靠近住宅区的零售店，应以经营食品、日杂等快速消费品为主，以及一些如五金之类的消耗性小商品，总的原则是方便、干净、卫生、质量可靠、服务态度好，通常还需要价格低廉。如果你面对的是一个较大的社区，那么，通常还需要你货物齐全，使人们可以一站购齐，不必东奔西跑。针对不同人群，在商品上和营销手法上应有所区别。如陈小明所用的那些经营手法，对他所面对的那个消费群体，以工厂打工者为主，就显得非常的效，但如此他的店是开在一个较有档次的社区里面，那些"噱头"式的经营方法，就未必有效。总的来说，对于中低档社区，经营者应主要考虑围绕价格做文章；对于较高档次社区、消费能力较高之人群，则应主要围绕服务做文章。价格文章不仅仅是简单降价，还可以包括各类价格组合、推出优惠卡等措施，同理，服务文章亦多种多样，需要创业者根据不同情况，去考虑措施，灵活处理。此外，珠宝、首饰之类单价较高的商品，以及服装、电器等耐用消费品，不适合于社区店零售，而应主要考虑商业区销售。

零售店常用促销手法：1、**免费赠送**。大多数人都爱贪点小便宜，针对顾客的这个特点，可以经常性地给到店里的客人赠送一点小礼品，这会使大多数人都感觉愉快，并可能因此经常光顾你的商店。2、**进行包装**。人们总是喜欢更漂亮的东西，对你的一些零散商品，重新进行包装，或者将相关商品，装在一起，就像我们经常在节日看到的水果花篮一样，通常会使顾客觉得新奇，或者出于方便考虑，而将商品买回家。3、**重视小玩意**。有儿童商品中，有时放上一些小卡片或不太值钱的小玩具，通常会受到儿童的欢迎，而在国内目前简单的家庭结构中，儿童一般都有很重的说话分量，很多父母乐意听从孩子的意见，或者仅仅是因为孩子高兴而购买你的商品。麦当劳是这方面的高手，值得我们所有人学习。4、**更便宜**。正处于降价或促销期的商品总是能够吸引更多顾客关注的眼光，给商店带来更多人气的同时，也带来更大的销售量，因为人们在购买降价商品的同时，大多也会同时顺便购买其他商品，可将需要降价的商品集中于一起，以便制造更大的声势，形成更大的刺激。5、**制造优惠购物期**。如陈小明的"经济半小时"，还可以给顾客发优惠卡、打折卡，有条件的可以实行会员制，给顾客创造更多的归属感。6、**定期抽奖**。当顾客发现购买商品后还有可能得到额外的奖品时，购买欲望可能就被激起。如果他们正好需要某种商品，他们的购买行为当然不会被是否有奖左右，但可能的获奖机会至少会使他们选择在你的店铺购买。奖品的设置要有一定的吸引力，而且抽奖过程要公正。店铺因设置奖品而增加了销售额，利润也会大幅增加，拿出部分利润回报消费者，不过是"羊毛出在羊身上"而已。7、**重视广告的作用**。广告既是扩大店铺知名度的有效途径，也是直接引导消费者购买行为的有力武器。现在的店铺很多，商品也很多，顾客在消费时并非都知道自己需要什么，广告既能够起到对顾客的宣传作用，也能起到引导作用。小商店同样需要广告的支持，广告的发布方式有多种多样，可以选择费用较大的报纸广告，也可选择费用低廉的报纸夹张广告，与社区周围的报刊零售点或报贩协调好就可以；还可以发传单式广告、海报式广告，后者几乎不需要什么费用。

加盟连锁店经营

贾慧春和她先生都没想到，他们在北京海淀区上地建立的"荣昌大唐硅谷洗染中心"能为他们带来这么大的收益。两人决定加盟荣昌时，已经在上地有一定的经商经验，两人看中了特许经营的品牌优势，决定开一家加盟店。他们看了很多报纸和杂志上关于特许加盟的报道，发现现在的特许商良莠不齐，很容易上当，具体选择哪个项目，两人还是花了不少心思。

后来，董建武决定投资洗染业。洗衣业投资回收快、利润率相对较高，他们家的小区附近就有不少小的收衣点，生意好得让很多人眼红。他想，如果开一家正规洗染连锁店的话，应该有很好的市场前景。于是，他联系了几家知名的洗染企业，把他们的加盟资料认真分析后，决定投资 40 万元左右，开一家荣昌的洗染店。

董建武之所以选择荣昌，是因为它是中国洗染业的十大著名品牌，皮衣的洗涤保养尤其受人称道，而且口碑也不错。董建武了解到，它在北京总部拥有一座设备齐全、工艺先进的皮货、织物

中央处理工厂，全国的加盟店已发展到 200 余家，并延伸到了香港。夫妻二人还到百盛的样板店偷偷考察了一下，发现客源不错，就下定了决心。

董建武和贾慧春向荣昌公司表明了自己的加盟意向后，荣昌派专人与他们进行了初步的联系，了解了二人的基本情况、意向投资规模、意向开店位置和面积，以及所在地区洗衣消费现状和发展趋势等。在面谈中，总部的工作人员向他们介绍了公司的优势及洗衣业发展状况和前景、公司参考投资方案等。在签订合作意向书之前，荣昌总部派人对他进行了加盟方案设计和选址的指导。

对投资洗染店的人来说，洗染店地理位置的选择非常重要。据荣昌方面的介绍，小的洗染店通常选择在小区内或大的社区中，而中型的洗染店则需开在既有固定消费群体又有流动群体的地方，比如北京的亚运村就属于这种地区。而大型的洗染店目前有一种趋势是开设在商场和商业区，如北京东方广场和百盛购物中心等，这种洗染店能够让消费者在 2 小时取衣。

贾慧春和董建武利用自己原来从事服务业的一些经验，对比较了解的上地地区进行了调查，上地是一个新兴的高科技园区，有很多高科技企业在那里落户。他们了解到，在这些企业工作的大部分是一些二十四五岁的年轻人，住的地方也大都离单位比较近。这些年轻人的衣物特别是冬天的衣物基本上都要送到干洗店，而附近的干洗店大部分是一些规模很小的收衣点，而且经常出现洗涤技术问题。他们更愿意选择品牌和知名度高的洗衣店，而价格稍高不是问题。

两人调查了这些基本的情况以后，觉得上地比较适合开一个中型的加盟店，并决定利用上地南口的一块 60 平米左右的店面经营。与荣昌总部联系后，他把选定的店址、位置、照片，以及房屋面积、房高、当地洗染业的基本情况等，填好调查资料交到总部。总部为他们提供了详细的投资建

议方案和投资回报分析报告。

根据特许经营的惯例，二人向荣昌总部交纳了 5 年共 5 万元的加盟金和每年 1 万元的权利金。总部方面跟他们介绍说，加盟金是获得这一品牌及前期相配套的服务所需付出的费用；权利金是从特许者那里不断地、长期的获得管理、宣传、技术等支持所需支付的费用。

随后，双方通过协商明确了加盟工作的进度和分工，总部方面为二人提供了包括运营手册、装修手册、设备手册、皮衣织物洗涤技术手册在内的一套 4 册加盟手册。其中对双方的责、权、利划分得非常清楚。

一切安排妥当之后，双方签订了特许经营合同和商标使用合同。

根据贾慧春和董建武向荣昌提供的加盟店的基本情况，总部的设计人员对他的店面进行了门面装潢和水电设计，并拿出了全套的装修设计图，双方签订了购货合同，董建武决定引入荣昌全套的意大利洗染设备，包括干洗主机、冷烫机、人像机、包装机、去渍台和输送线等。他知道，洗染业是一个讲究"勤快"的行业，因为衣物面料更新变化的速度很快，店铺经营者在设备和技术上的投资是不能省的。

利用装修的 1 个月时间，董建武和贾慧春在总店的指导下，进行了开业的筹备工作，包括招选员工、申办动力电、工农业执照、环保、广告等方面的开业手续，置办经营用品、促销用品等。总店对二人进行了带店指导，还对店内的 4 名雇员进行了系统的技术培训。内容包括荣昌公司的基本情况，特许经营的定义、特点、发展概况、优点及对加盟者的利弊，还包括干洗业的发展情况、经营前景、服务要求以及各种设备的使用和保养等，内容比较丰富。培训结束后，原来对洗衣业了解不多的贾慧春更坚定了自己投资的信心，担心也随着培训的逐步深入渐渐消失了。

装修结束后，总部派人到店里进行了装修验收、设备安装调试和验收等，一切安排妥当之后，双方签订了特许经营合同和商标使用合同。

贾慧春看着每天的营业额从零到几百块钱，心里还是很高兴，就当是宣传费吧，她想。

店里的装修完成以后，贾慧春选了一个吉利的日子，他们的"荣昌大唐硅谷洗染中心"正式开了业。开业之初，生意并没有他们想象的那么红火，第一天只接到了一个订单，接下来的一个星期都没有什么生意。贾慧春心里着急了。她试着到附近的社区里询问，原来干洗业是季节性很强的行业，每年 12 月至来年 4 月是旺季，5 月和 10 月、11 月是准旺季，6 月至

9 月则是淡季。加上人家根本就不知道有她这个店，而且当时是 9 月，夏秋的衣服大都自己洗，要么就是图便利，送到附近的小收衣点去。

这一问让贾慧春心里凉了半截，自己几十万元的加盟费用交出去了，还有每月几千块钱的房租和水电费交着，却选了商家最忌讳的淡季开了业，心里很不是滋味。她打电话到总部去询问，一位小姐告诉她，现在确实是淡季，但再过一段时间，进了 10 月生意就会越来越好了。总店方面还告诉她，不要干等着顾客上门，可以通过发打折卡、送小礼品等促销手段打出知名度，生意很快会好起来的。

董建武也安慰她说，不能着急，经营一个新的店，就算是特许加盟，也起码有 3 个月是没有生意的。现在竞争也很激烈，我们能基本维持运转，在 1 年内站稳脚跟就不错了，收回资金至少要 2 年的时间，着急可不成。

话虽这么说，贾慧春还是想了很多主意。根据总部的策划，她试着印了一些 8 折的洗衣卡，让雇员到小区和附近的写字楼中散发，果然很快有不少人开始拿着卡来洗衣服了。虽然 8 折之后店里的利润变得非常薄，几乎赚不到什么钱了，只能维持店内的基本运转，但贾慧春看着每天的营业额从零到几百块钱，心里还是很高兴，她想就当是宣传费吧。

贾慧春的打折卡让她尝到了促销的甜头，而且她那明亮整洁的店面和"荣昌"鲜艳的红色的大招牌，很快引起了附近人们的注意。接着，贾慧春还推出了洗衣送《瑞丽》杂志、免费送货上门、洗浅色服装和加急业务不加价等一系列的促销活动。同时，她还利用自己原有的服务业的知识，对店内的雇员进行训练，推出了"微笑服务""一切为了让顾客满意"等基本经营理念，很多人对贾慧春的"荣昌大唐硅谷洗染中心"留下了很深的印象，她的营业额从每天几百元迅速上升到每天 3000 元左右，回头客越来越多，收回投资已经不成问题。

洗衣业是个很辛苦的职业，自从开了这家加盟店以后，贾慧春每天的睡眠就没有超过 7 个小时。她为了让几个雇员尽快掌握洗涤各种织物的技术，请了总店的专业人员给他们进行技术辅导，为了满足客人应急洗衣的需求，保证 24 小时取衣的承诺，她经常带着雇员干到晚上 10 点多钟，回到家里腰都直不起来。

贾慧春说，她在经营中也碰到了很多难题。比如，有一次店内的一台冷烫机出现了故障，原来说好下午来拿衣服的客人有十几位，如果不能按时交货的话，可能会对店里的生意造成很大的影响。这时已经是下午 1 点多钟了，他们赶紧拨通总部的电话，总部很快派了两名维修人员来，并迅速排除了机器的故障。他们说，故障是因为操作的失误引起的，随后教给雇员一些设备维护的常识，并没有收取任何费用。贾慧春说，单看这点，这次加盟就挺值的。

贾慧春觉得，干这一行算是干对了。她决定过一段时间再雇几个人，在附近多开几家收衣点，把店面的辐射面积尽可能的扩大，她笑着说，"背靠大树好乘凉"这句话说的就是我们嘛。

经营秘笈

短短 10 年时间，加盟连锁和特许经营的概念就在我国迅速兴起。加盟连锁和特许经营受到如此追捧，当然是因为其独具的优势，这些优势包括：首先，加盟者使用的是特许者已被市场接受的一套成功经营方式，包括一定品牌效应的标志或技术。因此，加盟特许经营的成功几率远远超过自主经营；其次，加盟者能享受规模经济的好处，表现在两个方面，一是通过集团采购降低成本，二是联合广告与促销，不仅能节省成本，而且能呈现出强大和稳固的气势，也可加强品牌对消费者的吸引力；第三，加盟者能得到特许者全方位的支持。特许者将提供包括服务、商标和产品等的整套企业经营理念；在加盟者加入初期给予完备的支援服务，如聘请员工、培训技能、策划促销活动等；在连锁店运营期间提供不间断的再培训和各种监督、指导和帮助活动。

加盟连锁和特许经营有这许多好处和便利之处，但如果你希望通过这种形式来创业，有些问题同样不得不引起注意，这些问题包括：一些特许和连锁的"发包"方圈钱至上，以圈为主要目的，无度发展盟员，给经营埋下严重隐患。国际上知名的特许经营企业对加盟者的加盟条件要求都非常严格，因为特许者看重的是企业形象，宁严勿滥，光有钱还不行。而国内的特许经营存在很多不规范的方面，有的本身从未开过一间店，就大张旗鼓发展加盟店；也出现一些移花接木，利用总部的技术私自再开分店或把总部的技术传授给他人的情况等等。这些都是特许经营的道德风险。第二，操作不规范，培训弱化。特许经营成功的品牌，根本原因就在于操作规范，有高质量的加盟手册和可操作的运营手册，使得世界各地的店铺都能较好地保持一致的形象与风格。但我国目前连锁品牌中近 30%的企业没有加盟手册，20%以上的企业没有运营手册，只有 50%的企业相对规范。

正规的特许经营都有严格的培训体系，每一个项目必须细化到具体内容，且异常严格。像麦当劳、肯德基等，都有相当复杂的培训体系。而国内有一些特许经营根本不重视培训，提一些空泛的口号，造成加盟店多方面走样。第三，空头支票很多。特许经营授权方是不能对被授权方给出利润率多少的实际承诺。但有些特许加盟公司甚至在书面上做出了实际利润率的许诺，一旦未达到，势必引起官司。

除了加盟连锁和特许经营"发包"方的问题，有些加盟者自身的问题也会为其将来的经营造成障碍，这里面主要的问题是你是否愿意守规矩，遵守别人制定的纪律，按游戏规则来出牌。特许经营取得成功绝非偶然，强大而有力的特许经营管理体系是发展的基础，如果你是一个不愿意受到他人约束的人，自主意愿非常强烈的人，那么，以加盟连锁和特许经营这样一种形式来进行创业就不是一个明智的选择。

解决以上问题以后，那么剩下来的就是一些技术细节问题。对于这些技术性细节问题，你一样要认真加以考虑，这将决定你加盟以后是否能够取得如预期般的成功。以我们的考察和认识，加盟者在加盟过程中要多长几个心眼，切忌盲目听信特许商的许诺，要静下心来对各种信息加以认真鉴别。首先要了解你将要投资的那个行业的前景，及其行业现状、竞争情况、利润等；其次，要研究一下特许经营商所提出的加盟费，一般来说，加盟者所缴付的加盟费基本上已经包括经营权的使用、店铺的租金、装修、器材设施和某些数量的存货等，加盟者在运作时除了买货和支付营业额某个百分比的管理费外，基本不用再付额外费用给特许经营商。第三，你要细心了解特许经营商列出的各项条款，因为很大程度上，加盟者的经营是受制于特许经营商的，如所卖货品的种类、价格制定、货品供应等等。

一个合适的加盟和特许"发包"方须满足以下条件：拥有良好的口碑；品牌已永久注册并拥有；有成功的单店管理经验并容易被复制；所提供的产品或单店有良好的获利能力；有稳定、品质保证的进货系统；生意能够长期进行；特许者能够长期提供支持。

加盟中的一些细节问题不能忽视，如门店选址和市场调查。选址一定程度上决定了加盟后经营是否能成功。对个人投资者来说，投资前的市场调查也很重要，主要目的是选定店址，了解当地的开店条件和竞争者的情况，让自己心里有数。虽然个人投资者无法像大企业一样委托专家做调查，但这一点不能忽略。如连锁中的便利店在百米以内不准开两家的"行规"如今已出台，为的就是避免恶性竞争。

值得注意的问题还有，有些特许巨头在布置网点时，往往会侵害小店主的利益，看到你的加盟店生意兴隆，特许者往往会决定在你附近再开一家分店，因此在签订特许合同时，必须就相关事宜做好磋商，并白纸黑字写进合同之中，以免今后被动。不要听信对方的口头许诺，也不要相信什么君子协定。

有些所谓的特许加盟项目，实际上是利用连锁的形式在变相地推销产品设备，他们既不承担风险，也没有连锁经营的统一管理。甚至还有欺诈中小投资者资金的事情发生。因此，如果没有十分的把握，绝不要轻易加盟那些没有实力，没有品牌名气的不成熟的连锁企业。

连锁加盟的理念是"合作与双赢"，双方抱有真诚合作的态度，是成功的前提。企业发展中会出现一些问题，这些问题应得到加盟双方的重视。最好是双方在谈判过程中，要有第三方如咨询公司、法律顾问的加入，并要重视加盟合同与规则的制定。

武汉热干面是"中国五大名面"之一，"蔡林记"是经营热干面的老字号，在当地人中有良好的声誉。为了扩大企业规模，"蔡林记"将6年的品牌经营和推广权免费交给了某策划公司。9个月后，加盟店便迅速扩展到120余家，然而好景不长，不到两年就垮掉了100多家，只有30家加盟商勉强收回5~10万元的投资，其他店的投资都打水漂了。

加盟商们交了5~10万元不等的加盟费，在老"蔡林记"培训了3天后，就匆匆开始操练了。而总店的原材料配送中心，在第一家店开张13个月后才匆忙上马，所谓的定期考察也有头无尾，各店的出品质量、卫生状况和服务水平没有人监督，各加盟者实际上是一盘散沙，缺乏连锁经营的统一性。

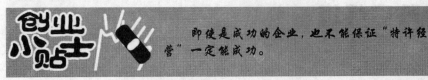

创业小贴士　　即使是成功的企业，也不能保证"特许经营"一定能成功。

更致命的是，这家策划公司曾承诺，为了保证加盟店有充足的客源，店距控制在10公里左右。但事实上，在武汉的一些繁华地段，不足10平方公里的社区内，却硬塞下近20家"蔡林记"，本来卖1.5元一碗的热干面，在价格战的恶性竞争下，被压到1元，加盟商最后赔得经营不下去，只能把店面低价转让或干脆关门。

这说明并不是所有的名牌店加盟了就可以赚钱。即使是成功的企业，也不能保证"特许经营"一定能成功，上海荣华鸡败退京城，"红高粱"挑战麦当劳无果，"全聚德"南方五连败等，都是成功企业连锁走麦城的惨痛案例。从特许经营总部的角度说，扩大经营规模也许是容易的，难的是如何维持和控制这个规模，除了加盟商自身的一些问题和经营中的矛盾外，企业盲目的扩张导致管理上的鞭长莫及，应该也是加盟者需要特别警惕的。

另外，操作上的不规范，缺乏高质量的加盟手册和可操作的运营手册，也是特许加盟遭遇失败的重要原因之一。由于特许经营的双方在总体上是一个合作的关系，加盟者要为总部的发展做出自己的贡献，特许者也应保证加盟者在合法的基础上赚钱。从加盟者的角度说，在"上船"之前一定要慎之又慎。在考察时不仅要看其是否有规范的运营手册，而且还要其提供更为详细的若干文件。加盟连锁中曾经发生过"大滇园"案例，因为在火锅配料中添加罂粟壳，被政府查出，不但特许商受到查处，加盟者亦受牵连，损失惨重。加盟者对总部的资产情况、运营情况以及以往的不良记录等都要做到心知肚明，否则风险会很大。

有人觉得，加盟特许经营可以免受创业初期的艰辛与挫折，就像一个植树者，不必从一棵小树苗开始辛苦地培育和等待，而可以背靠"特许"这棵繁茂的大树，只要给它浇浇水、施施肥，就可以摘到新鲜的果实。可很多人忘记了，这棵树可能只是表面上很高大，其实里面已经开始腐烂，结果加盟者不但没摘到果实，还搭上了自己的辛苦和肥料钱；或者自己乱施肥、瞎浇水，让一棵本来好端端的树毁在了自己的手里。

个性店经营

杭州有个特色店，也有些人称为个性店，名叫"综衣其间"，老板是个漂亮的小女孩，名字叫倪东野。

和别的女孩不同，倪东野的爱好有点像男孩子。她从小就酷爱看战争片，喜欢收藏一些弹壳、徽章之类的小玩意儿，对兵器也有着浓厚的兴趣。长大后，接触的朋友中也有不少军品的发烧友，其中有一位还是专门搞休闲军装批发业务的，代理着好几个军装品牌在华东地区的总经销。倪东野经常去这位朋友那儿帮忙，发现经营军品军装也蛮赚钱的，便萌生了灵感：

何不在业余时间开一家军品专卖店？

倪东野把自己的想法跟朋友们一说，立即得到了大家支持。在朋友们的支持下，2003 年 12 月，倪东野在杭州城西的竞舟路上租下了一个面积约 50 平方米的店面，开出了她的"综衣其间"。

对于倪东野把军品店开在竞舟路上，朋友们一开始都颇为不解。不少人建议她，像你这种个性鲜明的休闲军装军品店，应该开到武林路服装街上去才对，或者到松木场一带时尚服饰店比较集中的地方，生意才会好。"

的确，竞舟路并不是一条繁华的商业街，人流量十分有限。但是倪东野经过细心的考察和突破常规的分析，却看到了在这里开军品店的潜在优势。这里的房租相对于繁华的商业地段要实惠得多，这是在投资成本上显而易见的优势。倪东野看好的不仅是房租上的便宜，还有竞舟路上特殊的商业结构。

说起竞舟路，还真有一个非常奇特的商业现象。整条竞舟路上的店家其实并不多，而且也就北端热闹一点。但奇就奇在这一小段路上竟密密匝匝地汇集了 18 家城西地区最具特色的餐饮饭店，对面则有几家汽配店和洗车行。细心的倪东野发现，18 家饭店中开得最火爆的那几家都是经营辣菜的，有一家饭店甚至打出了"不辣不革命"的口号。倪东野敏锐地意识到，如果从某个特殊的视角去看，这种辣菜馆的定位和军品店的定位相似，不约而同地瞄向了性格粗犷豪放的消费者。至于汽配店和洗车行，也经常有喜欢户外运动的人开着吉普车过来，他们对军品更是有着浓厚的兴趣。

创业小贴士

一家专卖店要经营成功，除了有好的经营位置，更需要有吸引人、叫得响的商品。

经过这么一番突破性的分析，倪东野认定了这里是开军品店的上佳位置。果然，"综衣其间"在 18 家餐馆对面开业后，不少原本闻名过来吃辣菜的顾客纷纷被吸引了过来。而那些前来洗车的客人，在等待洗车的过程中都会走进"综衣其间"看一看，慢慢地也就成了熟客。

一家专卖店能否经营成功，商品是第一位的。有了好的经营位置，更需要有吸引人、叫得响的商品。为此，倪东野在选择经营商品上也非常讲究。

首先，她瞄准市场风向标，坚持突出商品的个性。作为军品店，毫无疑问要把军装作为主打商品。从香港等地的流行趋势看，休闲类军装的流行已经从过去的特殊爱好人群扩展到了普通消费大众，搞专卖完全有市场基础。所以"综衣其间"只经营休闲军装类的服装，经营的品种也集中在自由基地、奔迅、哈雷、爱维尔斯等五六个品种，绝不搞杂而全。

在突出个性特点的同时，倪东野也非常重视商品的实用和实惠。倪东野分析说，军品服装具有环保、耐脏、随意性大、个性强等特点，对消费者来说是很实惠的穿着。那种以为军品服装只能供爱好者赏玩，并没有多少实用价值的观点早已过时了。现在的人一方面讲究个性，喜欢给人全新的感觉；另一方面又向往休闲，喜欢宽松随意的打扮。而休闲军装正好迎合了大众的这种需求。所以一般的人都有可能去买休闲军装，双休日到野外走走的时候穿上，既舒适随意，又能令人耳目一新。为了提高商品的实用性，倪东野在进货时严把质量关，着重挑选那些耐穿的全棉制品。此外她还坚持用经济实惠的价格吸引顾客。在"综衣其间"几乎看不到三五百元的服装，大部分的全棉军服和军裤价格都在 150 元左右。

在主打休闲军装的同时，"综衣其间"还经营款式特别的军包、军牌、军壶、军靴和登山鞋等，这些军用产品与军衣军裤相得益彰，使"综衣其间"的商品变得丰富多彩。

为了烘托军装和军品的效果，营造一个与军品相协调的气氛，倪东野在店堂的设计上着实狠下了一番功夫。她找遍杭城的旧车回收市场，终于淘来一部老式的军用吉普车，接着又从别人的修车铺里买来了一个旧汽油桶，自己亲自动手，将吉普车和汽油桶漆成了军绿色。吉普车摆进店堂成了收银台，而汽油桶则成了货物陈列台。

店面很高，倪东野就充分利用空间，隔出了一个 20 平米的阁楼，使营业空间扩大到了 70 平方米。而阁楼和楼梯还有货架的材料用的都是冷冰冰的槽钢，其间还穿插了厚重的铁链，据说倪东野的目的是为了体现"硬度"。更衣室被别出心裁地用英文标上了"机要室"的字样，而洗手间也成了"弹药库"。还有墙面被做成泥泞的土墙效果，地面上更是独具匠心地印满了军靴的鞋印。倪东野不无得意：我就是要把店堂布置得像战场一样。有些顾客刚踏进店门，也许会觉得这里的气氛有点恐怖，但他们都不得不承认，我的店很酷，很有吸引力。我要的就是这种感觉。

为了将这种氛围推向极致，倪东野还为自己的小店专门设计了一段话："我们憎恶战争，但我们不畏惧战争，我们宁愿在和平的环境下穿着休闲军服，而不愿去承受战争的苦难。我们为正义而战——任何时间任何地点。"

倪东野用英文将这段话写在了店门的门楣上。她用这种充满文化的语言，不动声色地怂恿着人们亲近军品、尝试军装。

倪东野过去从没有搞过经营，但是她却颇有经商的天分。依靠个性鲜明的商业形象和搭准市场脉搏的商品，"综衣其间"可谓初战告捷，开张不过3个月，经营就已经步入了稳定增长期。

有过开店经验的人都知道，开店是要靠"守"的。第一年亏，到第二年才开始赚钱是很正常的事。倪东野的店一开张，就"形势喜人"。倪东野为"综衣其间"投资了十多万元，其中主要包括了5万元一年的店面房租，3万元的店堂装修和3万元的备货流动金。开张后平均每天营业额可以做到千元以上，而且生意越来越好，回头客越来越多。从目前情况看，倪东野这个店，第一年就可以获得不俗的回报。

为增加对顾客的粘度，倪东野在自己的店里推出了会员制消费，通过会员制来发展我的固定客户。她希望在今后条件成熟的时候，再举办一些诸如军品俱乐部之类的沙龙活动，吸引军品爱好者参加活动，向他们定期发布最新产品，从而将军品生意做得更加深入，更具有人文气息。

经营秘笈

类似倪东野"综衣其间"这样的个性店，现在是越来越多了，如以手工饰品制作闻名的"碧芝"、以经营成人玩具闻名的"头大"、以浪漫文化为标志的"世纪金手指"，

不但经营的商品要"个性"，经营手法也同样要"个性"，花样翻新，切忌雷同

都堪称个中翘楚。与以往的商业形态不同，这类个性店主要针对小群体，瞄准的是细节市场，在经营中充满了强烈的个人意味和小群体感觉。这种商铺在经营手法上强调两个字，就是"个性"或曰"特色"，强调与众不同。掌握了这一点，就等于掌握了这种商铺经营的全部秘诀。不但经营的商品要"个性"，经营手法也同样要"个性"，花样翻新，切忌雷同。那些教科书上放之四海而皆准的经营、管理方法，对于这些个性店几乎都失去了作用，甚至个性店与个性店之间，亦无法借鉴。总之，它强调的就是

"我就是我"、"我不是你"。谁越能做到个性鲜明，谁就越能获得成功。

网上店经营

　　除了传统行业的创业经验和做法，如餐饮业、商业零售业、服务业等等，还有很多思想新潮、眼光锐利的朋友来信向我们问到诸如网上创业之类的问题，这一类朋友以刚出校门的年轻人居多，有一部分就是在校的学生，当然也有一部分人老心不老、永远保持好心态的中年人和老年朋友。如上海复旦大学一位名叫王军的朋友就给我们写信。他这样说："谢谢你们的咨询。我是一位在校的学生。在我们学校，几年以前，就有一部分同学在网上开店，进行网上创业。随着网上开店热潮的升温，2003 年我也在易趣网上开了一家网上店，专门提供学生毕业留念用品，同时提供网上旧学习用品的交换。但是经营一直不温不火，每个月的销售额，多的时候有几千元，少的时候只有 1 块 2 毛钱，几乎等于空白。现在我面临着很为难的局面，不知道是否该继续经营下去，因为如果不做了，我前期的投入（包括买数码相机等，前期投入也有几千元，对我们做学生的来说，也不算个小数）就全部打水漂了，还不说我花费了多少心血和精力。但是继续做下去，像这样的局面，简直是毫无意义，白白浪费感情。我很

创业小贴士

创业总会有失败。人们可以尽力避免失败，却不可能完全回避失败。

想问问你们，你们对网上经营、对网上开店熟悉不熟悉？网上开店究竟有没有技巧？"老实说，阅读这样一封信，不是一个令人感觉愉快的过程。我们眼前仿佛出现了这样一个年轻人：这个年轻人本来充满了梦想与追求，没想到，梦想与追求却忽然间破灭了，这个年轻人为此感到愤怒而沮丧，浑身颤抖，不由自主地冲着这世界大声咆哮和呐喊起来。这是可以理解的，所有梦想破灭的人，都难免出现这种抑郁下的过激反感，我们在太多失败创业者的脸上看到过这种表情。

　　但是创业总会有失败。人们可以尽力避免失败，却不可能完全回避失败。正确的方法有助于我们离失败远一些，而站得离成功近一些。巧合的

是，我们的朋友中，就有一些曾经进行过网上创业。其中有数人的网上店，至今都堪称成功。这方便了我们对网上开店和网上创业进行近距离的观察，使我们有可能为朋友们的疑问提供一份可信的答案。但我们的研究，当然不会止于我们及我们的朋友。我们希望能在更广阔的角度上来观察这一问题，来进行思考。我们希望我们提供的答案，不仅是对某几个给我们来信的读者有用，而是对所有正在或预备进行网上创业的朋友都有用，可以提供他们不仅有益，而且是有效的参考。

我们可以先来看一看网上开店、网上开店的主体是什么人？给我们写信来的王军朋友是一位上海的在校大学生。据我们了解，在校大学生正是网上开店、网上创业的第一主体。大学生网上开店、网上开店有成功也有失败。王军先生不算得很失败，与王军先生一样，同为上海在校大学生的洪祺良的网上创业非常成功。洪祺良是 2004 年上海易趣网"易趣杯"首届大学生电子商务赛冠军得主。在 3 个月的比赛时间内，洪祺良靠出售的电脑产品成交了 285 件商品，成交金额高达 82090 元。

2002 年，在上海大学学习广告艺术设计专业的洪祺良，通过出售家中的空白刻录盘开始了网上交易。在处理家中闲置物品的过程中，他意识到这种商务模式也可以为自己带来额外的回报。于是，洪祺良用积蓄的 1 万元压岁钱，开始在网上经营电脑配件生意。

电脑产品品种繁多，小到 MP3，大到数码相机甚至笔记本电脑，都是网上交易的热门货。作为刚刚接触网上交易，手中资金又不多的新手，洪祺良选择了一些市场需求量大，同时进货成本相对较低的产品，如无线网卡、视频产品、MP3 个人数码产品等等。

"一开始只是做着玩玩，后来发现确实能赚些零花钱。"头两个月，洪祺良的商店生意比较清淡，主要是信用度低。后来，一些造访的顾客发现这个店主的信誉不错，回头客就多了，生意也渐渐红火起来。洪祺良依靠他在网上商店赚的钱，支付了自己上大学期间的所有费用。经济上不再依赖父母，他在同龄人中感觉很自豪。

洪祺良刚刚开始迷恋网络的时候，曾经遭到父母的反对，理由是"影响学业"，他的电脑还因此被"封闭"。"是我吵着闹着，好不容易才把存在他们那里的压岁钱给要回来。第一笔风险投资应该是我投给我自己的。"洪祺良认为这是自己人生中一个正确的决定，"在我做出成绩以后，家里才肯支持我，并给我资金。"洪祺良说，后来自己开网上商店就有了一个"家庭工作室"的帮助。他的父亲在一家物业公司工作，上班的地方离邮局近，邮寄商品的工作很多时候由他代劳。母亲也帮忙打理网上商店的财务记账。到 2004 年，洪祺良的网上商店月均销售额已经达到 1 万元以上；如果以后业务再扩大，就要开个公司找人一起做。

据国内著名的个人电子商务网站 eBay 易趣统计数据表明，在 eBay 易趣上万个网上店铺中，在校大学生开的"个人店铺"达到 40%，且物品范围之广、营业额之高，丝毫不弱于其他专业店主。

大学生成为网上开店主体并不令人意外。因为他们思想活跃，最容易接受新鲜事物；时间自由，可供支配的空闲较多；资金有限，更利于从事网上的小本生意。另外还有一点很重要，就是他们同时也是网上商品的主要购买力，站在自己的角度选购商品，定价卖出，更切合同龄人的心理，因而更加容易成功。

除了在校学生，网上开店的第二主体是人们所习惯称谓的"白领"。网上创业因为其随意和自由，不必坐堂看店，随时随地可进行远程管理，正符合白领们既要上班，又要兼顾生意，而手边通讯工具发达、方便的特性，因而大受一些思想开放而手头经常会感到一丝拮据的中下层白领们的欢迎。当然，时不常也会看见一些高层白领在其中"玩票"。

除大学生、白领，在网上开店创业的下岗职工也不少。

网上开店自有其优势，总结起来网上开店具有 5 方面的优势，第一、投资少，回收快。第二、基本不用占压资金，相对于传统商业形态，网上开店对创业者资金的要求要低得多。第三、营业时间不受限制，基本上是全年 365 天"无休"。第四、销售规模不受地域限制，网络四通八达，你处身在哪里，只要能上网，都不影响你开店。第五、店面空间不受限制，只要你愿意，你可以在你的网上店里摆上成千上万种商品。

经营秘笈一：你有廉价的货源吗

如今，网上交易之所以红火，最大的特色在于买者能从中挑到价廉物美的东西。那么，对于创业者来说，你有货物渠道吗？你有廉价的货物吗？所以，你到底准备卖什么？这是网上开店成功的前提。目前，从网上交易的产品来看，服饰类、通讯器材类、化妆品类是几大热门产品。其他如工艺品、保健品等也有一定的消费者。

从网上交易的产品中可看出，一类是价格非常便宜的产品（相比网下同等产品），如手机、电脑、化妆品等；另一类是网下不常见或不在市场流通的产品，如各种优惠票、独特的饰品甚至房产等。

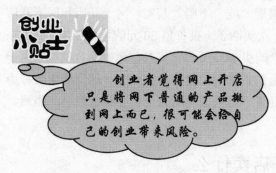

创业者觉得网上开店只是将网下普通的产品搬到网上而已，很可能会给自己的创业带来风险。

大多数网上店铺的店主都有固定的货物渠道，有人是代理了某个知名服饰品牌，有人网下已经有一个固定的店，有人专门到香港或者国外进货，有人则找到了一级批发商等。对于刚刚接触网上交易的创业者，除了学会如何上网、如何登陆以外，更要考虑自己的实力和能力。如果创业者觉得网上开店只是将网下普通的产品搬到网上而已，很可能会给自己的创业带来风险。

经营秘笈二：你会开价吗

一位店主曾经在网上卖过两部手机，她自认为开出的价格已经比网下的价格便宜了三四百元，而且还赠送充值卡。可是半个月下来却没有买家出价。后来，一位朋友帮她找了一下原因，发现她的价格相比其他卖家而言还是太高，另外她在登陆商品时，没有配上产品的照片，而且她也没有为商品起一个引人注目的标题。

网上交易对店主在价格制定上的策略非常敏感。所以，店主学会开价是很关键的。网上产品部分是通过拍卖形式成交的，即卖主开出一个价，然后各路买家再加价，直到成交。因此，卖家开出的价并不是自己心里要出售的价，而是要便宜，然后再靠人气将价格拍卖上去。所以，店主对商品的描述、商品的定位一定要吸引人，这样才能增加点击率聚拢人气，也为店铺拉进长期顾客。

经营秘笈三：你有魄力吗

网上开店不是那么简单，也同样考验店主的魄力。创业者如果以为将商品登录到网上就没事了，那肯定赚不到钱。你如何让买主知道有你这家店？最好的办法就是广告。有一位店主长达几个月连续在首页上做商品广告、做店铺广告。但每天广告的费用支出比较高。创业者做广告时，还要学会为商品起一个漂亮的广告语，才能引人注意。

同时，面对赚钱机会你有胆"吃"下吗？其实，网上开店和网下开店都需要魄力。有一位店主曾一次买断了一批价值30元的背包货物，并不在店里出售，而是打出广告："购买600元以上商品，送时尚背包"。由于买主都喜欢这款背包，她店里的货物很快就被抢购一空。这位店主的行为其实需要很大的魄力，而创业者一旦失去魄力就会失去赚钱机会，当然，这样的机会也是充满风险的。

经营秘笈四：网上开店卖什么

确定要开一家网上店铺后，"卖什么"就成为最主要的问题了。在确定卖什么的时候，要综合自身财力、商品属性以及物流运输的便捷性，对售卖商品加以定位。目前个人店铺的网上交易量比较大的包括服装服饰、化妆品、珠宝饰品、手机、家居饰品等。在这方面，网上开店与传统的店铺并无太大区别，寻找好的市场和有竞争力的产品，是成功的重要因素。

在考虑卖什么的时候，一定要根据自己的兴趣和能力而定。尽量避免涉足不熟悉、不擅长的领域。同时，要确定目标顾客，从他们的需求出发选择商品。目前主流网民有两大特征，一是年轻化，以游戏为主要上网目的，学生群体占有网民相当的比重；其次是上班族，代表了主流网民的另一大基本特征——白领或者准白领。了解了主流网民的基本特征，就可以根据自己的资源、条件甚至是爱好来确定是撒下大网、打主流，还是剑走偏锋、独辟蹊径。特色店铺到哪里都是受欢迎的，如果能寻找到切合时尚又独特的商品，如自制饰品、玩具 DIY、服饰定做等商品或服务，将是网上店铺的最佳选择。

此外，商品自身的属性也对销售有制约作用。一般而言，商品的价值高，收入也高，但投入相对较大。对于既无销售经验，又缺原始资金的创业族来讲，确实是不小的负担。网上交易地域范围广，有些体积较大、较重而又价格偏低的商品是不适合网上销售的。因为在邮寄时商品的物流费用太高，如果将这笔费用分摊到买家头上，势必会降低买家的购买欲望。

网上开店卖什么最热门，哪些商品是人们在网上最喜欢购买的呢？据易趣网最新统计显示，水晶、纯银项链、彩屏手机、床上用品、牛仔裤等成为人们搜索最多的关键词，这些关键词从一个方面显示出人们的购物时尚，也为欲做网上生意的人们提供了开店导向。

一、珠宝类："水晶"、"翡翠吊坠"热卖。珠宝分类一直是易趣网上交易最为活跃的分类，2004 年，流行饰品的新宠水晶和个性化的吊坠受到买家的青睐。在 2004 年上半年，易趣网水晶手链平均每月能卖出 800 余根，A 货翡翠吊坠的月成交量更是达到了 3000 个以上。水晶、银器和玉器的热销，带动了 2004 年网络珠宝分类的销售热浪。

二、礼品居家分类："Zippo"、"床上用品"受宠。选购礼品一向是花费心思的差事，从 2004 年的礼品销售情况来看，人们的送礼越来越偏向于品位与个性，具有一定身份象征的 Zippo 打火机成为新宠。仅"Zippo 经典铬"一种款式，2003 年全年的销售量就超过 20000 个。而床上用品的热销说明了网络购物的另一大特点——实用。居家装饰能看出主人的品位和心态，或素雅、或卡通、或时尚，2003 年仅易趣网床上用品四件套的销售量就达到了 30000 套。

三、手机分类："可拍照"、"彩屏"与"和弦"受青睐。手机一族们始终不会放过任何一种可以展现个性的新功能，2004 年可拍照和可摄像的手机无疑成为时尚的焦点，价格适中、功能兼备的索尼爱立信 T618 在网上的销售量有 4000 部之多。而具有彩屏、和弦功能的手机也仍有众多的购买者，摩托罗拉 T720 就是其中的典型之一，其 2003 年网络销售量达 4500 余部，2004 年也是势头不减。

四、服饰分类："牛仔裤"、"圆点"、"条纹"继续流行。牛仔装是一年四季不变的流行，无论出席何种场合，只要搭配得当，牛仔装就能显示出独特的魅力。2004 年流行的低腰修身牛仔长裤，更是受到了白领一族的青睐，易趣网每月就能卖掉 2500 条左右。风靡 2003 年的圆点条纹图案继续成为了网络售购的一抹亮色，其中圆点条纹的女包更是独占鳌头，因其合适的价格，平均每月能销售近千个。

五、收藏分类："奥运"相关收藏品热潮不退。奥运健儿在雅典的出色表现，引发了 2004 年的奥运热潮，也带动了各类奥运相关纪念品的收藏热潮。网络的收藏分类在该段时期的交易异常火爆，从 2004 年 6 月至 8 月，奥运类物品的销售量就突破了 1000 件。

根据易趣网的分析，2004 年最为看好的是运动产品、房产等相关行业的网上商铺，他们共同的特点是不再像以前的网络热销产品那样花哨和电子化，而都是实实在在的生活化用品，但对个性化的要求同样很高。

2003 年，易趣的网络商铺红红火火大发展，其中销售量较大的是挂件、手机、电脑等产品，热销的原因主要是上网一族年轻人对时尚感、装饰性和高科技的追求。2004 年，在易趣分类排名居中的运动分类渐渐脱颖而出。前三个季度仅运动水壶就销售了 6000 多个。专门出售运动类产品的"XX 运动用品"商铺，平均每月的销售量能达到 6000 多件，营业额近 50 万元。

健身球、瑜伽垫等适合于室内运动的健身器材，以及音像店中颇难觅得的运动教学 VCD 也是网上店铺的抢手货。易趣的电子商务专家指出，经营这些东西可能还是更适合在网络上，因为网络能够比较容易地聚集起线下虽然松散但数量却在持续增长的爱好者群体。

2003 年在易趣上开铺的房产中介商达到了惊人的 2000 多家，而 2004 这个数字翻了近两番。越来越多的租房族在通过网络搜房，仅就目前情况，易趣网每天新房出租 5000 套左右，二手房 3000 套左右，已经没有任何一家线下中介可比，这种"超市"环境，无疑对小中介争取客户是非常有利的。

而网上的房产中介更能吸引到大量外地的客户和房源。据上海不完全统计，今年上海人、外地人、外籍人士三者的购房比例为 75:20:5。海归们在海外就能通过网络找到合适的房子，"家"的感觉通过网络无处不在。现在易趣上除了上海的房源，大量北京、青岛、武汉，甚至香港的房源都已登录，每年房产分类都会拥有高达 6000 万元成交额。随着房产交易市场的放开，网上的房产中介商铺一定会在 2004 年火上一把。

到什么地方寻找货源？确定卖什么之后，就要开始找货源了。网上店之所以有空间，成本较低是重要因素。掌握了物美价廉的货源，就掌握了电子商务经营的关键。以服饰类商品为例，一些知名品牌均为全国统一价，在一般地面店最低只能卖八五折，而网上可以卖到七至八折。而在网上，服饰类商品的价格都是商场的二至七折。

那么，如何才能找到价格低廉的货源呢？

1. 充当市场猎手

密切关注市场变化，充分利用商品打折找到价格低廉的货源。拿网上销售非常火的名牌衣物来说，卖家们常常在换季时或特卖场里淘到款式品质上乘的品牌服饰，再转手在网上卖掉，利用地域或时空差价获得足够的利润。网上有一些化妆品卖家，与高档化妆品专柜的主管熟悉之后，可以在新品上市前抢先拿到低至 7 折的商品，然后在网上按专柜 9 折的价格卖出，因化妆品售价较高，利润也相应更加丰厚。

2. 关注外贸产品

外贸产品因其质量、款式、面料、价格等优势，一直是网上销售的热门品种。很多在国外售价上百美元的名牌商品，网上的售价仅有几百元人民币，使众多买家对此趋之若鹜。淘宝网店主张小姐从事外贸工作，由于工作关系积累不少各地的纪念品，送了一部分给亲友后，仍有大量剩余。在朋友的推荐下，张小姐将自己的闲置物品上网销售，没想登出不久就销售一空，现在，她的小店已经有了固定客户 200 多人。

易趣网的"大风外贸"、"51clothes外贸流行服饰"等信用度超过2000点的大卖家都是以外贸服饰起家的。新的网上创业者如果有熟识的外贸厂商，可以直接从工厂拿货。在外贸订单剩余产品中有不少好东西，这部分商品大多只有1~3件，款式常常是明年或现在最流行的，而价格只有商场的4~7折，很有市场。

3. 买入品牌积压库存

有些品牌商品的库存积压很多，一些商家干脆把库存全部卖给专职网络销售卖家。品牌商品在网上是备受关注的分类之一，很多买家都通过搜索的方式直接寻找自己心仪的品牌商品。而且不少品牌虽然在某一地域属于积压品，但网络覆盖面广的特性，完全可使其在其他地域成为畅销品。如果你有足够的砍价本领，能以低廉的价格把他们手中的库存吃下来，一定能获得丰厚的利润。

4. 拿到国外打折商品

国外的世界一线品牌在换季或节日前夕，价格非常便宜。如果卖家在国外有亲戚或朋友，可请他们帮忙，拿到诱人的折扣在网上销售，即使售价是传统商场的 4 至 7 折，也还有 10% 至 40% 的利润空间。这种销售方式正在被一些留学生所关注，日本留学生"桃太郎"的店铺经营日本最新的化妆品和美容营养保健品，通过航空运输送到国内甚至世界其他国家，目前在淘宝和易趣都有店铺。因为其化妆品新鲜，而且比国内专柜上市更快，更便宜，因而受到追捧。此外，一些美国、欧洲的留学生也在网上出售"维多利亚的秘密"、"LV"等顶级品牌的服饰和箱包产品，其利润均在30%以上。

5. 批发商品

一定要多跑地区性的批发市场，如北京的西直门、秀水街、红桥，上海的襄阳路、城隍庙，不但熟悉行情，还可以拿到很便宜的批发价格。北京的淘宝网卖家萍萍家住北京南城，家附近就有很多批发商城，除了在家的附近进货以外，还会偶尔去西直门动物园等大规模的批发市场去淘货。通过和一些批发商建立了良好的供求关系，能够拿到第一手的流行货品，而且能够保证网上销售的低价位。

找到货源后，可先进少量的货试卖一下，如果销量好再考虑增大进货量。在网上，有些卖家和供货商关系很好，往往是商品卖出后才去进货，这样既不会占资金又不会造成商品的积压。总之，不管是通过何种渠道寻找货源，低廉的价格是关键因素。找到了物美价廉的货源，你的网上商店就有了成功的基础。

经营秘笈五：寻找批发商

(1) 厂家货源：适合资金雄厚、不怕压货的大卖家

优点：货源充足、价格最低

缺点：要求量大、容易压货

(2) 大批发商：适合有一定实力、能与之周旋的中等卖家

优点：货源稳定、方便寻找

缺点：换货麻烦、服务滞后

(3) 二级批发商：适合刚刚起步的小卖家

优点：了解行业、服务周到

缺点：价格偏高、信用不明

开一家网上商店，首先要解决好货源问题。如何能拿到便宜又优质的货物，是开商店重要的环节。货源的选择会直接左右创业者的利润和收入状况，因此在货源的选择上一定要谨慎。从网上经营的普遍性看，货源可以考虑从三个方面寻找：厂家、一级批发商、二级甚至三级批发商。一般来说，进货方式选择越接近源头，能够获得的利润空间也越大。但不同级别的批发商都有其优缺点，不同实力的创业者要根据自己的现实状况慎重

老板是怎样炼成的

选择。

选择重点：根据自身实力。可以从厂家拿到货源的商品并不多，因为多数厂家不屑于与小规模的卖家打交道，但有些网下不算热销的商品是可以从源头进货的。这些正规的厂家货源充足，而且对待客户的态度较好，如果长期合作的话，一般都能争取到滞销换款。但是一般而言，厂家要求的起批量非常高，以外贸服装为例，厂家要求的批发数量至少要近百件甚至上千件，达不到这个数量不但拿不到最低的价格，甚至可能连基本的合作都争取不到，而且容易造成货品积压，因而不适合小量批发的客户。如果创业者有足够的资金储备，并且不会有压货的危险或不怕压货，完全可以去找厂家进货。

大批发商或者说一级批发商比较容易寻找，一般用百度、google 等搜索引擎就能找到很多。他们一般直接由厂家供货，货源较稳定。但因为他们订单较多，服务难免有些滞后。淘宝网上的饰品卖家 tianren98 是店铺"天仞时尚购物网"的"大掌柜"，他认为，大批发商订单多发货慢还可以理解，但最大的难题在于换货，要求换货时往往会遭到拒绝或者换回的商品不尽人意，而货款更是不能退。他的经验是，在订货之前务必要将商品细节和服务方式确定，如果订货数额较大，最好能签订规范的售货合同，以免日后发生纠纷。

tianren98 在与大批发商合作遇到困难时，往往会转而寻找二级批发商。二级批发商一般是刚刚由零售转而做批发的，对这一行的货源、顾客需求等比较了解。这类批发商由于刚起步，没有固定的批发客户，没有知名度，因而为了争取客户，起批量要求较小，价格一般不会高于甚至有些还会低于大批发商。创业者还可以按照你进货的经验和他们谈条件，比如价格和换货等问题。而且为了争取回头客，他们的售后服务一般比较好。二级批发商的不足也是比较明显的，就是诚信度问题。因此在合作前最好能通过小批量合作探路，待了解其行事方式和服务态度之后，再进行大规模的合作。

多多比较批发价格：很多刚刚到网上开店的创业者，在一开始并不能准确找到商品的源头批发商。因为即使在各大批发市场，批发商之间也有合作。有些批发商甚至从 A 批发市场批进商品，然后在 B 批发市场以批发向外发货，这无疑会增加创业者的进货成本。要避免这种现象，就不要怕麻烦，一定多跑几个批发市场，不漏掉任何可能的机会，才能确定进货源头，避免上当。

淘宝网上的店主"阳光心情"，经营的是外贸服饰和内衣产品。她在去年刚刚开店时，就走了一段弯路。开始一直在商品销售商那里进货，这样商品倒了几道手之后，她的定价自然升高，留给自己的利润被摊薄，买主也根本不买账。好在一个月后她敏感地察觉到了这个问题，并及时进行了调整。现在，"阳光心情"已经跟 5 个以上的一级批发商建立了良好的合作，商品以低价格进入市场，有了很强竞争优势，而且自己也开始做起了批发。

tianren98 在批发价格上也有自己的见解。据他的经验看，每个批发商都会有主打类商品，这些商品一般都是从关系好的厂家直接进货，价格上具有一定的优势。他们往往会把这些产品中的一部分定价较低，以此来吸引顾客的眼球，从而带动其他产品的销售。如果创业者不嫌麻烦，可以找多个批发商，分别批发他们那些用来吸引顾客眼球的商品。如果嫌麻烦，那还是找售后服务好的批发商，要不然换货时浪费的费用和精力一定大大高于进货时节省的费用。 在选择批发商时，要尽量找因质量问题换货，费用由卖家出的批发商，这样他们出货时一般会仔细检查商品质量，就算有问题，也是他们出运费，这样就不会浪费自己的钱了。

"舒南工作室"的老板舒南总结了几点和批发商打交道的注意事项：

(1) 要注意个人形象，老板要有老板的样子。说话有水平，有见地，千万不要说行外话，以免被小看。

(2) 要了解批发商的性格，投其所好，与之交朋友，从而可以得到更多价位上的和调换货的好处。

(3) 凡事不要太计较，要记住自己是做大事的人。如果为了一两元而和批发商讲来讲去，只会让人看不起。谁都喜欢直爽的人，在与批发商合作时直爽一些，会赢得更多的合作机会。

(4) 如果是新开店，进货较多，距离不远可以考察的话，可以让批发商给你开业垫付货款，这样进货比较多可以受到批发商重视，可以在下一次进货时把上次的欠款还清。舒南每个店开业都由批发商至少垫付了 10000 元的货款，不仅可以充分利用批发商的资金优势，而且可以在批发商中建立良好的信用口碑。

(5) 在调换货的问题上，与批发商一定要事先达成一致，以免造成日后纠纷，什么可以换，什么不能换，换的周期是多长，自己和批发商都要做到心中有数。

(6) 作为新手，一定要通过交流看清批发商的性格特点，进而选择你认为可以信任的批发商合作。如果发现批发商太狡猾，要及时脱身，以免因为对行业不熟悉等原因受骗。

(7) 不要过分相信批发商的话。如他们为你推荐的款式，总是说销量很好，或者某商品马上售空，这其实是批发商的一种手段，如果因此而轻信，很容易造成货品积压。商场上只有永远的利益，不要轻信任何人。

(8) 与批发商的每一次货款交易，都要保留好凭证。如进货时对方开具的发货单、向对方欠款时的欠条等，最好有专门的夹子存放。如果与批发商有欠款，一定要在还清欠款后请对方开具收条，收条更要妥善保管。对方如因忘记对帐再次要求还款时，才有依据说明货款已经还清，否则容易造成经济纠纷。

经营秘笈六：卖场选择

以易趣为主、淘宝为辅。

淘宝：3年不收费、有亲和力

易趣：成交量大、已实现全球对接

决定开设网上店铺之后，首先要选择交易平台。目前的个人网上商店类似于一个大卖场里的很多专卖店，要选择什么样的卖场进驻，创业者也要综合考虑。目前比较热门的网上卖场有淘宝网、易趣网、一拍网等。

淘宝与易趣的收费与免费之争最近广受关注。因为易趣网早已开始全面收费，从开设付费店铺、商品登陆、商品成交、广告推荐，要开设一家店铺的费用至少在300元/月，而刚刚崛起的淘宝网则宣称今后3年内全部免费。与此相对的是，易趣网拥有巨大的浏览量：3000万/日，成交率据称达到45%以上，而且已经实现了与ebay的全球对接，这是淘宝网所不能比的。因此在卖场选择上，大多数卖家都采取以易趣为主，淘宝为辅的方式：将少部分有价格竞争力的精品放在易趣网上，同时把大量商品登陆在淘宝网，通过易趣吸引客流，然后在淘宝成交，减少费用支出。

经营秘笈七：店铺装修

(1) 起个好名字

宜：响亮、上口、直截了当

忌：晦涩、拗口、不明所以

（2）一张好图胜千言

拍摄：选择好相机、注意用光

软件：后期修改、增加装饰感

网上开店虽然投资少，但还是有必要的前期投资，如电话费、ADSL费约200元，此后每月150元左右；200万像素数码相机，约1200元，如果追求质量更高的照片，相机要达到300万像素，投资也增加到2000元以上；扫描仪，约500元。扫描仪在创业初期是可以省略的，但如果创业者经营的商品有厂家的说明或者杂志介绍，扫描仪仍然是少不了的；此外还有最重要也是最基本的设备——电脑。电脑的配置不用太高，但为了防止影响速度，3000~6000元价位的电脑是最佳选择。

起个好名字：和传统店铺一样，网上店铺也需要"装修"。传统店铺要想吸引客流，必须布置整洁时尚的店堂、漂亮且吸引人的灯箱、起响亮易记的店名等等。网上店铺的装修虽然不是实际意义上的刷墙面、铺地板，但目的同样是吸引顾客的目光，而且要在浩如烟海的网店中独树一帜。在起名、货品陈设、图片拍摄、语言说明等店铺"装修"上下的功夫，一点也不比网下店少。

网上店铺门脸的装修是至为关键的一步。目前，易趣网每天有2000多件新登录商品，在线商品总数达到5万件。如何使买家从5万件商品中注意并浏览自己的商品，店铺的整体想象和商品名称就显得至关重要。没有一个好的名字，或者没有一个有效、清新而又可以抓人眼球的页面，再好的产品、再好的价格，也很有可能会淹没在以天文数字计的网络页面链接的大海之中。店名也称招牌，给自己的小店挂个招牌有很大的讲究，大致原则有3点：

（1）**要响亮，容易上口，字眼要与众不同。** 名称要通俗易懂且读起来要响亮畅达，琅琅上口，挂出招牌的目的就是要让别人记住，因此这一点显的十分重要。如果招牌用字生僻，读起来拗口，就失去了招牌的作用。如"中国Zippo珍藏阁"、"非常美颜·非常店"、"世界名牌集中营"、"淘气吧·ToyBar"、"爱内衣＝爱自己"等，一眼看去就知道售卖商品的内容，而与众不同的风格更容易让人记住。

用与众不同的字眼，使自己的小店在招牌上就显出一种特别，而能在众多同行同业中引人注目。用现代商务运作的观点来看，一个与众不同的招牌实际上意味着一种独立的品位和风格。亲手设计店铺匾额，做出自己的店主肖像。起一个富于情趣的店名和创作一句过眼难忘的广告语。譬如，流光魅影，花样年华尽在锦绣——"锦绣喜居"丝绸家居；众里寻他千百度——新月小筑；生活可以如此美丽——嗜屋等等。或者写一段精彩噱头的店铺介绍，或者给自己的商品和留言本加上美丽的色彩，这些应该是老板们必修的绝活。

需要注意的是，与传统店铺起名要求简洁明了不太相同，网上店铺的名字最好不要太短。因为买家在浏览店铺时，众多店铺是以纵向列表的方式出现的，买家视觉上更容易受名称长一些的店铺名吸引，而如果店铺的名字只有3、4个字，则可能被忽略和淹没，因此要尽可能地使商品名称在6~12个字之间。

（2）**要与所售物品有关**。因为网上店铺的名称较少受字数的限制，随意性较大，很多网上店会起一些听起来很诡异的名称，让买家第一眼看上去不明白其出售商品的种类，如"RL狂热分子"、"我只吸引你"、"新锐·店主·爵士乐"、"六单元5楼9号"等，虽然店主本身的用意是用另类招牌吸引顾客，这种店名在传统店铺中传达的是个性、另类的信息，但在网上，人对每个信息的视觉停留仅有3~5秒钟，过于暧昧的名称反而令人生厌，因此是不可取的。

招牌用字要符合自己商号的行业特点，要能让人一看招牌就知道你的商号是干什么的。如果出售的商品比较多而且杂，就要以你的主打产品来给自己的小店命名。好的名字不仅可以在第一时间抓住顾客的视线，还能使买家在搜索引擎中搜索相关物品时更容易找到相关的店铺，无形中会增加商品的销量。

一张好图胜千言：店名选好之后，就要准备为商品拍摄图片了。在传统店铺中，顾客可以直接与商品接触，商品的质地、大小、重量等都可以——查看，而在网上，就商品本身而言，一张图片就是商品的全部。质量高、清晰生动的图片，能不同方位展示产品的特性，让买家一目了然，对商品产生兴趣和购买的欲望。

为了使图片的效果达到极致，不少卖家都添置了顶级的摄影设备。易趣箱包店铺"阿迪利亚"出售的产品都是国际知名品牌，一个皮包动辄就要上千元。店主阿迪利亚从这些品牌的地区代理处进货，在保证产品品质的同时，也在图片上下了很大功夫。为了使图片与高档商品相匹配，阿迪利亚添置了自己的柔光棚、太阳灯、遮光板，单是相机就已经更换了 3 部，现在他使用的是一架 400 万像素的专业单反相机，拍出的图片可与这些品牌的官方网站相媲美。正因如此，阿迪利亚也创下了让人羡慕的销售业绩。

易趣的饰品卖家"音乐盒"也是网站著名的图片高手。她认为，一张好的图片最主要的是拍摄手法，而后期的 Photoshop 修改并不是最重要的。她说，在拍摄中首先要注意的是光线，光线对于拍摄最重要。一般太强(中午的直射光)和太弱(家里的壁灯)都不行，最好的光是上午 9~10 点和下午 3~5 点的自然光线，不易出现光线不足或曝光现象。在拍摄前要注意，如果商品彩色单一或比较小，可以在构图中加入其他物品衬托，增加图的美感，防止图片过于单调；如果商品色彩较丰富或是大件商品，可以不用背影或配饰陪衬，这样可以让整张图清爽一些。

如果因为工作原因只能在晚上拍摄，可以选择两个 11~15W 的节能灯，一边打一个，防止出现阴影。但由于色温较低，节能灯下拍出的商品往往与实物有色差，这就需要使用 Photoshop 等图片处理软件对图片进行调整，但调整的目的是使图片与实物一致，不能过分追求图片美感造成与实物不符，反而引起买家不满。

重视商品说明：网上店铺展示商品时，与图片作用不分伯仲的是对商品的描述和说明。目前淘宝网和易趣网都支持 HTML 语言的商品描述，通过插入相关图片，以及翔实、细致的商品介绍，弥补图片的不足。不同店家对商品的描述都有自己的风格，有的还会加入一段心情故事或者对商品来历的描述，或华美、或朴实、或幽默、或时尚，这都是赢得买家的信任和好感的有利手段。网络交易是一种无声的交流，如果商品说明只是干巴巴的商品性质介绍，没有任何主观的描述，买家会感到店主并不用心，对产品也提不起购买的兴趣。

如一款"翡翠 A 货旺财貔貅摆件低价起售"的商品，店主对于貔貅的介绍是这样的：

品名：旺财貔貅

材料：翡翠 A 货

形状：摆件

尺寸：62 × 50 × 15mm

产地：缅甸

市场参考价：2600 元

本店售价：299 元

天然 A 货，雕工精美，翠色纯正，绝非后期激光染色，如假包退。照相技术不佳，实物比图片更漂亮。

貔貅是古代瑞兽，有独角、双角之形，短翼、卷尾、鬃须，是最强之催财风水用具，尤对偏行有奇效，例如外汇、股票、金融、彩马、期货、赌场等等。自古貔貅都是作为守护财宝吐宝之圣物，貔貅在五行风水中带火性，故能招来大量的金钱，使世间财源自此打开。

在确定商品名称时要突出价格优势。吸引多次出价，进入价格抢手商品行列，同时利用品牌效应，也便于搜索。人们对于网上商品的价格非常敏感。从理论上讲，网上商品价格比网下低，这也是驱使人们进行网上购物的原因之一。网店商品价格应比网下同样商品低到至少 8.5 折，最好能打 6.5 或 5.5 折，最能吸引消费者。但实际上许多网店商品定价与网下相比并没有体现出价格优势。这一方面是店主的进货成本高，一方面也可能是店主虚高定价。在商品本身没有突出特色的情况下，这种价格策略是不明智的。

网上店想长期吸引客人只有靠诚信、靠服务才行。

在网店经营时，要及时、坦诚地回答留言，解除买家的疑虑，并增加买家的信任感。网上店由于成本低，不用办理繁琐的手续，商品定价比较低，还可以用"打折"、"送礼"、"抽奖"等方式让利。网上做生意，必须重视信用，只有良好的信誉，才能赢得更多的稳定客户。有的店家还用推出星级客户服务、交流生活经验、发表生活随想等方式，把自己的小店变成了一个小社区，把客户变成了自己的朋友。"想长期吸引客人只有靠诚信、靠服务才行"，这是一位店主的经验之谈。

经营秘笈八：经营推广

与传统店铺一样，网店的经营推广需要很多策略，策略运用得当，就能吸引更多人气，在短时间内迅速壮大。同时要注重不断地总结经验，与其他创业者交流，从而增加新的收获。

（1）**让商品找到"门派"**。在商品上架之前就要考虑好商品的分类。

选择一个合适的分类有利于顾客快速从页面导购中找到你，这也是电子商务的主要诀窍之一。这招有几个要诀：选择分类切忌盲目。选择之前先完整看看给你开放的所有分类，再仔细斟酌哪个最合适；如果商品有多种属性，如十字绣的手机饰品，既可属于刺绣类品、又可以属于手机饰品，还可以算礼品。除了添加主分类外还应该为其添加"从属分类"，每个商品最多可添加一个主分类(必选)和两个从属分类。这样，客户就找到你这个宝贝的可能性就大了3倍。

(2) **起个好名字**。商品名称应尽可能以简洁的语言概括出商品的特质，力求规范，让人一看就能大致了解商品的基本信息，而且便于从搜索引擎中找到。推荐使用的商品名称格式是：品牌＋商品名＋规格＋说明。

例如，"15ml的兰蔻无油型光彩营养眼霜"的商品名称至少应该是：兰蔻(品牌)＋光彩营养眼霜(商品名)＋15ml(规格)＋(无油型)说明，即兰蔻光彩营养眼霜15ml(无油型)。

例如，一套7张DVD并且附送精美卡片的《丁丁历险记》，可以写成：丁丁历险记(商品名)＋7DVD(规格)＋附送卡片(说明)，即《丁丁历险记》7DVD(附送卡片)。

在商品名称中应避免出现各种各样所谓"个性化"的符号，比如【】●★▲■之类。第一，给人感觉不够专业，像小摊贩，大大降低了信任度。第二，某些符号可能导致商品名不能正常显示。

(3) **要经常增加新货**。很多店主都在店铺里增设"新品速递"之类的推荐栏，使买家第一时间了解新登商品的情况，让买家天天有惊喜。货品在网上的陈列也有讲究，一般都是把低价或热销商品放在店铺首页，吸引买家进入各个分类，从而带动高价商品的销售。货品的数量要多，只有10件以下商品的店铺是很少有人问津的，因为买家会感到店主实力不足，产生警惕心理，而且货品多了，买家的选择也多。如果店里物品总是那几样，无法带给别人新鲜感，买家渐渐就不再光顾了。

(4) **货品价格拉开档次**。最好在店铺里同时存在低价位和高价位的商品。要及时调整货品的属性及报价。玉器卖家"雅石小筑"的商品都是真品，进价很高，经营初期商品的浏览量很低，没什么人看。店主考虑到可能是价格的原因，于是进了一些便宜的玉器，在不改变店铺性质的情况下，设了不少一元起拍和低价出售的商品，吸引了大量人气，于是几乎每天都有成交。随着成交后买家好评的增多，就有更多的买家信任他的店，从而带动了高价位商品的销售。

（5）**给买家折扣**。商品成交后，要快速有效地处理订单，并提供良好的客户服务。多数卖家都在店铺里推出对老客户的优惠活动。对于第二次上门的顾客，购买商品可打 9 折，或者是购物满一定数额就有礼物赠送，可以免费快递等等。还有卖家在店里推出会员制，长期为会员提供 8 折优惠，为店里留下了大量固定客户。由于固定客户的消费可以不再通过网站，而且每月都有一定数额的消费，从而保证了店铺的利润。能否采取多种方法留住更多老客户，是网店能否成功的关键所在。

（6）**定期搞促销活动**。定期推出折扣促销活动，或者购物赠礼的优惠，可以模仿传统商品聚拢人气的做法，如限时抢购、买一赠一、全场9折、全场免邮费等活动，只要选少量热销商品参加，通过它吸引更多买家到店里消费。此外，配合活动还要进行一些宣传，如到网站的论坛里发贴介绍，到别人店里做免费广告发布消息等，并及时通知老客户和网上的朋友，充分利用每一个资源来宣传自己。

对于曾经购买过商品的顾客，可以定期进行回访，比如在发货后不久就询问顾客是否收到、在一个月后询问顾客是否满意，在两个月后问是否有建议，或者有没有其他需要的商品……让顾客感受到你的重视，还可以培养他们的消费习惯。一旦习惯了在你这买东西，一个义务的宣传员就有了。这样做的成本比较低，回访的形式可以是几毛钱的电话、一毛钱的短信、不花钱的邮件等，但带来的收益不可小视。

（7）**一元起拍**。这一招对于网上促销非常灵验，能在短时间内聚集人气。但是要做好这件东西一元卖出的准备，所以最好不要拿太贵重的东西来一元拍卖。开展一元拍的同时，最好能配合做一些广告，让更多买家知道店里的"优惠"政策。要记住，一元拍的目的是通过这件东西吸引买家顺便看你的其他宝贝。因此如果商品真的一元成交了，也一定要完成交易，否则信誉将会受到影响。

（8）**赠送小礼品**。这种方式可以事先不让买家知道，当其收到货品和礼物时，一定因为有个惊喜而很开心。礼物不在于是否贵重，而是一份心意。不论您的买家以后还会不会继续购物，都要把他当作朋友真心面对。诚信待人，才会有好的回报。

（9）**店铺要发展，零售是起点，批发是目标**。网上店铺做到一定程度后，应该有一个批发方案，把这个方案提供给你的回头客，几十个人里如果有 1 人在你这里批发，就很不错了，把利润的大头给买家，自己薄利可以留住买家，但前提是有好货源，货好、价低很重要。

（10）**重视打造诚信**。网店交易都是款到发货，诚信是网店的立足之本。所有期望提高成交率、长期经营的店主，都必须尽可能为自己挣下最佳诚信级别标签。这对于那些销售单位价值高的商品如手机、数码产品的网店来说尤其重要。没有必要因为一些小事破坏自己的信誉。网名为"lonny2000"的网友，最近在网上以 7000 元的价格卖出了一台跑步机。他在易趣网上开设的"快乐运动"小店现在已经小有名气了。谈到几千元甚至上万元的跑步机可以顺利实现网上交易的原因，lonny2000 表示，主要就是因为一个"诚"字。

2002 年，lonny2000 开设了这家小店。他用"靠着人和，卖些实在货，赚点良心钱，等回头客"的网上生意经，当年就和 5000 多个买家达成了交易，卖出的商品包括从区区数元的护膝到价值近万元的大型器械。

交易中的一些小失误也让 lonny2000 吸取了教训。有一次，北京的一个买家拍了一辆 3000 多元的跑步机，可是由于 lonny2000 少算了运费，货品从上海发出后差点送不到，幸好及时和买家取得联系避免了损失。事后买家还是肯定了 lonny2000 的信誉。"只要有'诚信'，不见面的交易方式同样可靠，"lonny2000 说。

两年前，高莹在易趣网上注册了一家"莹莹的纯银天堂"，专门经营金银、宝石等珠宝饰品，至今已经成功进行了 2816 桩交易并得到了买家的肯定。买家几乎遍及全国各省市。

汇款后收不到货是许多买家最担心的，卖家们再仔细也难免有意外发生。"我希望我的买家除了买到喜爱的商品，还能买到好心情。我在网上积累的信用，和我积极补救的态度，赢得了买家对我的信任，"高莹说。

网店推广，学会使用免费资源。目前，不论是在收费还是免费的网站开店，卖家都要面临卖家太多，无法突出自己的难题。如果能够利用网站自身的一些可利用的免费资源，推广店铺，往往能起到与广告类似的作用。

（1）**交换友情链接**。店铺开了一段时间后，可以与其他店主联系，交换友情链接。淘宝网的友情链接是 6 个，易趣网是 2 个。卖家通过交换店铺链接，可以形成一个小的网络，能增进彼此的影响力。尤其是当与你链接的卖家得到网站首页推荐或者特别推荐时，与之链接的店铺浏览量也会成倍增加，反之亦然。

（2）**抓住一切机会宣传自己。**如淘宝网有求购专区，卖家可以到求购专区查看买家求购的商品。如果恰好与你出售的商品相同或类似，可以给对方留言或者发站内信笺。每隔一段时间就这样做一次，就能收到良好的宣传效果。

（3）**积极参加社区建设。**对于在网站上发现的问题，要随时到论坛发帖提建议和意见。对于其他买家的提问，如果自己比较精通，也要积极回答。因为网站对论坛都是很重视的，在论坛活跃、热心的卖家，会受到网站的关注，而且如果提的建议得到采纳，还有机会被安排到首页进行推荐。

（4）**好好利用网站的整体促销。**网站作为一个大卖场，为了吸引更多买家，也会不定期地推出各种促销活动，而且在活动前会预先通知卖家。例如，"应季开衫一元起拍"、"时尚 DC 出价即得"、"99 元以下 U 盘大搜索"等，网站这些活动都有专门的关键词，如果在收到预告后，将自己的商品名称加入相应关键词，就可以被买家搜索到，从而大大提高店铺的浏览量。

（5）**加入商盟。**商盟是由淘宝卖家自发组织、经淘宝审核通过的组织，作用是促进卖家交流，追求共同提高。通过加入某个适合你的商盟，可以获得更多人的关注。多参加活动，经常和大家在一起交流，对提高自己的知名度很有好处。一位卖家参加春节期间北京商盟的团拜聚会，主动提出为大家拍摄照片，后来发表的相关文章被放到淘宝首页，并且在联盟论坛里也置顶了很长时间。总之，想想自己擅长什么，然后充分地发挥它，努力使得自己的特长能为宣传自己的店铺做贡献。

（6）**争取加入特色店铺。**想要成为特色店铺，产品必须有特色，比如民间的工艺品，特殊的收藏品，定做的特殊手工艺术品等等。这些店铺会得到网站的特别保护和专门的推广活动，从而得到买家的广泛关注。但在易趣网，特色店铺已经由免费转为收费推荐。

（7）**撰写首页故事。**易趣和淘宝网都在首页开辟了卖家故事的小栏目。首页的浏览量特别大，因此要积极撰写自己在网站的心情故事，把发生在网站里的故事讲给大家听。卖出的第一件宝贝，遇到的第一个好朋友，第一次差评，第一颗小红心。每一步都值得记录。写得好既锻炼文笔，又能提高点击率。

（8）**充分利用网站以外的资源。**在网上开店铺后，要在第一时间告诉你周围的亲人和同学、朋友。一传十，十传百，会有无数的人短时间就知道你开店铺了。此外，在所有的信箱里设置签名，把店铺地址放上，再用文字描述一下。当你发信给别人时，广告也就随之散发了。还有在一些聊天工具的个人资料里留下店铺地址，随时宣传店铺动态，都能起到很好的宣传效果。

（9）**利用搜索引擎**。在百度、google 等大的搜索引擎里搜索任何物品，都会出现相关的"找××在××网"的字样。所以，只要在商品标题中加上关键字。比如"NOKIA 全新手机特卖"、"swatch 手表新款"等，都能很容易被搜索到。

网上开店，鲜花开处有荆棘：虽然目前国内网上店铺发展得如火如荼，但网上开店还是有一定风险的，风险首先来自经营者自身在经营手段和营销方式上的失误，其次是关于在工商、税务方面仍然存在政策真空。

经营方式不对路导致失败：小杨是今年毕业的大学生，主修外国文学，毕业后找工作不顺利，他就跟朋友一起在易趣网上开了店铺，以出售服装和小饰品为主。他们开始经营是到市场上寻找自己喜欢的服装款式，与店主讨价还价后，买回来放到网上销售。由于没有找到源头批发商，他们的商品在同类中价格偏高，于是就购买了大量的广告推荐位。推荐位的费用昂贵，无形中增加了商品的成本，3 个月下来，小杨和同学细算一下成本，发现除了进货费、交给网站的费用和邮费，最后反而亏损了 500 多元。最后，他的店铺以"关门大吉"宣告结束。小杨总结教训时说："当时只是一味地想着做老板，但是根本就不懂经营，更不懂网络经营的运作程序和经营理念。所以，我还要慢慢学习，多积攒一些这方面的知识再说。"

大规模发展有难度：今年 33 岁的硕士马先生在易趣开了一家"香格格北京总店"，主营生活用品。从 IT 业界辞职下海之后，他选择了把自己开发的充气家居产品放到易趣上销售。作为易趣上首家经营充气家居的商户，短短一年，他的销售额就达到近 20 万元。但通过易趣成交的只占很小的比例，更多的是易趣带来的用户在购买了产品后，很快推荐给他们周围熟悉的人，给他带来了不少回头客。还有十几个客户后来发展成为了他的经销商，利用他们的渠道，一些单位的劳保用品选用了马先生的产品，还有一些产品被当作抗震救灾物资被大批量采购。

作为一个 C2C 的交易平台，同一类商品，甚至同一品牌同一规格的商品可能有多个易趣用户在出售。所以马先生虽然最早开发的充气家居，但在一年后众多后起卖家逐渐降低了他的盈利。此时马先生已经在上海、天津、北京三个城市建立了 5 个客户服务中心，每月的费用要 1 万多元，并且出现了负利润。马先生面临业务调整。

通过互联网，马先生联系到了一个专利人，他的"多气室高压充气家居"获得国家专利，把充气床、充气沙发做到了国内极至，摆脱"席梦思床的临时替代品"，成为一种可以淘汰席梦思的高科技产品。但是，由于前期投入大，市场收益低，事业和心态都陷入低谷。马先生于是把他和自己另外一个做充气游泳池的生产厂家绑在一起，用现成的技术工艺重新包装定位，重新在充气家居领域的高端保持了领先地位。不同的是，这次是一个生产厂家－技术专利一经销公司的三角形合作，大家各有优势，又相互依赖，因此可以更稳固、更持久。

可以说，马先生后期的发展已经不是网上店铺可以承载的了，在网上要想大规模发展，确实有一定难度。

网上商店面临政府管理真空。深圳网民姚先生业余时间在易趣网上开了个小店，近日却被工商部门以无照经营查处，并要罚没经营收入 5000 元。姚先生认为自己仅仅是在网上"摆摊"，没有法律规定网上开店要办营业执照，工商部门查处自己没有法律依据。

姚先生说，自己大学学的是计算机专业，毕业后到深圳创业，平时有自己的工作。今年 4 月，他根据自己的特长在某网站上开了个网上店铺，主要是利用业余时间在家上网，卖点电脑零配件之类的小商品，有 4000 多元的营业额。

7 月 12 日，姚先生家来了三位深圳市工商局宝安分局油松工商所的工商管理人员，他们认为姚先生"无照经营网上购物店"，扣押了姚先生用于网上经营的电脑、打印机、传真机等物品，并通知姚先生要缴罚款 5000 元。

姚先生认为自己仅仅是利用业余时间偶尔"摆摊"，上网地点也是在家里，没法办理营业执照。而且利用的是某网站提供的平台，某网站还按经营比例扣下了税费，这就像自己在一家大商场租借一个柜台经营一样，只要某网站有营业执照就可以了。姚先生为此提出了异议。

7 月 14 日，姚先生到工商所接受处理，工商所让他把某网站的营业执照传真件和证明他是该网站用户的资料带去，后来又让他把某网站的营业执照原件带到工商所，否则就以无照经营论处，罚款人民币 5000 元。

像姚先生这样网上开店没办营业执照的情况该如何处理？工商所的工作人员一时也说不清楚，找不出过硬的法律依据。工商所一位副所长解释说，按照国务院颁布的《无照经营取缔处理办法》，如果你从事经营行为，批发商品并销售，就需要登记，应该领取营业执照。他们就是根据这个规定对姚先生进行处罚的。

但工商管理人员也意识到，毕竟网上开店和平常理解的经营方式不同，比如许多人都是在家里的电脑上进行，没有也不需要固定的经营场所；经营范围不好确定，因此无法按照平常的要求进行登记，也无法按照现行法律法规对网上开店行为进行监督检查，因此针对传统经营行为的法律法规并不适用于网上开店。

同样的情况在北京、杭州等地也有发生。杭州国税部门的相关人士明确宣称："网上交易适用于现有的税务法规。生产经营型企业在网上交易应缴纳17%的增值税；如果只是买进卖出的店家，也要缴纳4%的增值税；如果在网上开店销售货物，应该开具税务发票依法纳税，否则就存在逃税的嫌疑。"相关人士还介绍说，杭州的一些公司通过企业自己的网站出售商品，实际上都是按照传统渠道一样纳税的。

对于网上个人经营是否要办理营业执照，不同的立场有不同的看法。按照国家法律，个人经营行为应该登记，但目前关于个人网上经营并没有明确的规定。在网站开店如果是法人单位，要求提供营业执照，如果是个人则只要提供身份证和个人银行账号就可以了，没有要求具备个体经营的营业执照。像姚先生这样的卖家在某网站上有几十万人，深圳也有将近5000多人，但绝大多数都是在家中无照经营。

在易趣网的服务条款上有这样的提醒："用户应按照国家的税收规定，向相关部门缴纳税款。"在淘宝网的服务条款上，也有类似的一项："用户因进行交易、获取有偿服务或接触淘宝网服务器而发生的所有应纳税赋，以及一切硬件、软件、服务及其他方面的费用均由用户负责支付。淘宝网站仅作为交易地点。"

但是，众多的卖家对于开店纳税并不是那么了解。如何进行税务登记、如何申领发票、应缴多少税等等，很多卖家卖了一两年货物也不一定能把这些事情弄明白。

杭州税务部门的人士指出，类似淘宝之类的网站提供的仅仅是一个平台，至于网站上的店家到底卖了多少货物，他们也是很难统计的。除非店家自己主动去税务部门缴税，或者是有人检举，税务部门才能根据检举的线索进行稽查。

[第七章]

新派创业，脑袋胀胀腰袋满

杰事杰公司在业界名气很大，但圈外知道的人却很少。这家占据国内工程塑料市场30%份额的高科技公司，是典型的知识创业型企业。该企业的创始者、现任该企业董事长的杨桂生是我国第一个工程塑料博士。上个世纪90年代，尚在中科院工作的杨桂生发现，所里研究开发的多项先进技术面临巨大市场需求，但很多成果却因为种种原因无法实现产业化。

1992年冬天，杨桂生带着从所里借来的2000元差旅费，在上海做起了推销员，推广自己的工程塑料技术。他的第一笔生意是和上海大众汽车公司合作的，当时上海大众正致力于国产轿车的开发，对这一既省成本又节能的成果大为赞赏。首战告捷，杨桂生信心倍增，开始筹划工程塑料的产业化之路。正当他为筹集资金为难的时候，闵行区有关部门看中了他，并由区工业局出面，贷给他60万元作为启动资金。1993年，杨桂生不顾他人的非议和中科院的反对，带着工程塑料技术踏上创业征途，"跳进"了市场经济的大海中，创建杰事杰新材料公司。

杰事杰开业后的第一笔生意，是将风扇材料的技术转让给了安徽一家空调企业，只收技术转让费。按照合同约定，该厂付给杰事杰150万元的技术转让费。凭借这项技术，这家风扇厂的年销售额曾达到2亿元。

技术转让的成功让杰事杰在业内出了名。这时海尔集团找到杨桂生，希望他为家用洗碗机研制一种工程塑料内胆材料。这次杨桂生按照自己搞产业化的设想，没有出卖技术，而是大胆成立了一家股份公司，将技术作价160万元，吸引社会资本近千万元，开始了产业化的过程。现在，杰事杰已为全国的汽车、航空、电器、通信等行业提供了4个系列、百余种高性能的工程塑料，产品被大众、夏普、五十铃、三菱、海尔、春兰、长虹、格力等国内外著名企业广泛采用。

企业发展起来以后，体制上的缺陷开始凸显。原来的集体所有制产权不清，个人价值无法充分体现，杨桂生决定改制。1994年，杰事杰改为股份合作制企业，1999年又改成股份有限公司，中科院在其中占25%的股份。转制后，杰事杰的发展犹如插上了翅膀，销售额以年均240%的速度迅猛增长。随后，杰事杰开始引进优秀人才，布局5个生产基地的生产范围。2000年，杰事杰实现销售收入10亿元。

杨桂生把自己推行的"技术+市场"的跳跃发展策略总结为"技术增值模式"。他认为，仅仅转让技术只有很小的增值空间，如果将技术和市场"捆绑"起来转让，就会产生放大效应，技术的价值也能数倍、数十倍地增长，就像核聚变释放的能量一样。在杨桂生看来，杰事杰的核心竞争力是技术，靠技术开发能力引领市场，遇到困难时用技术解决问题。事实证明，这条道路是成功的。

博士下海，在上个世纪90年代绝对是个新鲜词汇。有人说，博士下海就像把一只笼子里长大的鹰，放飞到狂风暴雨的自然界中，虽然鹰飞翔的本领很高，但对环境的不熟悉却让它们的生存显得凶多吉少。反观杨桂生，他在创业时选择了自己最擅长的领域——工程塑料，具有该领域的专利技术（创业方向选择准确）；凭借技术，得到政府的扶持，并取得启动资金（资金来源稳定，懂得借政府之"势"）；他选择的客户都是大企业，并利用其知名度开拓市场（无形中省去很多广告费用，赢得市场信赖）；他借鉴联想，又区别于联想，推出"技－工－贸"的发展模式，把技术的价值无限放大，引领市场（把技术作为核心竞争力），终于取得了令人羡慕的成功。

杨桂生的案例并不是一个孤案。我们前面说过，中国的创业者 90 强都是生存型创业，即为解决温饱问题和家庭生活问题迫不得已才进行创业，是一种被动型的创业。这种低出发点和起始点的创业活动，注定了起追求的目标和所能达到的目标也只能是低水平的。你放眼望去，近 10 年以来，能够通过创业，然后将企业做强做大的寥寥无几。国内目前有些规模有些名气的民营企业，如鲁冠球的万向、刘永好兄弟的希望、宗庆后的娃哈哈、郑永刚的杉杉……均起步于 10 几年前甚至是改革改放以前，利用的是短缺经济时代，国人物资的匮乏，迅速做强做大，创业者主要依靠的是胆量，而不是知识或资金实力。现在的情况已大不同于鲁冠球们创业的时代了，国内有资金实力、有眼光的创业者多的是，再想象鲁冠球、刘永行们一样，在传统行业里从头开始，从零开始，逐步发展出一个惊天动地的企业，令人称羡慕的事业，几乎是不可能的事。除非你有什么特殊的背景，可以得到一些不方便与人说的"便利条件"，但是这种"权力的便利"不在我们讨论的范围之内。

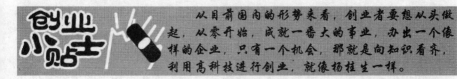
从目前国内的形势来看，创业者要想从头做起，从零开始，成就一番大的事业，办出一个像样的企业，只有一个机会，那就是向知识看齐，利用高科技进行创业，就像杨桂生一样。

但这并不是说，国内创业者就没有机会做大做强，取得像他们的前人一样的成功。从目前国内的形势来看，创业者要想从头做起，从零开始，成就一番大的事业，办出一个像样的企业，只有一个机会，那就是向知识看齐，利用高科技进行创业，就像杨桂生一样。只要你真正掌握一项迎合市场的技术，那么，你即使没有雄厚资金，没有广泛人脉，没有其他的"便利"条件，你仍然有机会成全你创业和做大的梦想。我们曾经到北京海淀区的留学生创业园和其他一些地方的留学生创业园进行考察，这些地方的人几乎是百分之百在利用新知识新技术创业，80％以上的人是白手起家，目前有很多都做得相当不错，发展速度惊人。公司实物资产和金融资产由空白而到几千万、上亿的有的是。我们将这些人称为"创业新人类"，他们是无愧乎这个"新"字封号的。他们的"新"，"新"在几个方面：第一个，思想新，大多数这类创业者均表现前卫，脑子里很少陈规陋习，甚少受传统思想和流行社会思潮的影响，更不会受其所左右，表现出特立独行、自立自强的特性。第二个，知识和技术新。这部分创业者很多有过海外留学的经历，他们从海外带来的知识和技术，大多是处于最前沿的，在国内尚处于空白，而又有很现实的市场需求，所以他们创业的成功比率很高。

以我们所关注和研究的这部分"创业新人类"来说，我们觉得可以简单地用这样几句话来概括：他们是引领时代的新行业缔造者，创造了新的生意模式和价值标准；他们是新时代财富的主流，带来新的领导风格和行为理念；他们是创业领域中的新贵，往往有着高学历和傲人的行业背景；他们领导的企业，具有较高的成长性和稳定性；他们是新时代的财富榜样和领军人物；他们开发和运用的高新技术成为推动人类社会加速发展的重要力量。

中国首富刘永行在回忆自己的创业历程时曾说："为了办企业，我们四兄弟凑了1000元钱……我们花了一年时间，把1000元变成了3000元，……到了第7年，1000元钱已经变成了1000万元。那是1989年。"在上个世纪八十年代末，这种财富增值已经是奇迹了，而在技术领军的21世纪里，新技术的开发和应用就像神奇的催化剂，使财富呈几何级数飞速膨胀，其速度甚至超出了人们的预想。2004年6月16日，腾讯控股(700.HK)在香港联交所正式挂牌交易。根据持股比例，马化腾因持有14.43%的股权，其账面财富是8.98亿港元。马化腾成为身家9亿元的财富新军，仅仅用了6年时间。

知识创造财富。正是新技术、新模式、新生意在市场上的力量，催生了新一代的超级富豪。在知识经济时代，用科技、知识创业是新模式，也是必然趋势。在通往新兴市场的成功之路上，无数像马化腾这样曾经拥有梦想、并在用新方法实现梦想的人们在努力着。他们的技术和个人魅力虽然不可复制，但其成功模式、财富历程却有许多值得借鉴和效仿的闪光点。

知识创造财富。正是新技术、新模式、新生意在市场上的力量，催生了新一代的超级富豪。

凭什么是他们

斯坦门茨是一位著名的德国技术专家。一次美国福物公司的一台电机坏了，几经努力都没修好，于是他们请来了斯坦门茨。他检查之后，在电机外壳划了一条线，说："打开电机，记号处里面的线圈减少16圈，毛病就好了。"人们将信将疑地照办了，果然成功。电机修好后，斯坦门茨向老板收取1万美元的报酬。老板说："用粉笔划一道线就要1万美元，这也太贵了！" 斯坦门茨说："用粉笔划一道线并不贵，只要1美元，但知道在哪里划线却要9999美元。"老板折服，照付了钱，并以重金聘用了他。

创业中新行业的选择和斯坦门茨划的这道线相似。世界上会用粉笔划线的人很多，但知道在哪里划线的可能只有一个人。线划对了地方，既昭示了其智慧和水平，也表现出其对事情的一种判断力和魄力。新锐创业者的创业背景和其他创业者似乎没有什么不同，大多数也是白手起家，辛辛苦苦打天下。关键在于，他们是怎样发现新的赢利空间和生意的？是什么触发了他们的创业灵感，从而塑造了一个个新的财富奇迹？凭什么是他们而不是别人成为新的创业领袖？

有些看似容易发现的商机，摆在别人面前就被忽视了，而他们抓住了，然后成功。任何成功都不是偶然的，背后一定有其必然的规律。在研究新锐创业者的创业案例时发现，虽然他们与其他创业者处在同一起跑线上，但他们普遍具有比较高的学历，受过良好的教育。高等教育开阔了他们的眼界，知识的积累使他们的目光格外敏锐，也给了他们发力的支点。此外，高校毕业后的从业历程对他们的创业活动也起到了推波助澜的作用。无论工作的时间长短、待遇的高低、就业企业的知名度大小，从工作中获取的行业讯息和人际关系网络的建立，都成为他们创业无形的推动力。由于深谙该行业的运作规律，他们的创业无形中少走了很多弯路。

　　他们大多选择志同道合的同学或者好友共同创业，创业动机或者源自闲聊中迸发的灵感，或者出于对潮流趋势的预测，或者是看到了空白市场的巨大商机。他们共同的特点是：有了想法就毫不犹豫地去实施，没有瞻前顾后，用最短的时间切入市场，从而赢得商机。

良好的教育背景是成功的前提

　　"新人类"大多受过良好的教育，他们大多数在学校期间就性格外向、活泼、积极，接受新事物的能力很强。他们随后的创业大多是洞察到与之前工作相关新领域潜在的投资价值，一旦确定这个领域的发展前景，他们就能以最快的速度扎进去。如开发出国内最大的即时通讯软件的腾讯马化腾，毕业于深圳大学，虽然自言在校成绩"不算太靠前"，但马化腾却非常有商业头脑，"总喜欢鼓捣点事"。他是中国第一拨股民，曾把10万元炒成了70万元。在互联网还不为大众所知的上世纪九十年代初，他就自投5万元把深圳最早的虚拟计算机网站搬进家里。1993年初，他进入润讯总公司开发部从事软件开发工作。

　　1998年，马化腾与大学同窗张志东共同创立腾讯公司。创业新锐们未必是新领域中第一个"吃螃蟹"的人。马化腾创办腾讯的时候，国内已经有两家经营中文ICQ的公司，但腾讯的OICQ在技术上抢得了先机，从而取得了迅速的发展。

　　与马化腾相比，盛大网络的陈天桥在大学期间就是个风云人物。不仅学习拔尖，而且也是社会活动的热心分子，组织能力、活动能力得到了校内外公认。1993年，20岁的陈天桥提前一年完成了复旦大学经济系的学业，并获得上海市惟一的"优秀学生干部标兵"称号。此后，他顺利进入上海陆家嘴集团，从子公司的副总经理开始，直到晋升为集团董事长兼总裁的秘书。

　　在陆家嘴集团的4年里，陈天桥学会了传统行业企业家独立、务实的管理风格。集团中层的职业历练，使他更加了解中国国情和地区市场，而独立、果断、讲求冒险和创新的品质，也使他在后来的事业中受益无穷。当大多数中国人还不知互联网和电子邮件为何物时，陆家嘴集团总裁办公室里就已能24小时上网了。老总不在的时候，陈天桥就喜欢在互联网上"混"，也迷上了游戏。

陈天桥

离开陆家嘴集团后，陈天桥进入一家证券公司。在那里，他与妻子联手在凶险的股市上赚了几十万元，同时发现了网络的潜在前景。1999年，互联网业风起云涌，陈天桥用筹集的50万元启动资金，成立了盛大网络公司。以社区游戏为主业，短短数月，陈天桥便掘到了第一桶金，不但拥有了100万左右的注册用户，还获得中华网300万美元的投资。

用头脑而不是感觉捕捉商机：微型是巨型的前提，在成为商业巨人之前，在商机发现之前，创业新锐们就或多或少地接受了商业的熏陶，原有工作上的经验积累，成为他们创业的坚实基础，而志同道合的朋友同事也给了他们很大的激励和推动。因此，一旦新的商机出现，他们便能马上捕捉，不容错失。

这一点在中国化工网的创始人孙德良那里更能得到充分体现。1997年，学计算机专业的孙德良工作的一家浙江网络公司倒闭了。为了找份新工作，他四处奔波，却屡屡碰壁。一个偶然的机会，孙德良遇到在一家化工公司上班的大学同学。这次偶然见面成为他命运的转折点。在同学办公室里，他发现有整整一抽屉名片，上面印着全国各地大大小小化工公司老总的名字。

创业小贴士

用头脑而不是感觉捕捉商机。

一直想办网站的孙德良感叹，中国居然有那么多化工企业啊！那就做一个化工网站！脑海里如电光火石般迸发出的创业灵感，并未像很多人那样，在一次海阔天空的闲聊后烟消云散，两个毕业两年的大学生真的为这个创意忙碌起来。瞬间的创业激情没有熄灭，反而越烧越旺，点亮了两个年轻人的心。

于是，这两个刚刚毕业两年的大学生决定自行创业。孙德良由父亲出面担保，借了2万元做启动资金。他们租用了面积仅几个平米的民房，客户来了只能给人家喝煤球炉烧出的开水。1997年底，孙德良东拼西凑了12万元，正式创办起中国化工网。4个员工，几台电脑，一间四面被垃圾包围的办公室，一个从美国租来的只有10兆的虚拟主机。虽然省下了服务器的购买，可这12万元还是经不起折腾，时不时他还要到同学那里去蹭长途电话。

并不是每一个创业冲动都那么容易成功。

并不是每一个创业冲动都那么容易成功，但孙德良显然是个幸运者。没做多久，他便发现化工行业几乎是最适合上网的行业之一。因为化工原料不仅数量多，而且价格变化也非常快。尤其是，浙江是一个化工大省，在上世纪90年代末，成千上万的化工企业对有关化工的各类信息都如饥似渴，并且热切盼望有一个国际性化工信息平台承载他们的产品、需求和参与国际竞争的梦想，走向全国，走向世界。这些企业急需在信息时代构筑一个信息交流的平台，以便寻求新的利润增长点。

更重要的是，数不胜数的浙江民营企业从小做起、从市场做起、由小做大的传统经营作风，有力地遏制了在新经济浪潮中常有的那种快速致富的欲望膨胀。孙德良从这种稳健的经营风气中当然受益匪浅，他虽然有着打造化工网络帝国的异乎寻常的决心，但他只打算用浙江民营企业的经营理念为其奠基。

好的开始是成功的一半。对孙德良来说，一个好的行业机会，一个好的市场切入点，便成就了一番新的事业。当国内几个最知名的门户网站为刚刚收获的三四十万美元年盈

不管是海归派还是本土创业派，良好的教育背景培养的出色才干，是他们得以发现赢利绿洲的关键。

利欢欣鼓舞的时候，孙德良经营的中国化工网早在头两年就有数千万元的进账了。一个仅仅工作了5年、没有任何身世背景的大学毕业生，却创造了一家年纯利润达5000万元的网络公司，这无论从哪个方面看都不得不说是一个神话。

除了以上提到的几位土生土长的创业者之外，还有一部分创业者的起点相对较高。他们有着国外名校的"海归"背景，有的甚至有大型跨国公司的工作经验。如独霸国内信息检索市场的百度创始人李彦宏。1991年，

李彦宏从北京大学信息管理专业毕业，随即赴美国布法罗纽约州立大学完成计算机科学硕士学位。毕业后，他先后担任了道琼斯公司高级顾问、《华尔街日报》网络版实时金融信息系统设计者，以及硅谷知名互联网企业INFOSEEK的资深工程师等职务。1999年底，李彦宏携风险投资回国，与合作伙伴徐勇共同创建百度网络技术有限公司，致力于中文搜索引擎服务。这是一个典型的"海归"创业故事，在国外受教育和工作的经验，使他们接触到了先进的管理理念、企业文化、治理机构以及商业规则。"海归"的背景使他们在融资方面要方便得多，但公司在国内运行，海归派跟市场打交道、搞营销等方面并不擅长。但不管是海归派还是本土创业派，良好的教育背景培养的出色才干，是他们得以发现赢利绿洲的关键。

创业融资别开殊途

任何创业都需要资金投入，在创业热潮高涨的今天，许多中小企业或创业人士感到最困难的恐怕还是资金筹措问题。特别是在一些高新企业中，许多新技术、新产品都因缺乏资金支持而不能投入正常的生产、经营。很多科技创业者具有技术能力，甚至已经拥有某项具有市场前景的技术，这时就需要大量资金的支持，以推动产品研发的顺利进行。科技先锋们的创业资金，大致有自筹资金、资本融资和利用政府优惠等几大方式。其中自筹资金和进行融资的占绝大多数，能够获得政府优惠政策扶持的企业比较少。

"新人类"的创业资金更多来源于资本市场。除了那些能在一开始就拿到风险投资数百万美元的幸运儿，许多现在叱咤风云的企业，当初创办企业时日子都

创业小贴士

创业初期的融资是企业能否顺利发展的关键。

过得比较艰难。中恒兴业科技公司的创始人秦亚良在创业初期，由于资金投入非常有限，在准备办公室时，连买防盗门的800元钱都拿不出来，幸好"打麻将赢了千把元，总算应付渡过难关"。现在的中恒兴业不仅代理包括佳能、富士在内的公司的数码产品，还生产数码相机、MP3、笔记本电脑、录音笔、移动多功能DVD等"DEC"自有品牌产品，年营业额约

30亿元。

　　创业初期的融资是企业能否顺利发展的关键。北京数码视讯公司的第一次融资就是很好的证明。这家成立于2000年的高新企业，在与国外大公司和华为等国内领先企业的竞争中，其创办人郑海涛通过两次重要的融资使该公司在3年的时间里取得迅猛的发展，2002年的销售收入甚至是2001年的20倍。

　　1992年，郑海涛从清华大学计算机控制专业硕士毕业后，在国内知名的通信设备公司中兴通讯公司工作了7年。从搞研发到做市场，从普通员工到中层管理人员，郑海涛的事业可以说十分成功。但他仍然决定自己创业。经过一番市场调查，他带着自筹的100万元资金，在中关村创办以生产数字电视设备为主的北京数码视讯科技有限公司。

　　2000年公司成立之初，郑海涛将全部资金投入到研发。不料，2001年互联网泡沫破灭，投资形势急转直下，100万元的资金很快用光，而后续资金还没着落。此时，郑海涛只得亲自捧着周密的商业计划书，四处寻找投资商，一连找了20家，都吃了闭门羹——投资商的理由是：互联网泡沫刚刚破灭，选择投资要谨慎；况且数码视讯产品还没有研发出来，投资种子期风险太大，因此风险投资商们宁愿做中后期投资或短期投资，甚至希望跟在别人的后面投资。

一个企业要想快速发展，产品和资金同样重要，产品市场和资本市场都不能放弃，必须两条腿走路。

　　2001年4月，当公司研制的新产品终于问世，第一笔风险投资也才因此有了着落。清华创业园、上海运时投资和一些个人投资者共投260万元人民币。如果当时没有现成的产品，是根本不可能拿到风险投资的。一个企业要想快速发展，产品和资金同样重要，产品市场和资本市场都不能放弃，必须两条腿走路，产品与资本是相互促进、相互影响的。

　　谈到创业初期的第一笔资金，郑海涛认为选择投资者十分重要。他举了一个例子：在2000年春节前，曾经有一个投资机构愿意投资，但条件十分苛刻，要求对企业控股50%。在当时资金十分紧张的情况下，郑海涛明明知道这是一个不合适的交易，但也不得不同意合作，而他惟一的条件就是资金必须在两周内到位。结果由于种种原因，投资方的资金没有按时到位，合作协议也就终止了。郑海涛说，这是公司的一次幸运，如果当时被别人控股，公司的发展将不会按照自己原有管理团队的意愿，能不能发展到现在的规模就很难说。所以对于初期的创业者来说，选择投资者要十分慎重，哪怕是资金最紧张的时候。

在资本融资方面，创业者与资本合作创立创业企业，通常采取的模式是由资金提供者出资，并约定股权的比例，甚至约定分配的比例。这种模式成功回避了《公司法》关于出资的规定，企业可以很快地成立并运作。为避免留下纠纷隐患，在订立投资协议时，要明确各方的权利、义务，并将约定的股权比例载入公司章程，并以此设定公司的治理结构。

创业者的股权比例最终必须获得工商登记确认，才能得到有效而充分的法律保护。

风险投资也是创业者融资的重要对象，很多知名的网站都有风险投资的资金介入。很多风险投资由于不能太多介入创业企业的经营管理，往往谋求在创业企业中的特别地位，而且目前风险投资没有有效、可行的退出机制，因此创业者要在风险投资介入时慎之又慎，毕竟风险投资不是战略投资，他们追求是获利后在适当的时机退出，再去寻找新的机会。

与上述几种模式相比，向银行借款不会影响创业企业的治理结构，不需要太多复杂的设计。但是，创业企业向银行借款也很难。由于我国银行不良贷款率太高，因而银行发放贷款变得越来越谨慎，一般需要有担保，如不动产抵押、动产质押、权利质押等，至少也需要有实力的公司担保。创业企业往往难以满足银行的这些要求，无法获得贷款。

创业方向选择：技术为先

从调查的情况来看，"新人类"的创业方向主要集中于新技术、新产品的研发，如深圳双环灵顿的唐雪飞，就是全国领先的综合性肿瘤治疗网络的创建者。这种技术的成功产业化是企业成功的主导因素；有的是开创了一个新的行业，率先发现了新商机，如健身器材市场的开拓者、山西澳瑞特公司的郭瑞平；有的是创立了独特的运营模式，从而取得了成功，如开办口语培训品牌"洋话连篇"的孙震。从他们投资的项目上看，有偏重于生产具体产品的硬项目，也有服务、咨询业等"软项目"。

一个创业企业成功的因素很多，如果要他们说出最重要的因素，恐怕大多数人都会把焦点集中在自己选择的创业项目。在创业新锐们选择的创业方向上，"新"是最大最突出的特点。选中新的投资项目，找到市场上需求的空白点，是成功的最大保证。对此，深圳双环灵顿公司的项目选择非常具有代表性。该公司的主要创办者唐雪飞最初做的是石化生意，1995年，他开始接触中子刀这个项目，当时中子治癌技术在世界上已经发展了70年，但由于这是一种集放射物理、核医学、电子控制、机械、计算机等多门类科学于一体的高科技产品，普通的生产厂家甚至科研院所都没有足够的技术力量将其实现商品化。唐雪飞正是看准了这一市场空间，他将国内外计算机软件开发和高精度电子控制技术的最新成果，以及国内外众多学科领域的一流专家集中起来，投入3000万元的科研经费，用了不到3年时间，完成了中子刀技术的商品化过程。中子刀并不是真正意义上的"刀"，而是一种放射疗法。中子刀在为患者进行治疗时，不需要麻醉，不需动手术，没有创伤和任何不适感，不用开刀就能杀死癌细胞。这种先进的技术第一次在世人面前亮相是在1999年的首届高交会上，在成交的1400多个项目中，深圳灵顿科技公司的"中子刀"项目因投资模式独具新意，被三家上市公司、一家风险投资公司和一家国际租赁公司共同相中并联合投资。

创业小贴士

选投资项目就像收藏家寻找古玩，需要眼光、见识，更需要长期经验的积累。

在创业者投入之初，一个新的投资项目可能并不被看好，就像深不可测的湖水，你不知道里面到底有多深，是不是真的像你想象的那样有条大鱼。这时一个猛子扎下去的结果，有可能捞到大鱼满载而归，也有可能什么都捞不到，还落得泥足深陷。选投资项目就像收藏家寻找古玩，需要眼光、见识，更需要长期经验的积累。只有这样，才能在机会来临的时候，辨别出这到底是真商机还是伪机遇。有人把商机选择称为商业直觉，陈天桥就是一个商业直觉非常好的创业者。1999年，正是互联网业风起云涌之时，陈天桥只有 50 个人的盛大公司做了 4 个业务，全部和娱乐有关。2000 年底，互联网的冬天来了，面临抉择的陈天桥一刀刀砍掉他不看好的项目，经营主业从动画、漫画周边产品发展到游戏研发，最后只剩下游戏运营。当时投资方中华网并不看好这一领域，而是希望盛大能转型学习亿唐或者易趣，陈天桥不肯，中华网于是撤资。

那些天，陈天桥常常和太太在家附近的一个小桥上散步，两人走来走去，就为了做还是不做而费心考虑。如果不做，把公司进行现金清算，还能剩下几百万元，两人如果再去找工作，也能拿到几万元的月薪。最后，陈天桥还是决定坚持下去，他用剩下的30万美元买了韩国《传奇》游戏的代理，并很快发展起来。

他们如何成功？

好的开始是成功的一半，剩下的一半就要看创业者的经营能力。企业飞驰的车轮下，哪怕路边弹起的一颗小石子也会成为行进中的隐患，企业建设的问题、投资的失误、多元化发展的失误、管理的体系等等，都有可能使一个新兴的企业濒于倒闭。从企业团队建设、危机管理、新决策制定到投融资决策，都需要细致的考察和周密的分析。一个新兴的企业能在市场上坚持3年以上的时间，这些都是企业运营的必经之路。在企业发展中，拓展新的业务范畴是每个成长过程中必须面对的，每个企业总是会有一套思考方式，用以衡量进入新领域的得失。腾讯的马化腾对待新业务拓展时的决策有"三问"一说：第一，新的领域是不是我们所擅长的？第二，如果我们不做，用户会蒙受什么样的损失？第三，如果做了，我们在这个新的领域中具有怎样的竞争优势？问题虽然看似简单，但要准确地解答，却需要企业进行很长时间的准备，以找到针对三个问题的成熟的答案，否则他绝不轻率行事。

身处一个充满竞争的环境中，任何挑战都要企业独自去面对，是否有成熟的应对危机的机制，对新创企业的意义十分重要。陈天桥曾说："在企业发展中，所有可能导致失败的因素我都经历了，我很清楚自己的企业需要怎样的保护。有人举报过盛大逃税，但我们一年交了一亿多的税；也有人说我们使用盗版，微软举报后工商局的人来查封，结果找出了两箱正版软件序列号；南昌一个小孩玩游戏时猝死，各个媒体也来找我报道。但我们都挺过来了。"

"新人类" 创业：企业运营是强项

有这样一个未经证实的统计数据：5年之内，90%的创业企业会倒闭；10年之内，剩下的10%的创业企业中的90%也将会退出市场，也就是说，10年之后，只有不到1%的创业者会幸存下来。能够幸存的企业，大多对创业中的团队建设非常重视；创业者之所以多遭破产厄运，最主要的原因在于他们缺少一支优秀的创业团队。可以说，失败的创业者从创业一开始，就奠定了创业失败的命运。

创业小贴士

团队理性第一，感情第二。

团队理性第一，感情第二。在"新人类"创业队伍中，绝大多数团队核心成员很少，一般是三四人，多的也不过十来人，如此少的团队成员从企业管理角度来看，几乎每个从事管理工作的人都觉得能够轻易驾驭。但实际上，这个创业团队成员虽少，但是都有自己的想法，有自己的观点，更有一股藏于内心的不服管的信念。因此，优秀的创业团队的所有成员都应该相互非常熟悉，知根知底。这样可以很好的避免团队成员之间因为相互不熟悉而造成的各种矛盾、纠纷，迅速提高团队的向心力和凝聚力。

今年年初，在国内声称即将上市的软件公司中，交大铭泰捷足先登，先于瑞星、金山、连邦等知名企业，一步跨入资本市场。作为中国最大的信息本地化服务机构，交大铭泰创造了几个第一：国内第一个通用软件

何恩培

上市公司；亚洲首只"信息本地化概念股"；2004年香港股市第一家上市企业。

交大铭泰能够跑赢其他企业，很大程度上得益于其拥有的非常稳定的团队。1998年成立于北京的交大铭泰，主要从事研究、开发及销售四大系列软件产品，其中尤以翻译软件为主，其余则包括信息安全软件、互联

网应用软件及娱乐软件。其人员自创业以来基本上没太大变化，团队的稳定带来了企业凝聚力的提高，也使交大铭泰在企业创新方面取得了较大突破：互联网刚兴起时，他们敏锐地发现，人们的学习能力不可能一日之间提升，但是随着信息量的飞速膨胀，人们需要一种工具，于是他们抓住机会做了"东方快车"翻译软件；在2000年互联网步入发展期时，他们打出了"I软件"的旗号；2003年，又提出了"东方翻译工厂"的概念。为了充分发挥团队创业的智慧和力量，何恩培提出交大铭泰创业团队中每一个管理人员都必须找到三个顾问，第一个必须是行业的老大；第二个必须有一个不在自己行业；第三个至少在某一方面有特长。这样，在管理团队有10个人的时候，实际上就有30个人参与管理，这样可以把各种思想先经过顾问放大，回来再缩小，取其精华。交大铭泰的团队创新能力就来源于这种机制。

企业运营讲传统更讲规范。从新创企业的发展阶段来看，大概有几个阶段必须经历，那就是从做项目到做企业，然后再从做企业到做事业。从做项目到做企业的过程，是企业初步发展、建立自己独特运营模式的过程，目前国内绝大多数企业都处在这一阶段。能够完成这个过程实属不易，这是一种在千军万马中拼杀，最后扛起大旗取得胜利的阶段，胜利之后才是壮大和国际化的过程。要在这个阶段中胜出，企业必须要有自己独特的运营手段和管理特色。

有些企业的运营方式看上去并不主流，甚至显得有些传统和老土，但却为一些企业带来了踏实的利润空间。比如孙德良经营的中国化工网，在别的网站大把大把烧钱的时候，孙德良还在为创业筹不到资金而发愁；而当那些烧钱的网站资金耗尽、偃旗息鼓时，孙德良却以年年赢利的神奇业绩出现在人们面前。孙德良也承认，当初创业只是想赚钱，并没有什么具体的盈利模式，完全是摸索着走过来的。没有什么商业计划，国内也没有成功的互联网企业可以借鉴，只能凭着一股冲劲和胆识前进，没有退路。

孙德良应该感谢那个互联网的泡沫时代。正是这个"泡沫"，使得IT界"砸"进去上百亿的资金，虽然很多企业倒下了，却带来了互联网概念和知识的普及，这为中化网大大节省了营销和推广的成本，并迅速在全国许多地方设立办事处和分公司。

孙德良没有采用门户网站先做广告再赚钱的模式，而是采取浙江传统企业推销产品的做法——发展会员，收取会费。正是这一模式为孙德良的成功奠定了基础。浙江的企业目光远大，早就放眼国际市场，等待时机。孙德良的中国化工网一推出便选择了英文版本，不久便有国外客户对有关事宜纷纷垂询，这种反馈成了中化网加速的助推器，也很快被浙江省内的化工企业所接受。中化网定位是B2B，主要是两项收费服务：一是为企业建立网站并提供虚拟主机服务的收费；二是信息服务费用及网上广告收入。创业当年，中化网就盈利20万元。现在，中化网的会员里中有6000家化工企业，今年刚刚重点推出的纺织网也发展了会员600多家。

可以说，产业经济和浙江的区域特色经济是孙德良背靠的"大树"，从这方面说，孙德良的成功有许多天时、地利的偶然因素，但这是很多新锐创业者并不具备的。他们大多数还是要依靠自身的智慧和努力去打开市场大门，希望能在缝隙中谋得一席落脚之地。

目前稳坐国内IT分销行业"第二"的佳杰科技就是这样走过来的。佳杰科技总裁刘伟为人低调，处事不张扬。他白手起家，用了10年时间把生意做到60多亿元，成为国内仅次于神州数码的第二大IT分销商。

2003年，佳杰科技的中国业务营业额首次突破50亿元，在创始人刘伟看来，这是一个里程碑式的数字。虽然这一数字还不到神州数码的一半，但刘伟并不感到沮丧。他所看重的是，佳杰科技保持着一种咄咄逼人的追赶势头。今年2月，佳杰科技从神州数码手中抢走了新款东芝笔记本的代理权。这笔生意在2004年将给佳杰科技增加10亿元的营业额。更重要的是，神州数码今天的地盘仍然仅限于国内，而佳杰已经成为覆盖整个亚太地区前三位的电子服务型企业。

刘伟

刘伟喜欢制定高目标，不过他是有资格的，因为他用20万元启动资金、7个人、一年多的时间，就把广州希望发展成为华南最大的一家计算机公司，这是值得骄傲的业绩。刘伟的第一次事业转折点出现在1995年。他创办的企业收购了香港一家从事电子贸易的公司——香港佳都。这次收购使刘伟越过了香港，与美国IT厂商、分销商建立了直接的生意往来，而且走上了规范化的发展道路，为它以后与国际资本的合作奠定了坚实基础。1996年，佳都国际一口气建立了6家分公司。当时，公司从一家华南地区的区域性企业突然变成一家全国性的企业，财务、物流仓储、业务、行政、人力资源等所有的管理模式都从一家变成7家，管理上遭遇很大的挑战，是一个非常艰巨的任务。

为了将国外先进理念与企业自身特点结合起来，完成管理上的创新。他们对厂商、业务伙伴、员工进行了一系列的课程学习和知识灌输，不论级别是什么，统统留下来听有经验的专家讲课，跟人家聊天取经，并且学以致用。这为佳杰的发展注入了一针强心剂，企业顺利度过了扩张的难关，开始高速发展。

目前，佳杰公司有超过120个信用管理的分级，比银行还多。佳杰的核心团队也保持着稳定。当年与刘伟一起创办广州希望的7位创业元老，其中有6位目前还在公司里做事。据说，佳杰有相当大比例的股权，为员工和高管所持有。

赢利模式：赢利一般呈爆炸式成长

在电视剧《大染坊》中，印染商界的奇才陈寿亭在进入新的市场后，采取给布店伙计提成的方式，很快占领了销售的终端市场，并打败了竞争对手。在现代企业中，采取这种方式赢得市场先机的创业新锐不在少数，其中做得比较出色的是盛大的陈天桥。他从2002年代理了"韩国二流产品"的《传奇》游戏，通过这种方式，陈天桥攻城略地，很快就取得了决定性的成功。

在2001年盛大代理《传奇》游戏之初，渠道商因为对之并不看好而拒绝下单，盛大只能自己开辟销售渠道。盛大最富于独创性的营销秘笈是其对传统销售渠道和游戏收费机制的改造与创新。以往网络游戏的收费模式，是游戏玩家在销售网点购买存储一定游戏时间的点数卡。传统的分销模式中，渠道通路一般分为4~5级。每一级代理商根据自身利益，决定对游戏的推动力度。随着用户数量的迅速增加，传统渠道缺乏控制力和行动迟缓的缺点开始暴露出来。面对这一状况，陈天桥一方面继续维护和增加其他的营销渠道作为补充，如建设产品网站、合作专题网站等等；另一方面，吸收台湾、韩国地区的网吧营销机制，结合国内电子商务的状况，创造了E-sale模式，从而变盛大的"推"为玩家的"拉"。

当时，在网吧里玩网络游戏的人数占玩家总数的七成以上，盛大于是自己做了一个线上销售系统，把销售渠道直接铺进了网吧当中，把网吧从一个消费场所变成了销售场所。盛大通过电子商务和网上银行直接和网吧产生供销关系，网吧业主填写一份申请表格向盛大提出在线申请，盛大审查确认后，网吧业主就可以用特定的用户名和密码登陆到其E-SALE系统中，通过银行卡的电子转账就可在10分钟内完成虚拟点卡的进货。用户在装有盛大系统的网吧里，只需告诉网吧老板他需要买多少时间，交钱以后网吧就可以在2分钟内把时间打到用户的账号里。若用户在网吧游戏过程中需要充值，则网吧业主只要知道玩家的账号就能直接在E-SALE系统内为玩家充值，从而实现了真正意义上的零库存和即时交易，而且减少了流通费用。

该模式的核心思想在于：第一，通过用户需求的推动力，促使网吧成为分销渠道的销售终端；第二，网吧安装的统一的E-sale客户端，与盛大的信息系统密切结合，依托信息产品的无物流特性，解决了分销渠道的信息流、物流的问题。而资金流则通过传统的银行、邮政系统解决。第三，网吧通过这样的模式，一方面减少了资金积压，另一方面根据销售量的大小，也获得了更好的折扣率和一定的营销支持。可以说，这是一个合作共赢的模式。

陈天桥通过这种模式，使盛大摆脱了对传统渠道的依赖，达到了最大限度的市场覆盖，甚至将市场扩展到了原有渠道覆盖不到的地区，比如区、县。

盛大的成功，主要在于其独特的营销模式的成功。首先，通过代理开发商的软件，盛大快速获得了质量相对优良的产品。众多的任务关卡、简洁的操作界面、稳定的游戏系统和相对公正的网络秩序，既吸引了数量众多的玩家，也为抢占市场时机奠定了良好的基础。

在获得客户之后，盛大做了大量的工作来保留客户，提升他们的忠诚度。盛大的游戏管理人员，24小时保持与玩家的沟通，迅速形成了用户忠诚度和传播效应。在公司资金薄弱的情况下，盛大仍然毫不犹豫地投入500万元巨资，建了一套大规模的呼叫中心，平均每天接听超过3000个电话，相应问题提交、答复只需24小时。如今，这种服务模式已经成为中国网络游戏业的默认标准。

以后，盛大通过向游戏玩家收费，找到了以往网络游戏依靠网络广告、电信分成等模式以外的新赢利模式，开辟了一条迅速盈利的捷径。

在新锐创业企业的赢利方式上，多数和传统企业一样，是依靠出卖产品和服务赚到钱的，这主要集中在创业初期，完成企业原始积累的资金大多由此获得。如打造出国内第一台烤漆房的中大公司，其创立者徐连国就是通过南京汽车维修设备博览会，拿到了200万元的订单。这时，徐连国手中只有一台烤漆房，要完成这笔订单，必须立即投产。但建厂房、买设备、组织生产需要的筹备时间太长了，于是他们选择了一条便捷之路，把生产交给别人，而自己掌握市场和销售。1992年12月，中大与江苏大中农场合资创办中大电子温控设备厂，批量生产"中大"牌汽车烤漆房。中大的这种科技经营战略使他们迅速完成扩张，到1993年，烤漆房的销售形势良好，完成销售收入6600万元。此后，徐连国才开始着手建立自己的厂房，转向自产。这一过程，是很多以出售产品为主的企业必经的道路，而中大完成资本积累的时间，只用了短短一年。

1994年，中大在香港成立香港中大国际分公司，成为产品外销和进口配套元器件的渠道。1996年8月，中大烤漆房出口日本市场，实现了中国汽车烤漆房出口国际市场零的突破，继而与泰国、马来西亚等国家签订了出口合同。

"冷门产品，技术精尖"是中大对产品的定位。以冷门产品"中大烤漆房"开拓市场后，徐连国又开发了相关的系列产品，确保企业有足够强大的发展后劲。目前中大的产品已经从烤漆房延伸到汽保设备系列，再从汽保设备延伸到汽车检测设备；从烤漆房的小涂装延伸到涂装线；从烤漆房房体结构延伸到轻钢结构工程。技术的不断创新为产品的不断延伸注入了不竭的原动力，而产品的多角化、系列化，又拓展了市场，为中大创造了新的经济增长点。

与传统企业不同的是，很多新锐企业在完成初期的积累之后，还会通过资本市场上市、股权转让获利。资本市场的巨大财富效应对创业新锐们的吸引力可想而知，它能带来的直接积极效应就是资产的迅速增值，同时公司的发展也会步入一个新的轨道。

2004年6月16日，腾讯控股（700.HK）在香港联交所正式挂牌交易。根据其每股3.70美元的发行价计算，腾讯拥有62.2亿港元的市值。

腾讯的招股上市，可以让我们清楚地看到快速崛起的IT公司完整的资本路径。根据腾讯出具的资料表明，腾讯控股的前身——腾讯计算机公司注册资本为50万元人民币，两名出资人黄惠卿和赵永林分别持有60%和40%的股权。经过历次股权转让，腾讯控股的5位主要创办人马化腾、张志东、曾李青、许晨晔和陈一丹共同全资拥有腾讯计算机公司至今。

此次上市，腾讯造就了5个亿万富翁，7个千万富翁。马化腾因持有14.43%的股权，账面财富是8.98亿港元；张志东拥有6.43%的股权，账面财富为4亿港元；另外三位高层曾李青、许晨晔、陈一丹共持有9.87%的股权，三人的财富合约6.14亿港元。此外，腾讯的其他7位高层拥有着另外的6.77%股权，7人共有财富4.22亿港元。

1999年，尽管众多风险投资机构集中在华南寻找项目，对于互联网有兴趣的投资者也有不少，但明白其内在潜力的并不多。而且仅有一家投资的话，感觉风险很大。当时IDG和香港盈科有意投资腾讯，腾讯5位主要创办人于当年底成立腾讯控股作为腾讯各公司的控股公司。最后，IDG和盈科共同与腾讯签下了220万美元的投资和约。IDG和盈科分别持有腾讯控股总股本的20%，马化腾及其团队持股60%。正是这220万美元的风险资金，为腾讯日后的迅速崛起奠定了基础。

2001年6月，香港盈科以1260万美元的价格将其所持腾讯控股20%的股权全部出售给MIH（米拉德国际控股集团公司）。起源于南非的MIH从盈科手中购得20%腾讯股权的同时，还从IDG手中收购了腾讯控股13%的股份。2002年6月，腾讯控股其他主要创始人又将自己持有的13.5%的股份出让给MIH，腾讯的股权结构由此变为创业者占46.3%、MIH占46.5%、IDG占7.2%。

对于股权出让，马化腾认为，这只是他们与投资者之间的运作问题。对企业的创业者来说，不同阶段、不同投资者能带来不同的帮助。在持股比例和公司经营管理的界定上，MIH与腾讯创业团队有较好的默契，MIH的投资看上去不是风险投资，而是策略投资，股权转让并没有对腾讯的业务带来影响。在MIH短暂控股时期，腾讯控股的具体经营管理主要还是由马化腾等主要创办人负责，MIH方面派出的两名非执行董事并不负责腾讯控股的具体事务。

2003年8月，腾讯创业团队将IDG所持剩余股权悉数购回，并从MIH手中回购少量股权，经过股权结构的重新调整，最终完成了上市前MIH与创业团队分别持股50%的股权结构。腾讯控股上述历次股权的变动与风险资金投入的不断增加同步进行。腾讯今天的成长除了公司不断将保留盈利转为追加投资之外，风险资金的追加孵化也起到了至关重要的作用。在曾经占据股权优势的背景之下，MIH为何放弃绝对控股而接受与腾讯创业团队各占50%的股权安排？这主要还是MIH看到了马化腾在腾讯发展中起到的关键作用，没有马化腾及其他主要创办人的进一步努力，公司的运营和发展就会失去方向，甚至对公司的运营和财务状况都会产生很大影响。

除了资本市场上市等资产增值手段外，融资过程中的股权溢价、股权转让也会实现创业者财富的放大效应。此外，少数企业也会通过直接将企业整体出售达到赢利的目的，但对大多数企业来说，全身而退是个很好的结果，但实现起来并不容易。

创业者危局

新锐领域的创业者中，有一部分成功，也有一部分失败。成功与失败之比高于传统型的创业者。但就是目前一些红得发紫的所谓创业"新星"，其企业发展过程中也会遇到许多问题，濒临失败的边缘。造成新锐领域创业失败的原因，可以从人的因素和环境因素两方面分析。人的因素主要是投资者的自身条件。其中，高学历、高素质、国际化背景和拥有自主知识产权的"海归"群体，成为新锐领域创业的重要力量。有统计资料显示，在北京中关村科技园区，留学人员创办的企业占园区企业总量的10%以上；"海归"人数已占到中关村从业人员总量的1%左右。

在许多"海归"眼中，创业是回国发展的"最高境界"。因此，最近几年，"海归"创业热潮风起云涌。据国务院侨办的最新统计，目前已有2万多名"海归"回国创业，"海归"企业年产值已达数百亿元人民币。而北京、上海等地更是成为"海归"的创业热土。以上海为例，2003年平均每天就有1家"海归"企业诞生。 我国改革开放的不断深入、国民经济的快速发展，为"海归"创业提供了广阔的发展空间。UT斯达康总裁吴鹰曾说："如果你后悔10年前没回国创业的话，现在就回来，以免10年后再后悔。" 但同时也应该看到，创业是高风险领域，尽管国家对"海归"创业有诸多的政策扶持，"海归"企业同样也要在市场的风口浪尖中搏击，同样也会有不谙水性的"海归"翻船。

回国创业的海归派多数选择的都是高新技术领域的项目，但有一部分"海归"的创业不那么顺利，他们创办的一些企业"水土不服"，苦苦支撑。一年多前，从美国回来的廖先生踌躇满志，刚入驻成都留学生科技创业园，就签下了几百万元人民币的合作协议。不少专家都看好他的项目，技术先进，再加上雄厚的资金，创业应该十拿九稳。谁料想项目只延续半年便告吹，合作双方不欢而散。经过短暂调整之后，廖先生又在创业园注册了另一家公司，可惜好景不长，只运作几个月再次泡汤。

要想创业成功，创业者不仅要懂技术、懂管理，还得抓市场。

要想创业成功，创业者不仅要懂技术、懂管理，还得抓市场。"海归"创业者在国外接受了良好的教育，有很好的技术背景，但在资金运作、市场营销等方面则稍有欠缺。而且不少留学生长期在外，对国内情况比较陌生，这些都对创业有所影响。"海归"要想创业成功，光有先进的技术、市场的先机还远远不够，首先是要适应国内环境。如果生搬硬套国外的做法，忽略了现实的市场需要和中国国情，就会感到不适应。只有尽早融入社会，适应当地环境，才能调动一切市场资源，结合来自各方面的力量，共同推动企业成长壮大。

曾在加拿大贝尔实验室工作过多年的胡敏博士，回国创业才几个月就遇到了不少难题。他独立开发了一套高性能视频服务器软件系统，在宾馆、智能居民小区具有广阔的应用前景，有多项专利，但市场拓展却并不顺利。胡博士说，相对而言，国外的市场比较成熟、规范，你只要有好的技术，资金、市场等等都不成问题，有人会替你打理一切。

1999年回国创办信中利投资有限公司的汪潮涌认为，资金的压力是最大的。他20岁获奖学金赴美留学，28岁便成为世界最大的投资银行——美国摩根·士丹利亚洲公司副总裁。1998年他辞掉年薪至少百万美元的职务回国创业，理想是在中国创立一个大型的高科技风险投资公司。他说：在硅谷，你有好的商业计划书，好的产品，好的团队，去找风险投资公司，命中率很高。而且一旦决定为你投资，投资公司会帮你找市场，以至帮助你提高管理水平。国内也有几百家风险投资公司，但总的来说还很不成熟。没有专业分工，也没有实力为企业提供国外投资公司对企业的那些支持。国内银行向企业贷款的条件是看你有多少房产、地产、设备等有形资产做抵押，创业时期的高科技企业显然没有这方面的优势。除非你能从国外为自己的创业公司带回大笔资金，否则公司很容易因资金短缺而夭折。

"海归"创业的另外一个缺陷在于对经营管理的陌生。很多"海归"都是学技术出身，对经营管理、市场运作知之甚少，更缺乏实战经验，从而在创业过程中碰到很多困难。此外，外部环境也存在制约留学人员发展的因素，如缺乏有效的投融资体系，特别是风险投资体制不健全；缺乏鼓励冒险、容忍失败的创新氛围；法律体系也不够健全等等。许多海归派对国内行政效率不高的现实多少有些无奈。他们觉得，在国内办事，循正规途径可能就会拖三阻四，要靠走门路、拉关系才行；竞争环境并不公平，而且，其中一大竞争对手恰恰就来自于政府本身。

"海归"回国前应补上企业经营管理这一课，最好能在国内外企业中工作一段时期。同时，也可通过招募企业经营管理及市场开拓方面的专家，组成优势互补的团队，共同经营企业。"海归"企业往往面临两种选择：要么入乡随俗，要么因成本降不下来而被市场淘汰。

事实上，经营管理上的捉襟见肘不仅是"海归"创业的难题，在很多土生土长的新锐企业创业者身上，这一点也非常难以克服。从宏观上看，创业者可以分为技术型创业者和管理型创业者两大类。技术型创业者就是时下流行的知识创业者，这类创业者是技术专业性强的人才，美其名曰的"知本家"。互联网业作为高科技产业技术含量高，决定了在网络业初始阶段以技术型创业者为重，丁磊、王志东就是这一类创业者的代表。而管理型创业者特别是优秀的职业经理人创业者，在目前中国创业者中还微乎其微。

技术型创业者有其自身的长处，就是能够比较早的发现机会，并且抓住机会。但在企业发展起来以后，其在管理上的缺点和不足也就表现出来，成了创业者在创业之后能否继续领导经营企业的问题。2000年，丁磊就曾辞去网易首席执行官的职务改做"联席CTO"，只拿股权，不再过问公司具体事务，也是由于这个原因。

创业者的明天在何方和创业者的出路如何？大概有以下几条路可走，第一条路是激流勇退，请职业经理人管理企业，自己由管理层退到决策层；第二条路是转变自身技术型为管理型，但是这条路由于一个人的能力有限，成功的可能性不大；第三条路是像童家威一样再次创业，"出局"后的王志东也踏上了这条路，并且这条路可能会因为创业者不服输、坚韧的普遍性格，使越来越多的人愿意去走。丁磊虽然聪明地辞去首席执行官的职务改做"联席CTO"，但是他的这一选择最后并未成功，原因是此后他虽无CEO之名却有CEO之实，网易不管什么也还是他说了算，这种情况出现的原因还是创业者对企业管理者不放心，不放心把自己打下的江山拱手让人，或者因为大权旁落导致高层震荡，丧失领导地位。但如果可以完善一下这种变换位置的做法，丁磊将会走得更远。

实际上，"创业者危机"恐怕并不是企业发展的真正危机，因为创业者的初衷在创业成功的时候业已实现。从某种意义上看，创业者在企业实现第一次飞跃时就已达到自己的目的，而企业要壮大必须引进优秀和专业的管理者。现在已经有一些企业意识到这个问题，他们已经在大胆地放权，并大胆引入职业经理人。

今年2月，上海盛大在北京正式宣布原微软中国总裁唐骏加盟，盛大方面表示，唐骏加盟后将出任盛大公司总裁一职，聘任期一年，负责企业的运营和管理。而原总裁陈天桥则将出任董事长兼CEO，负责企业的战略发展规划、全球资本运作和企业文化建设。虽然有人认为这是陈天桥为摆脱家族企业阴影，从而顺利上市所做出的姿态，但这种组合方式至少是让人肯定的。

"放手让别人去干"，说起来容易，做起来心理障碍并不小。

"放手让别人去干"，说起来容易，做起来心理障碍并不小。广东顺德伟雄集团是一个拥有松本电工等五大知名品牌、十余家分公司的大型企业集团。上个世纪90年代初，随着企业规模膨胀，创始人林伟雄开始推行管理用人上的第二部曲："放权运动"——放手让别人去干，自己任董事长，妻子秋丽娟任总经理，抓大的决策。公司的日常工作由副总经理决策，部门的日常事务由部门主任说了算，就连某一个岗位的管理也责任到人。林伟雄实在管不住自己，两人就干脆结伴出国旅游。一个月后回来，发现企业"无为而治"居然运转良好，不仅形成了全员负责，调动了全员智慧，而且实践证明，这样做还有一个意外的好处：很多小问题小毛病被消灭在萌芽状态，自己再也不用扮演忙忙碌碌的"救火英雄"。责任到位了，利益却悬空了，利益调整问题因此被推向前台。在这方面，林伟雄显出了过人的大气与果断，他很快咨询了各路专家，宣布对企业进行股份制改造，实行"精英人才持股制度"；对普通员工，将通过修员工宿舍、建工程师楼、探索更加合理的奖惩措施来消除其后顾之忧和不安定因素。上个世纪九十年代中期，伟雄集团前前后后投资创办了十多家子公司，每一家子公司都按照高级管理和技术人员持股的方案招募能人，设独立法人，逐步形成董事会和管理层"两权分离"的治理结构。

[第八章]

创业十宗罪

Entrepreneurship in China

在前面已经用较大篇幅探讨过创业失败以及危局挽救的种种问题，但是失败如同摔跤，跌倒了还可以站起来，坚强者养一养伤，定一定神，会选择继续前行。而现在所要说的却是死亡，而且是非正常死亡。

创业，做老板，很多人第一个想到的就是要拥有一个自己的企业，这也是做老板必经的一步。企业不论大小，都同人一样，衰老和死亡不可避免。人类从事企业经营活动的历史不下千年，谁曾见过一家千年历史的企业？不要说千年，就是百年老店亦殊为难得。据美国《财富》杂志报道，美国大约 62% 的企业寿命不超过 5 年，只有 2% 的企业存活达到 50 年，中小企业平均寿命不到 7 年，大企业平均寿命不足 40 年；一般的跨国公司平均寿命为 10~12 年；世界 500 强企业平均寿命为 40~42 年，1000 强企业平均寿命为 30 年。日本《日经实业》的调查显示，日本企业平均寿命为 30 年。《日本百强企业》一书记录了日本百年间的企业变迁史，百年中，始终列入百强的企业只有一家。在我国，关于企业存继周期尚无如此明确的统计，但 1993 年、1995 年、1997 年、2000 年、2002 年连续进行的五次全国私营企业大规模抽样调查表明，1993 年以前我国私营企业平均存继周期只有 4 年，2000 年我国私营企业存继周期提高至 7.02 年。此外，有数据表明，我国集团公司的平均寿命约为 7~8 年，与 2000 年统计的我国私营企业的平均寿命相仿，不知这是否也就是我国企业的平均生存时间？倘若这一数字可信，则我国企业的平均寿命远逊日本，而大型企业(集团公司)的平均寿命也只达到美国中小型企业的平均水平——我们相信，这是一个比较乐观的估计。以我们的观察和平时与企业界人士的交谈交流，我国中小企业的平均寿命大体也就 3~4 年。我国每年有近 100 万家企业倒闭，约为美国每年倒闭企业数字的 102 倍。若考虑两国在企业总数上的差别，这一数字可能会更加惊人。企业的倒闭或死亡并不可怕。像每个人都有自己的生命周期一样，企业亦有自己的生命周期。我们在这里研究企业之死，尤其是创业企业的种种死状，目的不在于使我们的企业长生不老。我们不是炼丹的道士，也不是会念咒语的法师。我们做不到这一点。只是希望通过自己的研究，让我们的企业能够活得更加健康一些，痛苦少一些，快乐多一些。对于那些病入膏肓、非死不可的企业，我们亦希望它们死得其所，能死得更有价值一些，更有尊严一些，至少我们希望它们知道自己因何而死。凤凰涅槃，目的不是为了死亡，而是为了新生。我们希望自己的研究，能对那些仍旧活着的企业起到一个借鉴、启发的作用，如此我们的工作就没有白做。

一个企业，无论它是处于初起创业阶段，还是已经长成参天大树，其成功或失败，归结起来原因无非是内外两个方面。外，是指社会环境与政府环境，其中政府决策、政策，政府依法行政及政府诚信对企业具有生死攸关的作用；内，则是指企业的产品研发、企业人事、财务、组织管理及企业战略、市场营销等。这样的分析放之四海而皆准，但如此粗线条的分析对企业的实际运营却毫无意义，起不到借鉴作用。我们通过对近年来数十失陷企业和企业家的亲身走访，同时有针对性地对近十几年来国内媒体数百例相关报道进行了梳理。通过研究，我们发现了一些有趣的具有共性的东西。导致国内企业(在这里，我们特指民营企业)死亡的原因是多方面的，但有 10 个方面的病源出现的最多，特别值得企业界朋友，尤其是正处于创业阶段朋友的重视。我们称之为"企业致死十大病源"。这十大病源，有些是原生性的，与中国民营企业的成长历史一直相生相伴，至今仍然在严重腐蚀着中国民营企业的肌体，有些却是新生的，是近几年才出现的，而且其中的一些新生病菌就像 SARS 病毒一样，具有极强的复制性和蔓延性。

对创业者来说，任何时代都是难的，任何时代也都是容易的，关键看你以一种怎样的态度去应对。

现在有些人不管说到什么事，喜欢动不动就引用英国文豪狄更斯在其《双城记》一书中的开篇语："那是最美好的时代，那是最糟糕的时代；那是智慧的年头，那是愚昧的年头；那是信仰的时期，那是怀疑的时期；那是光明的季节，那是黑暗的季节；那是希望的春天，那是失望的冬天……"只不过是在引用时把"那"改成了"这"。其实这都是扯淡。对于创业者来说，无所谓最好的年代与最坏的年代，也无所谓最好的季节与最坏的季节。鲁冠球们创业时，虽然赚钱容易，但时时要顶"投机倒把"的名声，冒打靶子的风险，未必比现在的创业者过得更愉快；现在的创业者虽然赚钱比鲁冠球们的那个时代要难得多，但至少社会环境要比鲁冠球们的时代宽松得多，人们的容受度也要大得多。对创业者来说，任何时代都是难的，任何时代也都是容易的，关键看你以一种怎样的态度去应对。人是这样，企业也是这样，死亡既然不可避免，是必然之事，那么在未死之前，就要尽力提高生存质量，尽情享受生活。

但这并不意味着我们就可以对死亡熟视无睹，尤其对于那些非正常死亡者，有必要保持我们的警惕，以吸取他人的教训，避免重蹈覆辙。对生者，这是明智；对死者，这是安慰。

第一宗罪：顺死逆生

开过车的人都知道，越是平坦宽阔的大道，开车时越容易出问题。因为道路太平坦，视野太开阔，人的精神就容易麻痹。所以，有经验的设计师在设计高速公路时，都会故意裁直取曲，故意设计一些弯道。做人也是这样。一个人如果人生太顺利了，便难免自以为是，目空一切，目无余子。而如果这个人又恰巧是一个创业家，办了一个企业，做了老板，那麻烦了，他的企业离"出事"不远了。所以，有人说一个人创业，不怕不赚钱，就怕开始就赚钱，而且是赚大钱。一开始不赚钱的企业，只要他熬得住，方向对头，早晚有赚钱的一天；而一开始就赚钱，而且赚大钱的企业，如果创业家朋友不警惕，他赚的钱早晚会是别人的。他等于是在替人打工，替别人看守家业。原因就在于"顺"。人一顺，就不太容易守"规矩"，把"规矩"放在眼里，也不太容易将"规矩"当一回事。

2003 年 5 月 25 日，长沙警方拘捕了一个叫做李忠文的人。据说李忠文是被他的一位主债匿迹潜形追踪近一年后，向警方检举揭发而遭拘捕的。李忠文被拘捕时，正在长沙的一个茶馆里喝茶。李忠文何许人？他究竟干了些什么，竟使人如此怨毒，非要致之死地而后快？

人一顺，就不太容易守"规矩"，不太容易把"规矩"放在眼里，也不太容易将"规矩"当一回事。

说起来，李忠文也是穷苦出身。他是一个渔民的儿子，从小吃不饱穿不暖。17 岁到天津学徒做鞋匠，19 岁出师。因为为人勤恳，脑子灵活，很受师傅器重。除了传授做鞋的技术外，同为温州老乡同时又是老板的师傅在出门谈生意时，经常会带上李忠文一起去，加上李忠文自己留心，没多久，李忠文就将鞋业的生产经营、市场营销弄了个门儿清。

李忠文心很大，看见自己的温州老乡都在外面当老板，他也不甘心自己一辈子只当一个打工仔。1994年，出师后的李忠文辞别老板，借了4000块钱，和自己的哥哥两人开始在天津打江山。

刚开始创业时，因为本钱不济，李忠文和哥哥吃了很多苦，冬天买不起被子，甚至只能穿着军大衣过夜。李忠文哥俩考察后看上了天津一家叫做"华清池"的老式澡堂子，计划将其改建成鞋业专卖店。为了省钱，从粉刷房子到买各种装修材料，哥俩都是亲自动手。温州和福建晋江同为中国鞋业之乡，李忠文又在鞋厂做过几年，在业内有一些关系，半买半赊很快解决了货源。李忠文很有生意头脑，看到天津当时商店里的鞋都卖得很贵，他就反其道而行之，将所有的鞋都进行廉价销售，生意一下就火了起来。做生意的第一年，天津那个由老式澡堂子改建的只有420平方米的鞋店就为李忠文哥俩带来了400多万元的收入。哥俩顺顺当当地淘到了人生的第一桶金，由穷小子一下子变成了百万富翁。

李忠文的心更大了。那个"澡堂子"鞋店除了一部分自己经营，他又分出一部分进行出租。别人看到李忠文鞋店生意红火，都愿意出高价来租赁他的铺面。而李忠文则一方面分散了风险，另一方面通过收取租金，手里可以有更多的"活钱"进行运营。这是李忠文精明的一面。到1996年，李忠文和哥哥在天津已经拥有了4家鞋店，每家单店面积都在四五百平方米。在李忠文操持下，这些鞋店的生意都不赖。

但是这一年晚些时候，李忠文却突然决定将4家鞋店都关掉，而另外租赁了5个店面，每个单店的面积一下子扩大到上千平方米，同时打出"百信鞋业"的旗号，以"平民化，低成本，低价位"为号召，搞起"鞋业超市"，并引进连锁概念，对外号称"中国第一家鞋业连锁企业"。全新的经营模式，超低的商品价格，引来社会上好评如潮，慕名而来的顾客挤满店堂，为李忠文哥俩带来了丰厚的收益。

这时候李忠文慢慢觉得一个天津已不够自己施展了。他有心要进行扩张，建立一个更大的李氏鞋业帝国。从1997年起到2000年，短短四年时间里，"百信鞋业"在全国40多个城市连开80家连锁店，旗下拥有员工2.8万名，总资产达到30多亿元。李氏鞋店，大的单店面积超过1万平米，小的也有1千多平米，显得大气磅礴，气势非凡。

李忠文的生意做得简直是太顺了，顺得让别人眼红，顺得连他自己也好像是做梦一样。其时的李忠文已不单单只是个亿万富翁，他还成为了社会名流，被人誉为"中国鞋王"。过顺的境遇使得李忠文和当年的吴炳新一样豪气爆棚。他宣称，到2002年，"百信鞋业"要在全国开出100家连锁店，5年内"百信鞋业"将跻身世界500强。他自豪地宣称，他的习惯是只做第一，不做第二。如果哪家百信鞋店在当地的销量不是第一，他宁愿关掉它。

就在李忠文宣称他的"百信鞋业"要在5年内跻身世界500强的时候，李忠文和百信鞋业的灾难开始了。李忠文开鞋店，采取的是家电经销那一套模式，即厂家先垫货，待一段时间之后，再由商家给厂家结款。这种模式，可以很好地缓解商家资金紧张的局面，但同时也潜伏着巨大的危险。在百信起步的时候，李忠文信誉非常好，说10天给厂家结款，最多不会超过15天。但是随着李忠文信心爆棚，短时间内一下开出几十家店，而且单店面积越来越大，最大的超过1万平米。这些店铺占压了李忠文大量的资金，使得百信的资金链始终处于高度紧张状态。慢慢百信开始对厂家失信，结款日期越来越长。厂家怨气日积月累。同时企业在短时间内急剧膨胀，老板自身知识积累和知识结构跟不上企业发展，管理混乱不可避免。管理混乱又直接导致了两个后果，第一，替李忠文打理着他在全国各地几十家店铺的大多是他的亲戚朋友。这些亲戚朋友在他困难的时候不是说想着法子替其排忧解难，而是趁其手忙脚乱，照顾不周，开始公然地、大规模地损公肥私，化公为私；第二，劣质商品开始大量涌入百信，原来百信仗以打下的两项利器，一是廉价，二是质优。现在百信廉价照旧，质优却早已谈不上。百信成了劣质商品的代名词，顾客投诉不断。顾客的投诉，又引来了政府管理部门的关注，百信的"偷税逃税"问题就是这样被发现的。同时因为产品质量问题，百信销售额急剧下降，使百信本已紧张的资金链进一步崩紧。

李忠文发现其亲戚朋友的不轨行为后，大为恼火，进行了严厉的斥责。而对方回答他的则是变本加厉。这样一来，百信便陷入了内外交困的境地。李忠文看起来固若金汤的企业帝国一下子变得岌岌可危。正在这时，百信一直存着的"偷逃税"事件被揭发出来，成为了压折骆驼腰的最后一根稻草。随着由工商、税务、公安等部门联合组成的调查组进驻"百信东北分公司"，被百信拖欠着上亿元巨额货款的各地供应商闻风而动。危难时刻，李忠文身上的劣根性彻底暴露。面对讨要货款的供应商，他不是说想着法子去解决问题，求得对方谅解，以便同舟共济，共度难关。他竟在许下一大堆诺言，开出一大堆空头支票，骗取部分供应商的最后一批货物后，脚底抹油，逃之夭夭了。这次李忠文在长沙的被捕，便是被人控告利用空头支票进行诈骗。受骗后的供应商愈加愤怒，百信在各地的不少店铺遭到供应商的砸抢。李忠文的百信帝国几乎是在一夜之间土崩瓦解。

总结李忠文的失败，只有一个字，那就是"顺"。李忠文太顺了，顺到他认为自己无所不能，无往而不利。因为他在天津开店，结果是铺面越大，赚钱越多。他就将"大铺面赚大钱"当成了真理，在全国各地无限制地复制，以至于在一个只有几十万人的地级市，他也能开出一家足有上万平米的鞋业专营店，全然不顾当地消费能力是否能够消化得了这样庞大的鞋店。正其如此，百信前期开店，开一家赚一家，后期开店，却是开一家赔一家。

企业、企业家境遇过"顺"是祸不是福，过"顺"是中国民营企业的第一大敌，也是中国民营企业家的第一大敌，不可不防。

老话说，"生于忧患，死于安乐"。我们从不少民营企业家的失利中都能看到"顺境"下的阴影。史玉柱是这样、怀汉新也是这样；吴炳新是这样，胡志标也是这样。当年李嘉琛在河南做华豫，做一个项目成一个项目。做一个木纹加工器技术，赚了18万；做一个人造大理石技术，赚了600万；做一个合成燃料技术，3个月仅招待各地的取经者门票就收了300万，转让费又收了2000万。于是李嘉琛认为自己无所不能了，企业不但要搞发明，还要搞房地产，还要进军医药行业。于是，一个房地产赔了几百万，一个"鞋足香"又赔了几千万。企业几年的积蓄，在随后的一两年里败了个一干二净。李嘉琛想不明白呀，自己这么聪明的人，几乎是干什么成什么的人，怎么就做不了房地产，做不了医药业呢！最后竟逼得自己非得卖掉企业，非得再赔上自己的全部积蓄，去还银行的贷款。看看我们周围，短短的二十几年市场经济的历程中，曾经涌现过多少风光无限的企业，曾经涌现过多少风光无限的企业英雄，这些企业、这些企业英雄而今安在？都在觥筹交错、歌舞升平中死掉了，被雨打风吹去了。我们认为，企业、企业家境遇过"顺"是祸不是福，过"顺"是中国民营企业的第一大敌，也是中国民营企业家的第一大敌，不可不防。

第二宗罪：情大于理

人是群体性的动物，换句话说，人与人之间需要交往。人是讲感情的，这感情无论是父子之情、母子之情、兄弟之情、兄妹之情、夫妻之情、朋友之情……无论哪一种感情，都弥足珍贵。当你创业的时候，当你做老板的时候，往往都需要并且能够得到由这些感情联结起来的亲情、友情的臂助。但是处理不好，这些亲情、友情也会成为你做企业的累赘。"世界上只有永恒的利益，没有永恒的朋友。"这句话说起来冷酷，但是在大多数时候，它却是真理。做企业的人，应该时刻铭记在心。

创业小贴士

世界上只有永恒的利益，没有永恒的朋友。

当武东福做企业做得顺风顺水的时候，他记念着那些江湖上的朋友，将他们都召至麾下，给予他们最好的待遇。他常常宁肯自己吃亏，也决不肯让朋友吃亏。

武东福是湖南衡东现代节能工程有限公司董事长。这是个绝顶聪明的人，也是个白手起家的典范。早在80年代初，某国防工办搞乳化炸药承载体，请了许多的专家学家也没有弄成功。只有小学文化程度的武东福听到讯息后，竟毛遂自荐，主动上门请缨。那是一个火热的年代，是一个什么都敢想，什么都敢干的年代，某国防工办竟也就答应了他的请求。要是放到如今，这真是一件无法想象的事情。而武东福竟也就将这个众多专家学者也没有搞成的东西搞成了。一下武东福声名大噪，广播有声，电视有影，连中央电视台都来做了专题报道。因为武东福搞的这个乳化炸药承载体与节能上的技术联系，武东福顺势成立了自己的节能工程公司。仗着武东福的"名人"效应，公司很快搞得红红火火。武东福成为了"湖南省第一个百万富翁"，那时候张跃、张剑兄弟的长沙远大还没影呢，"湖南首富"的帽子落在了武东福的头上。但是武东福是怎么想的呢？他想的是自己能有今天，全亏与自己一起打天下的那帮子农民兄弟瞧得起，现在自己富了，他不能亏待了这帮兄弟。

武东福就想着法子帮着他的这些"兄弟"。他在自己的节能公司底下成立了十几个分公司，好兄弟一人一个。他规定这些分公司只需要向他交一些象征性的管理费，其他赢利都归自己。这些"好兄弟"用着他的品牌，用着他的开办费，他们怎么回报他呢？他们开始还交一些管理费，但是管理费很快就变成了白条。这么些年来，武东福从来没有要求过他的"好兄弟"们将白条兑现。武东福的"好兄弟"们后来不但不交管理费，还想方设法从他那里弄钱。他们要求武东福担保贷款，武东福总是有求必应。武东福讲义气嘛！武东福的"好兄弟"们算是看清楚了他这一条，并且吃定了他这一条。办企业十几年，武东福不但没有从他的"好兄弟"那里得到什么好处，反而为他们背上了一身债务。为了照顾与自己一起打江山的这帮子农民兄弟的面子，在武东福办公司的这些年里，衡东现代节能工程公司从来没有向外面招聘过一个高级管理人员和大学生。他的理由是："这些人进来之后，会看不起我这帮农民兄弟。"

非但如此，武东福还是一个非常讲社会责任感的人。在衡东当地，到处都树满了刻有武东福名字的功德碑，几乎每一块碑后，都是一大笔捐款。武东福在做公司最初，就作出了一个决定：凡是自己获得了一块钱的利润，必须无偿地捐出8毛给社会，自己只留下2毛钱用于发展。不但自己这样做，他同时要求他底下的那些分公司经理，他的那些"兄弟"们也必须这样做。他规定他们赚钱必须三七开，赚一块钱，自己只可留3毛，7毛要捐给社会。他的兄弟们做得到做不到不知道，反正他自己是严格要求自己做到的。

在这样的情况之下，武东福办企业十几年，自己的帐上竟然没有留下一分钱的积蓄。这种靠义气经营的企业，分光用尽的办企业方式，企业的发展后劲可想而知。湖南省衡东现代节能工程有限公司在经过最初几年的红火之后，很快就陷入了沉寂。由红火而至平淡，由平淡而至落寞，可叹武东福自己竟毫不自知。就是在他最困难的时候，他还捐出100多万元去搞光彩事业，帮助穷人。

武东福自己也很快变成了一个穷人。2000年8月，武东福因为一张别人拿来抵债的价值2.084万元的虎皮被警方拘捕，在牢里坐了4个月。当他出来后，发现自己昔日的那些兄弟早已作鸟兽散，十几家分公司里只有两家的兄弟还在坚定地等着他，要与他一起东山再起。武东福心灰意懒，将他们尽行遣散，不但如此，他还将自己的妻儿也一并遣散，坚决地与自己几十年来相濡以沫的妻子办理了离婚手续。武东福的理由是：自己已然如此，何必还要连累别人。让旁观者叹息不已。

说到底，武东福还是落在"义气"、"感情"的陷阱里不能自拔。像武东福这种人，做人是个绝对的好人，但是做企业，像这个样子，非垮不可。"但愿君心似我心"，这样的事，在现代社会哪里去求？他也没有理由要求别人这样做！如果武东福早生个千把年，比如说在大宋时代，在水泊梁山，可能会是个一等一的好汉。但是在现代社会，现代企业，讲究的是个制度，照章办事，照规矩办事，无规矩不成方圆。武东福的落败，就非偶然，而是必然的结局了。

当感情不能战胜理智，很多不可思议，甚至荒唐的事都可以发生。在山西榆次，有个鼎泽洲环保产业有限公司，生产砖块成型机，在当地很有名。公司董事长叫王永昌。1999年，王永昌为

创业小贴士

当感情不能战胜理智，很多不可思议，甚至荒唐的事都可以发生。

公司招来了一个能人，叫做郭瑛。王永昌对郭瑛可谓至厚。周公对姜太公不过是推袍让座，王永昌却不但将自己的小汽车让给了郭瑛，为郭瑛买了大套的房子，还不顾众人的反对，给予郭瑛10万元的年薪，这在相对贫穷的山西榆次，简直是个天价。在王永昌的鼎力栽培下，郭瑛羽翼渐丰。1999年，郭一声不响，悄悄离开了鼎泽洲。他想自立门户，做一番事业。而他做的事业是：挖鼎泽洲的墙脚。然而，让郭瑛没有想到的是，这一行道竟是如此之深，看起来简单的砖块成型机，做起来竟是复杂异常。郭瑛的出走以失败告终。走投无路之际，王永昌再次收留了他。不但收留他，而且提拔他做了公司副总经理。王永昌的想法，人是讲感情的动物，死刑犯尚能感化，何况是一个小小的郭瑛。

可惜王永昌投之以木瓜，人家回报的却不是琼浆，而是砖头。掌握大权后的郭瑛总结自己首次出走失败的"教训"，开始悄悄对鼎泽洲进行"改造"。首先，在销售部排除异己，将销售人员全部换成自己的心腹，甚至连公司广告上的销售电话都换成他私人的手机号码，使鼎泽洲客户资源尽在掌握。当有人发觉郭瑛的不轨行为后，向王永昌告发，王永昌却说用人不疑，疑人不用，作为董事长，"要支持郭总的工作。"其次，窥视企业技术机密。郭瑛的第一次出走，自立山头，就是因为技术不过关而落败，现在王永昌不记前嫌，给了他一个公司副总的职位，这样的天赐良机，郭瑛岂能浪费！很快，作为鼎泽洲企业核心竞争力所在的技术部门就被布置

上了郭瑛的"密探"。2001年10月，当王永昌出国考察，委托郭瑛全权主持公司工作，郭瑛将鼎泽洲的技术机密盗之一尽。不但盗，郭瑛指使那些他在做副总时培养起来的、"愿意跟着郭总走"的技术人员在"copy"完鼎泽洲的所有相关技术数据之后，将这些技术数据从鼎泽洲技术部的计算机里删得一干二净。郭瑛的意思很明确：以后砖块成型机这一块儿业务你王永昌就别做了，有我郭瑛一个人玩儿就足够了。人心恶毒，竟能够至于斯！

王永昌从国外考察回来，立刻傻了。郭瑛离开鼎泽洲后，注册了自己的"东方天宇环保科技有限公司"，生产的产品除了名称有所改变，几乎就是鼎泽洲产品的翻版。在郭瑛公司的冲击下，失去了独占技术，又几乎失去了所有客户资源的鼎泽洲一败涂地。一筹莫展的王永昌不得不向公安局报案。2002年1月25日，郭瑛被以涉嫌侵犯他人商业机密罪被捕。郭瑛得到了惩罚，王永昌和鼎泽洲也付出了沉重的代价。

在王永昌看来，人心都是肉长的。只要自己真心待人，真情付出，总是能够得到别人的相应回报的，所谓"投之以木瓜，报之以琼浆"。他却没有想到，在这个世界上，经常发生的事却是"播下龙种，收获跳蚤"。如果不是盲目相信自己的感情投资，让这些所谓的感情投资冲昏了头脑，一个人如何能够在自己监控不到的情况下，将自己的企业全权托付给一个犯有"背叛"前科的人！

一个企业家失去理智，他的企业也就离死不远了。

很多人爱看琼瑶的小说。琼瑶小说中的主人公基本上都是一个类型：有感情，没理智。所以琼瑶小说中的主人公多以悲剧结局就不足为怪了。我们在这里需要特别提醒一下家族企业的掌舵者。家族企业各种关系盘根错节，有人说在中国，家族企业搞不好的原因之一，就是滥情，所以中国的家族企业要特别注意不要为情所困。要知道感情的洪水冲毁的是理智的大堤，一个企业家失去理智，他的企业也就离死不远了。

第三宗罪：身份错位

我们这样一个国度，是一个讲政治的国度，但是我们这里所讲的政治，不是通行概念上的政治，不是主义。所谓的企业政治化，是一个企业承载上政治上的意义，承载上官员的政治前途，如果是这样，经常的结果就是这个做老板的人事业的快速死亡，其属下企业的快速死亡。以前我们国家的官员，据说是全世界最好当的，现在这个官不那么好当了。当官首先要有政绩。最容易出政绩，让人看见政绩的地方在哪儿？修路、盖楼。所以，伴随着官员的政绩提升和官位升迁，在这两个地方栽跟头的企业最多。

大家都知道巨人的死是因为盖了一座巨人大厦。巨人为什么要盖这样一座超出自己财力、物力，并且可能巨人再有100年也用不了的大楼？巨人大厦原来准备盖38层的，后来为什么突飞猛进到70层？史玉柱说："38层的想法出来不久，1992年下半年一位领导来我们公司参观，看到这座楼位置非常好，就建议把楼盖得高一点，由自用转到开发地产上。于是，我们把设计改到54层。后来，很快又把设计改到64层，此中有两个因素：一是设计单位说54层和64层对下面基础影响都不大；二是我们也想为珠海市争光，盖一座标志性大厦。当时广州想盖全国最高的楼，定在63层，我们要超过它。1994年初又一位领导来视察珠海，同时要参观巨人集团，我们大家觉得64层有点犯忌讳，集团几个负责人就一起研究提到70层，打电话向香港的设计师咨询，对方告之技术上可行，所以就定在70层。"史玉柱的这番话，让你感觉像什么？是不是像儿戏，好像孩子过家家！这样搞企业，怎么能够不败。但是放在史玉柱，这却是没有办法的办法。史玉柱当初是因为在深圳不受人待见，才决定将企业搬到珠海去的。珠海的上层领导对史玉柱非常器重，为他办企业行了不少方便。现在领导上有需要，史玉柱如何能够不投桃报李？这叫有来有往来而不往非礼也。而且史玉柱的"贡献"不是白做的。就在史玉柱决定为"珠海争当，为领导争光"，将巨人大厦由38层"大跃进"到70层以后，珠海有关方面也立刻给予史玉柱回报。他们给了史玉柱一个"殊荣"。1993年，史玉柱荣获"珠海市第二届科技重奖特等奖"。珠海市政府颁发给史玉柱奥迪轿车一辆，三房一厅的住宅一套和奖金63万元人民币。这一事件曾在全国引起轰动。双方你来我往，就好像有默契一样。苦了的就是企业。巨人大厦原来预算为2亿，工期2年，加高到70层后，预算变为12亿，工期拖长到6年。后来史玉柱将巨人所有流动资金投入到巨人大厦，加上在香港卖楼花的钱，都填不满这个黑窟窿。最后巨人大厦没有盖起来，巨人也完蛋了。面对如潮水一般蜂拥而至的债主，史玉柱万般无奈，只好挟起皮包，不辞而别，"大隐隐于市"去了。

无独有偶,云南"钛王"罗志德也有这么一番"领导垂青"之际遇。罗志德白手起家,靠经营钛矿开采发了财,被称为"云南钛王"。发达后的罗志德又投资在云南教育学院成立了一个路达企业家学院,专门为云南培养民间企业家,所以罗志德又有"云南民企之父"的称号,在云南业界享有很高声望。1992年,罗志德觉得自己的事业做大了,提出想在昆明盖一座大楼,确定盖56层。为什么要盖56层?罗志德的想法,中华民族共由56个民族组成,56层,每个民族一层,希望以此彰显民族团结。罗志德原意只是提出这么一个计划,看看是否可行,谁知这个计划却被有关领导知道了。大楼立刻被赋予了一层非同寻常的政治意义。"有关部门"也会办事,昆明市中心一块面积达100亩的土地迅速被"特批"到了路达公司的名下,"有关部门"还在昆明市郊给了罗志德200亩土地。这一下,罗志德被架了起来,断了退路,他只好霸王硬上弓。以路达公司当时实力,远不足以支撑起这么一座庞然大物,向银行贷款又贷不到。罗志德苦思无策,最后想出了一个发行股票筹资的招数。这一招还真灵,仅发行股票的头3天就筹集了2000万元。正当罗志德以为问题解决,一个记者却向上面写了一份

企业就是企业,企业家的天命就是赢利,而不是搞"政治"。

内参,说路达公司乱发股票,扰乱金融市场秩序。上面派下来调查组,路达公司被勒令立即停止股票发行。这一来,大楼自然是盖不起来了,上面领导也对罗志德有了看法。路达公司自此麻烦不断,开始了企业的"自由落体运动"。原来平安无事的矿山不断遭冲击,"有关部门"不断来检查,原来安分守己的村民也开始来矿上滋事,甚至有人抱着炸药包冲进路达的采选厂砸抢。以往发生这种事,罗志德只需向有关领导打声招呼,问题便迎刃而解。现在罗志德的招呼不管用了。最后,路达钛矿采选厂和其他非法矿厂一起被勒令关停。采选厂是路达的生命线,也是罗志德赖以起家立业的本钱。采选厂完了,也就意味着路达完了,罗志德完了。如今,罗志德因为中风已经半身瘫痪。因为"毁林采矿"正不断受到有关部门的传讯,很有可能要负法律责任。不管罗志德愿意不愿意,"钛王"的大戏已经演完,大幕正徐徐落下,留给罗志德的只有那张蓝色大厦图纸和满地烟尘。

因为一方官员的好大喜功致使企业败落,这样的事我们已看得太多,

神经已麻木，丝毫不觉得新鲜了。这样的事，在富地方有，在相对落后的地方更甚，这是由我们的特殊国情决定的。对此我们毫无办法。对于一些企业家朋友受社会环境影响，一些创业家朋友因为缺乏经验，投机心重，上赶着给领导送"政绩"，一心想沾权力的光，或是在做企业小有所成后，不是一心想着如何将企业做得更好，做得更强，而是削尖了脑袋往上钻营，希望以"钱途"帮"仕途"，以"仕途"助"钱途"，最后把自己弄得身败名裂。对这样的事，我们更是无话可说。企业就是企业，企业家的天命就是赢利，而不是搞"政治"。前事不忘，后事之师。步鑫生的教训有些人大概是忘记了。据说步鑫生是建国以来除雷锋之外，媒体报道宣传最多的一个人。赫赫有名的步鑫生本是做衬衫的专业户。他的特长是做衬衫，他也只了解衬衫市场。但是后来有领导说，大家都在上西装，你也上一套西装生产线吧。步鑫生卖领导面子，听了领导的话，决定"小搞搞"。这件事被一个更大的领导知道了。领导说，你是全国模范嘛，干什么都应该争模范，不要缩手缩脚，要干就大干。于是"小搞搞"变成了"大搞搞"。海盐衬衫厂就这样搞完了。步鑫生在厂子里站不住脚，被迫出走，到上海，到黑龙江，到全国各地去给人打工谋生。中国最大的"企业政治家"是牟其中。牟其中的下场大家都看见了。因为过分热心政治，牟其中后来简直变成了一个妄人。据说《大陆首骗牟其中》这本书出来以后，一位崇拜他的民营企业家前去看望他，表示自己可以出几十万块钱，支持他，这钱不需要还。牟其中问，你的企业总共有多少资产。这位民营企业家说，大概3000来万。牟其中说，你把这3000来万都交给我吧，我拿去欧洲搞资本运作，赚了钱咱们一人一半，赔了，就算你送我的算了。吓得这位民营企业家屁滚尿流，落荒而逃。有段时间，牟其中竟然宣称要搞一个工程，请某位国家领导人"下来"以后来做。简直有点鬼迷心窍了。我们在此祝各位企业家朋友自重，并衷心地祝愿各位企业家朋友好运。

第四宗罪：心病无药医

做企业的人要保持一个良好的心态，因为思想决定行动。心态不对，行动就容易错误，最后毁人毁己。但是企业家要保持一个良好的心态不容易，尤其是刚刚度过创业起步阶段，事业初步有成，企业蒸蒸日上，创业

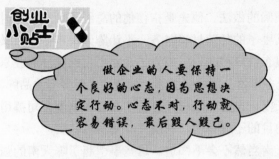

做企业的人要保持一个良好的心态，因为思想决定行动。心态不对，行动就容易错误，最后毁人毁己。

伙伴之间因为利益分配、权力分配的时候，造成巨大心理落差，这时候要保持一个良好心态极其不易。有多少创业者死于创业伙伴之间的内讧，实在是无可胜计。

拿胡志标来说。有人认为胡志标的失败和爱多的没落，是因为争夺标王，其实"标王"只是一个外因。胡志标的失败是一起典型的因企业家心态失衡而导致行动错误，最后招致失败的案例；爱多的死，同样是死于一个企业家的心态失衡。

胡志标过五关斩六将的故事大家都已知道。胡志标出身贫寒。初出道时，曾仿照小霸王做学习机，被段永平派人上门打假，胡志标视为奇耻大辱。1995年的一天，胡志标在一家小饭馆里听到有人谈论一个叫做"数字压缩芯片"的技术，据说可以用来放影碟。胡志标的命运从此发生转变。1995年7月20日，胡志标26岁生日那天，广东爱多电器有限公司正式成立。公司有3个股东，胡志标和他儿时的玩伴，同时也是其好友的陈天南各占公司45%的股份，公司另外10%股份由中山东升镇益隆村以土地入股获得。据说胡志标和陈天南当时各自的本金只有2000元。这个说法未必可信。就好像旧时的小说，有人总是希望把英雄的出身说得越低越好，以便彰显英雄后来的成功。胡志标是一个经营的天才，而他主打市场的手段便是广告。他所有的智慧和创意好像也都体现在广告上。这好像也是那时国内所有企业家都会的手段，而且好像是他们惟一会的手段。胡志标将公司的钱，除了留下买原材料的钱外，其余全部投入到广告中。这使爱多的名声在全国迅速打响。1996年11月，爱多以8200万元人民币获得央视广告招标电子类第一名，据说其时爱多全部资产也只有6000多万元。过了一年，1997年11月，爱多终以2.1亿元的出价获得央视第四届广告招标之"标王"，轰动全国。那时候是爱多最好的时候，那时候也是胡志标最好的时候。爱多日进斗金，胡志标喜不自胜。

但是乐极生悲，胡志标的烦恼也随着来了。大概连胡志标自己也没有想到，他会如此轻易地获得成功，爱多竟然会赚这样多的钱。爱多公司另一位股东陈天南，从来不过问公司的事，却以2000元的出资，每年坐收其利地获得爱多45%的红利。这使胡志标心里很不平衡。胡志标决意要改变这种局面，他却没有采取正确的做法。他先是指使他的总经理助理，当时兼管爱多财务，后来成为其妻子的林莹封锁财务，不让陈天南查帐；后又避着陈天南和公司另一位股东益隆村在中山成立了几家由自己担任大股东的公司。这些公司与广东爱多电器公司毫无关系，却盗用"爱多"的品牌，连注册资金也是从其和陈天南、东升益隆村共有的广东爱多电器公司挪用的。胡志标成立这些公司的目的不言自明，利用关联交易转移资产，这是地球人都知道的常识，陈天南当然不会不知道。这些事引起了陈天南的强烈反对。陈天南先是发"律师声明"，后又与益隆村联合起来进行逼宫。1999年4月，胡志标被迫从广东爱多电器公司董事长和总经理的职位上"下野"。但富有戏剧性的是，在将胡志标拉下马来以后，陈天南和益隆村却因不懂经营，同时迫于经销商的强大压力，仅仅过了20多天，他们又将胡志标扶上马去。

经此一役，爱多元气大伤。最主要的是，坏了爱多的好名声，伤了经销商的信心。在爱多红火的时候，要成为爱多的经销商并不容易。那时候获得了爱多的经销权，就等于是获得了一张银行转帐支票。所以，爱多经销权争夺十分激烈。成为爱多经销商的人，大多都付出了300万至1000万的费用，胡志标叫做保证金。这是胡志标的发明。这种做法，为爱多前期的发展做出了巨大贡献，但在后期，也给爱多带来了无穷麻烦。另外一方面，爱多实行两头在外的政策，不但原材料大部分是赊购的，就连生产，也大部分由协作厂家完成。在后期，爱多对应付的货款，能拖就拖。2000年，中山市政府委托有关部门对爱多进行审计，发现爱多共有固定资金8000万元，库存物料近2亿元，负债却高达4.15亿元。当爱多最终被正式破产清算的时候，爱多各项实物资产加起来还不到2000万元。

但是，从爱多的实际状况看，是不应该有这么多负债的。爱多的生产经营、市场营销一直到爱多破产前，都一直保持着正常状态。就是在爱多风波不断的1998年，爱多VCD仍然在旺季脱销，可见爱多产品是自始至终受到消费者欢迎的，而爱多以150万年薪请来的香港人李福光，一直将爱多的生产保持得井井有条，一直到爱多破产前夕，都是如此。爱多的老人曾给外界算过这样一笔帐：1997年爱多VCD销量145万台，当时利润丰厚，按每台利润200元算，爱多赚到3个亿；1998年爱多VCD销量100万台，按每如利润100元算，收入也有1.5个亿。爱多最红的这两年，销售收入超过4.5亿元。

这些钱都到哪里去了？该付的货款没有付，收取经销商的保证金也没有退还。有人说是交了"标王"的钱了，但是据爱多的老人反映，爱多欠中央电视台的广告款，从来就没有付清过。爱多也搞过一阵子多元化，生产各种各样的数字产品，还在一帮高参的策划下，搞过一个"阳光B计划"，但是投入均不多。在1998年销售旺季，爱多还以备货的名义，向各路经销商收取过总共8000万元的供货款。这些钱后来均不翼而飞。

现在多数人都相信是胡志标拿走了这笔钱。爱多去向不明的近1亿元资金，多数人都相信落到了胡志标的手里。但要说是胡志标拿走了这笔钱，前不久有朋友去狱中看望胡志标，却发现在如此秋凉的天气里，胡志标仍然穿着一件短袖T恤衫。他连买一件厚一点的御寒衣物的钱都没有。而且他的妻子林莹在他出事以后也化名杨敏在昆山的一家台资企业家里打工，后来被昆山警方逮捕。从这些情况看，胡志标夫妻现在又不像是有钱的人。可要说胡志标夫妻穷到连买一件衬衫的钱都没有，实在让人难以置信。另一方面，就在胡出事不久，他的妻子还花1000万元加币巨资，为其在江西农村的父母办理了赴加拿大的投资移民。这真是一个令人难以破解的谜。

2000年4月，胡志标以空头支票诈骗的罪名，由汕头一公司举报被捕。2003年6月，胡志标被中山法院以"票据诈骗罪、挪用资金罪、虚报注册资金罪"三罪并罚，判处有期徒刑20年。没有人会想到一代标王最终会落个这样的下场，可能连胡志标自己都不曾想到。其实胡志标本不必如此。他有许多的方法可以化解股东之间的矛盾。他可以收购陈天南手里的股份。陈天南后来曾经提出以5000万元向他转让自己的股份，胡志标没有答应；他也可以与陈天南、益隆村分家，亲兄弟明算帐，然后各走各的路；他还可以将自己在爱多的股份转让给他人，然后自己再去另拉一摊。爱多红火的时候，多少人垂涎，他手里的股份不愁没有人要。总之，办法多的是，可惜这些办法胡志标一条都没有采纳。可能在他心里就是气愤陈天南什么都不干，却拿走那样多的钱。他就是要陈天南的好看，就是不想"便宜"陈天南。心理失衡的结果，最后把自己也搭进去了。

胡志标并不是因为心理失衡而致翻船的惟一一个企业家，我们从陆强华(创维、高路华)等企业家的身上都可以看到心理失衡带来的阴影，看到心理失衡带来的恶之花。

第五宗罪：无法无天

"守法经营，依法纳税"，无论是对事业已经大成的企业家，还是对刚刚处于事业起步阶段的创业家，这应该都是一条起码的行为底线，可惜有人连这一点都做不到。总结近年来企业家的知法犯法，大多集中在这样几个方面。一是金融，胡志标、李忠文，包括早先的牟其中，罪名中都有一条票据诈骗或金融诈骗；二是土地，中国的超级富豪大多与房地产业脱不了干系，曾经从事过房地产开发和土地的倒买倒卖。土地批租政策的不规范，使许多人从中找到了财富机会，同时也派生了众多不法违规的行为，使土地市场和房地产市场成为藏垢纳污的一块沃壤。近年来"出事"的一些超级富豪，大多与此有关，如周正毅、杨斌、钱永伟、许培新等等；三是走私，赖昌星是其中的代表（不知赖昌星算不算企业家）；四是纳税，偷税、逃税，虚开增值税发票，前不久国家税务总局宣布纳税百强榜，引起轩然大波，不是没有原因的；五是行贿，李卫东（原江西金阳光企业集团有限公司董事长兼总经理，因向江西前副省长胡长青行贿被判刑3年，缓刑3年）、舒建（原云南昆明建华企业集团董事长，因向云南前省长李嘉廷行贿被判刑两年）都属于这一类；六是涉黑，企业家涉黑案近年来显著增加。我们在香港电影里经常可以看见这样的情节：什么手段都摆不平的事，黑道一出马，立刻摆平，其中主要又依靠暴力。现在一些企业家一方面热衷与政府官员打交道，拉关系，一方面热衷与社会上三教五流的人士称兄道弟，美其名曰"黑道、白道都走得通"，结果很多就一下走到死路上去了。

创业小贴士

一些企业家想黑道、白道都能走得通，结果很多就一下走到了死路上。

在抚顺，有一个明星企业家，叫做曲全国。曲全国是辽宁抚顺正大房屋建设开发有限公司董事长、抚顺市新抚区人大常委，是著名的一方能人。2001年，曲全国在接手抚顺棚厦区改造工程后，雇用当地以冯刚为首的黑势力团伙，进行"暴力拆迁"。曲给冯刚等人的政策是：赶走住房面积60平方米以下的一户，赏 5000 元；赶走住房面积 60 平方米以上的一户，赏 10000 元。冯刚团伙则以正大公司动迁科的名义行事，对不肯拆迁的住户打砸，威胁恐吓，同时冯刚利用从曲全国手里得来的赏金，买刀买枪武装团伙，仅警方一次从冯刚姐姐家起获的转轮枪就有 10 余支，震动公安部。曲全国的事情出来以后，抚顺人无不感到万分惊讶，因为曲全国做事精明，为人随和，生活简朴，在当地官员和百姓中有着很好的口碑，谁都没想到这样一位"楷模"式的人物竟会干出这样的事来，竟会是这样的一个人。这倒让人想起前不久发生在北京的一件事。据北京的媒体报道，一家屋主因为不肯配合拆迁，被人深夜闯进家里，连妻儿在内被人暴打一顿后，捆上手脚，塞上嘴巴，扔到屋外。在北京寒冷的秋夜，差点没被冻死。推土机在 40 分钟之内毁灭了他们的家，还有他们所有的合法财产。看来暴力拆迁不仅曲全国会，会的人还很多；暴力拆迁不仅抚顺有，就连号称首善之区的北京也有。你可见得一些地产商猖狂、目无法纪到了什么地步！

曲全国是涉黑，彭二普却是走私。彭二普是深圳科特通信公司总经理，与董事长韩听涛一起打理着这家企业。科特公司的前身是深圳华普涛电子有限公司。彭二普能力很强，市场操控娴熟。华普涛曾是国内最大的DVD原件进口商，由华普涛进口的DVD原件曾占有国内半壁江山，同时华普涛还曾是飞利浦芯片全国总代理，市场上一度80%以上的飞利浦芯片出自华普涛之手。华普涛变身科特通信后，转型做手机，由东信代工贴牌的两款手机东信Q'tel— Q'18和Q'28在市场上卖得都很好，可以说科特前景一片大好，科特员工亦雄心勃勃。然而，正当科特兴旺之时，彭二普、韩听涛早年间进口DVD原件涉嫌走私的事件却东窗事发。彭二普、韩听涛卷款而逃。一个前景大好的公司顷刻土崩瓦解，只留下一大堆债主(原材料供应商和科特手机代理商)表情哀哀，求告无门。

南海华光板材实业有限公司董事长冯明昌则是涉嫌金融诈骗、骗贷、非法套汇、伪造票据，据说金额达数十亿元。冯明昌旗下的华光板材号称亚洲最大的胶合板生产基地。冯明昌同时还在新西兰拥有4.5万公顷的山林99年的采伐权，在马来西亚拥有15万公顷山林10年的采伐权。冯明昌并拥有自己的直升机运输机和远海船队。冯明昌的工厂同时雇用的员工达上万人。随着冯明昌出事和工厂关闭，上万名员工几乎同时失业，害人害己。冯明昌是广东民营企业界有名的能人，就在今年2月，在广东全省民营经济工作会议上，冯明昌还当选了广东省40名优秀民营企业家之一，4月又荣获了佛山优秀民营企业家的称号。目前中央调查组正在华光调查，传说冯明昌已被扣查。据说冯明昌案涉及官员上百，有可能成为2003年的惊天大案之一。无独有偶，曾经在中关村风光无限的仪科惠光科技发展有限公司老总林大兵也是因为涉嫌金融犯罪，利用空头支票诈骗而遭逮捕的。林大兵案还将他的妻子曾红如也牵扯了进去。说到林大兵，没有人不认为这是个能人。在竞争白热化的中关村，他只用了短短2、3年时间，就从1万元起步，将仪科惠光的销售额做到了8个亿。在中关村鹤立鸡群，红极一时，最终却因诈骗落了个身败名裂的下场。

曲全国、冯明昌、林大兵、李忠文、周正毅、杨斌、钱永伟等等，都是一方能人。如果说那些本来就没有多大本事的企业家，本来就没有多大前途的企业，靠一些偷鸡摸狗的手段搞一点钱，聚敛一点财富，我们还可以理解的话，像这样一些明明很有能力，拥有大好前途的企业和企业家，却偏偏也要铤而走险，以身试法，只能说他们是自寻死路，令人殊为不值。

在民营企业的所有死因中，这一种死法是最不值得同情的，也是为祸最烈的。

第六宗罪：管理机关软暴力

管理机关是干什么的？管理机关是制定规则、维护秩序、为人民造福的。如果管理机关本身不讲诚信，滥用权力，那么权力越大，造成的祸害也就越大。目前，在一些管理机关和地方政府眼里，民营企业仍旧是二等公民，受到歧视和不公正的待遇。

2002年6月，当山东某市普伦特电气石油机械有限公司（原鲁开高压开关有限公司）董事长兼总经理周长友，在该市某区高科技园管理委有关领导的热情招商下，决定将工厂搬进高科技园区的时候，他没有想到最后会是这样一种结果：工厂被砸、被封，几百万的投资白白扔在那里不能动弹。"在我还没决定到高科园之前，管委会的人非常热情，每次去都拦着不让走，非要吃饭。时间一长，我觉得这些人也不错，这才同意到高科技园落户。当时确实很风光，搞了个挺隆重的仪式，许多领导都来了，电视台录了像，在电视上播了足有半个月。"

在周长友决定将工厂搬进该高科技园区之前，该高技园区的有关领导给了周长友许多许诺。"高科技园招商的时候笑脸相迎，政府和高科园管委会的那些人都信誓旦旦地说'一切困难由我们来克服，一切矛盾由我们来化解，一切关系由我们来协调。'"正是在该高科技园区管委会有关领导的种种许诺下，周长友才决定与该高科技园区管理会签订进驻合同的。但是，当合同签定，周长友将工厂正式搬迁进该高科技园区以后，一切就变了。"2003年3月24日，×区××村几十人分乘3辆大面包车，强行冲入我公司驻地，手持木棍，大喊大叫，将公司部分物品扔出去，又将员工驱逐出厂，并叫喊：'谁不出去就灭掉谁。'"

原来×区高科技园区一共分六片，其中一片本来是交由×区××村属下一办事处来开发。因为该办事处没有钱，办事处就将这片土地交给自己的上级单位××村来开发。××村在开发这片地块后，本来是准备将自己的几家村办工厂搬进去的，但是该高科技园区管委会找到他们，要他们服从全区招商引资大局，将已开发土地和土地上附属厂房交给管委会，由管委会代其他们转卖给周长友的普伦特公司。该管理会之所以这么主动热情，据知情人向媒体透露是因为×区有一个规定，即本区企业进驻高科园区不属招商引资项目，不享受相应优惠政策，也不能算作相关官员政绩，相关人员也不能拿到区政府承诺的提成奖励。也就是说，如果××村在土地开发后自用，那么管委会就什么政绩也得不到，什么好处也没有。而引进周长友的公司，因为周长友公司原来不属×区，那么按照×区的有关规定，就可以算作管委会有关领导的政绩，有关人员也可以拿到相应的提成奖励。而××村却将管委会的这种行为视作是直属上级单位的"政府行为"，"村里有些话不好多说"，只好由政府替他们卖去。双方既没有签合同，也没有签订任何协议。2002年6月，当××村知道管委会已将自己开发的土地和土地上附属的厂房卖给了周长友的公司后，他们就等着拿管委会承诺他们的替他们卖地卖厂房的钱，但这笔钱他们却迟迟没有拿到。等到2003年3月这笔钱还没有拿到，××村终于不耐烦了，于是就发生了村民驱逐普伦特员工的那一幕。

事情发生后，周长友和×区高科技园区管委会各有说法。管委会说周长友违约，因为一，按照双方合同约定，普伦特首期支付管委会100万元，付款时间为2002年6月30日，但一直到2003年3月24日，也就是××村民大闹周长友工厂的那一天，周长友也只交给了管委会50万元；二，按照合同规定，周长友必须在签订合同的7日内进入厂区施工，同时必须在2002年7月20日前进行设备安装生产，周长友都没有做到。周长友却反驳说，自己之所以没有履行合同是因为，一，双方签定合同后，他发现厂房顶部采光带密封不好导致漏雨，曾多次依据合同要求高科园区管委会责成有关单位修理，管委会却以各种方式推托；二，因为厂房长期漏水，而普伦特的生产设备和产品均属怕水的电器设备，所以设备一直无法安装。进入冬季后，因为上冻，土建工程无法进行，所以一直未能及时开工。开春不久，公司正准备施工时，就发生了村民冲击工厂的事件。

关于土地问题，××村认为，村里一没有与上级任何一级政府签订土地和厂房设施的转让合同，二没有书面授权政府处置上述土地和厂房设施，他们就还是这些东西的主人。他们进驻厂区，非但不是"非法侵占"，反而是依法收回。高科园管委会与企业签的合同，他们不承认。周长友却表示，自己相信政府。因为在他与×区高科技园区管委会签订转让合同的时候，已经特地问过泰山区政府和高科技园区管委会是否存在其他产权纠纷，"对方拍着胸脯对我说绝对没有。"

眼看着几百万的设备扔在那里日晒雨淋，周长友忧心如焚。"3·24"村民冲击工厂事件发生以后，周长友四处求助，但是找区里，区里让他再等等，却一直没有回音；找管委会，管委会已经换届，新任领导表示不清楚前任的事，"既不说管，也不说不管。"周长友愤怒发问："招商引资难道就是把我们弄来往厂房里一塞拉倒？那相应的服务谁负责？厂子有了麻烦谁来出面解决？老话儿说'铁打的衙门流水的官'，政府换届，新官上任也得认上一届政府的账啊，合同也得好好执行啊，哪能这样拿着一副冷脸待人？这么整下去，什么合同还不黄了？我们投资一两千万是来闹着玩的吗？！"周长友牢骚满腹，却一筹莫展。

与周长友相比，罗喜梅虽然过程颇经曲折，结局却还总算圆满。罗喜梅现任湖南株洲昌龙铸造有限公司董事长。2002年，罗联络了几位铸造业方面的专家，并寻找到投资，准备组建一家铁路配件铸造企业。由于他们手中掌握有现代铸造技术，又有国内几家大型企业及美国通用、德国西门子等国外公司的需求订单，项目前景看好，因此引起了株洲市几个县区的"哄抢"，其中一县开出的条件最为优厚。经考察，罗等人也对该县的投资环境表示满意，并一眼相中了位于该县城关东郊已经破产的原县机车铸件厂这块地方，觉得那里的厂房正适合搞铸造车间。2002年9月，该县国资中心与昌龙公司签订合同，约定以228万元的总价将其所属的机车铸件厂生产区内全部土地使用权连同房屋、车间等一起出让给昌龙公司，随后，该县召开了由县主管招商的副县长及县里19个部门和昌龙公司负责人共同参加的县长办公会议，并将会议纪形成"红头文件"，表示要为昌龙公司提供最优质的服务。合同签订后，在接下来的2个多月的时间里，昌龙公司陆续投入资金194万元，对原县机车铸件厂厂房、设备进行了全面的更新改造。2002年11月公司投入试生产。公司管理层预计，2003年将完成铸件1198吨，产值866.5万元，税收88万元。在此过程中，昌龙公司分别于10月15日、17日、21日、27日连续以电话或书面形式跟该县国资中心联系资产交接事项，要求对方提供银行付款账号，以便支付合同约定的第一笔款项100万元，可对方一直不作明确答复。从那时起，罗喜梅便隐约感觉不妙。2003年1月，昌龙公司再次向该县国资中心发出书面付款通知，仍然没有回音。而在此期间，却有交通部门进入昌龙公司所在地作地质勘探。经了解，原来在这里要建一座跨江大桥，桥的引桥延伸公路将与正在修建的县城一条道路交汇在昌龙公司厂区地带。昌龙公司负责立刻找到县有关部门了解情况，但县招商局、国资中心等均表示，大桥方案不影响昌龙公司，昌龙公司可以按计划筹建。一位副县长明确答复，两条公路将呈弧型交叉从昌公公司大门前100米处绕过。

但到2002年10月下旬，情况发生了变化。该县有关方面约见昌龙公司负责人，表示规划有所修改，公路将按T字型修建，需要占用昌龙公司部分厂区厂房。该县政府随即下达通知，要求昌龙公司立即停止对原县机车铸件厂厂区内办公楼以下车间、厂房的维修改造。在与交涉过程中，昌龙公司表示愿意服从该县的规划，但合同必须履行。作为违约方，该县有关方面要赔偿昌龙公司的损失。事情拖到2003年3月，该县国资中心向昌龙公司传达县政府的意见：厂房不卖了，只出租。2003年4月28日，县政府办再次下达通知，限昌龙公司在5月25日前整体搬出原县机车铸件厂，态度强硬。这样，昌龙公司为改造原县机车铸件厂投入的数百万元将全部报废，已经开工的炼钢主体电渣炉也必须熄火停工。倔犟的罗喜梅四处申诉，要求该县有关方面赔偿损失，给个说法，但不起作用。该县有关方面只同意昌龙公司可以在该县另外选一个厂址，他们可以全力配合。罗喜梅说，感觉自己就好像落入了一个圈套，该县有关方面之所以要赶在2002年10月让昌龙公司进来，并许下众多的优惠条件，只是为了配合该县在同年10月召开的"招商节"。在2002年10月召开的该县"招商节"投资项目发布会上，作为当地招商引资的重大成果，昌龙公司曾在与该县有关方面签过合同的情况下，又当众签了一次合同。

在罗喜梅的不停申诉和新华社记者"内参"的作用下，事情目前据说已了转机。该县有关方面同意赔偿昌龙公司59万元设备5台(套)。双方同意中止于2002年9月14日、10月6日签订的合同，昌龙公司从原县机车铸件厂搬走。昌龙公司算了一笔账，除去因停产不能签订的客户合同等间接损失外，仅投资厂房维修、水池建造、设备购置、车间改造及职工遣送等直接经济损失，昌龙公司的损失就已超过220万元。但罗喜梅已经不敢奢望有更好的结果了。

问题是，有几个人有罗喜梅这样的"运气"，能够找到新华社记者来给自己写内参？而且，新华社"内参"恐怕也不是我国行政或法律程序之内的东西。充其量，不过是以一种非正常去代替另一种非正常，人们并不值得为此欢欣鼓舞。如今人人都在喊诚信，其实政府最需要诚信；现在人们每天都在讲权力，政府更需要的却是对权力的约束，不要滥用权力。也许，等我们的政府真正从行动上，而不是从口头上由管理型政府真正向服务型政府转型以后，这一切都会好起来。我们与各位企业家朋友一起盼望这一天早日到来。

第七宗罪：自我膨胀

王石是个企业家，又是个登山家。王石去爬珠穆朗玛峰，顺顺当当地爬上去，又顺顺当当地爬下来。如果你因此就觉得爬珠峰容易，那么你就错了。王石能爬珠峰，是因为王石受过专门的训练，有爬珠峰的体力和爬珠峰的工具。换了你去爬，很可能就是爬到半道爬不上去，或者爬上去了却不知道怎么下来。爬山是一项需要量力而行的工作，需要经验，需要实事求是，不能一厢情愿。创业，做企业也是如此。一些创业家朋友刚有小成，不过是刚刚爬上了一座小山。他感觉自己很轻松就爬上去了，于是就觉得爬山很容易，觉得自己很了不起。于是在不作任何准备的情况下，就去爬更大的山，结果把自己一下子就"折"在了那里，十分可惜。

爬山是一项需要量力而行的工作，需要经验，需要实事求是，不能一厢情愿。创业，做企业也是如此。

在北京阜城门旁边的四川大厦原来有个陈川粤大酒楼，很有名，是北京著名的高档饮食去处。陈川粤大酒楼的主人叫陈川东。陈川东拥有的不只是北京一家陈川粤，在广州、四川、重庆，包括万里之外的美国，都有陈川东的酒店。陈川东不仅经营酒楼，还经营饮料业，陈川粤饮料曾经风靡大西南，连饮料业巨头百事都不敢小视陈川粤。陈川东由一介政府小吏下海，赤手创业。依靠过人智慧和吃苦耐劳，十余年来商海博杀，打遍天下，鲜尝败绩。陈川东的辉煌名声，引来追随者无数，其中就包括重庆群鹰商场的管理者重庆夫子池物业公司。群鹰商场位于重庆商业重镇解放碑步行街的西街口，地理位置无出其右，多年来也曾有若干位雄心勃勃的投资者，在这里投下重资，经营从保龄球馆、百货、酒楼、皮具商场等多种业种，但无不以失败告终。夫子池物业公司将希望寄托在陈川东身上，希望通过以租代售的方式，用 10 年时间，1.59 亿元的价钱将群鹰商场的产权转让给他。这时候陈川东事业做大，也希望有这样一个美食大厦，成为陈氏餐饮帝国的旗舰店。双方一拍即合。在《陈川粤美食大厦商业计划书》中投资回报部分有这样的表述：根据合同条款，陈川粤 10 年只需支付 1.59 亿元，大厦产权即归陈川粤所有。若剔除合同中其他因素，实际付款将只有 1.3 亿元。1999 年，大厦评估市值为 2.26 亿元；陈川粤全部装修完毕，评估值不低于 2.5 亿元。因此，按最保守计算，大厦仅地产部分 10 年增值就至少可达 1 亿元以上。陈川东根据自己多年的商业经验认为，只要整个美食大厦运转起来，哪怕每年经营亏损两三百万，10 年后自己仍可从房产中赢利数千万元，群鹰大厦项目可以说包赚不赔。另外，陈川东还希望藉陈川粤美食大厦在全国餐饮界打出更大名声，从而为以重庆为大本营把陈川粤连锁店开遍大江南北打下基础。

按照10年1.59亿元的付款计划，陈川东每年只需支付1000余万元，从陈川粤的财务状况上看足以承受。而且这时候有银行家朋友听说陈川东的收购计划后，表示可以先期贷给他2000万元，还有做租赁的朋友表示待陈川粤美食大厦运转起来以后，可以租给他500万元的设备。从财务上说，这等于是给陈川东上了双保险。在这样的情况下，陈川东更是信心百倍。

然而，当双方正式签订合同，陈川东的收购计划正式运转起来以后，情况却发生了意想不到的变化。首先，在合同签订后，在派出装修队进驻群鹰商场的同时，陈川粤就招聘了300余名员工开始培训，按陈川东的计划，待商场装修完毕，对员工的培训也该结束了，美食大厦马上就可以开业，

Entrepreneurship in China

一点时间都不必浪费。但待陈川东派出装修队进驻群鹰后，才发现商场不只是一个简单的装修问题，仅消防管网的改造，就花费了他400余万元，而这笔钱，完全是计划之外的。另外，因为装修不能按时完成，美食大厦也就不能按时开业，每个月光是养着员工的钱就要几十万元，这又是一笔额外支出。陈川东接手群鹰后，群鹰隐藏的其他问题也跟着发作。原来群鹰商场的最后一位投资者，也就是那位做"皮具世界"的浙江商人在经营商场期间，拖欠了供货商大量货款，后来这位投资者因为投资失败拍拍屁股跑掉了。现在听说陈川东接了商场，债主们便纷纷找陈川东要钱。要不到，有些债主就向法院提起诉讼，法院就将群鹰商场查封了，这叫做跑得了和尚跑不了庙。待几个月后法院将商场启封时，陈川东又花了一笔冤枉钱。其次，原来答应贷款给陈川东的银行家朋友，在陈川东与夫子池物业公司正式签订合同后就跟着变了卦。可能原来人家许得就是个空头人情，说着玩玩的，可能对方以为陈川东也只是说着玩玩，没想到他真刀实枪地练了起来。群鹰商场乃重庆商界著名的"百慕大"，谁碰谁死，恶名远播。在这种情况下，银行家朋友"慎贷、惜贷"也就情有可原；第三，原来答应租赁设备给陈川东的朋友，这时候也表示自己已经转行，没法给他提供设备了，这叫"屋漏偏逢连夜雨，船破还遇顶头风"。几下里一夹攻，让陈川东傻了眼。

但这时候陈川东已是骑虎难下。合同已经签订，装修正在进行，员工招来了，已经培训完毕，就等着美食大厦开业，几百万已经扔了进去。陈川东曾誓言要将面积达3.2万平米的群鹰商场打造成一个业界领先的美食航母，业界尽人皆知，现在如食言自肥，岂不让人笑话！陈川东没了退路，只好拆东墙补西墙，大量挪用各地酒楼和陈川粤饮料厂的钱来填美食大厦这个大窟窿。这样一来，又使得各地酒楼和饮料厂的流动资金全面告急，经营和生产受到严重影响。陈川粤陷入了恶性循环。按照陈川东先前计划，一共五层的群鹰商场改造后，地下一层将成为星级停车场，地上一层做百货超市，二层做小吃，三层做成洋快餐，四层做大酒楼。好不容易一、二层装修完毕，百货超市、中华名小吃开业迎客，三、四层继续装修，问题又来了。原来，与群鹰商场一街之隔，正是重庆百货业的两大巨头重庆百货和新世纪。重庆百货和新世纪当然不能坐视陈川粤来抢自己的地盘。陈川粤百货超市刚一开业，重百和新世纪就向供货商打了招呼，谁要是向陈川粤供货，就将其从自己的商场清理出场。供货商谁也不敢得罪这两大巨头，陈川粤百货超市虽然好不容易开了业，却面临着无货可卖的局面。没办法，陈川东只好偷偷从重百和新世纪进货，为了吸引顾客，从重百和新世纪进货后，又以比重百和新世纪更低的价格卖出。重百和新世纪知道后，也跟着降价，而且降得比陈川粤更厉害。仅仅两个月，陈川粤就支持不住了，被迫将百货超市出让给觊觎已久的新世纪。新世纪拣了个大便宜。二层的中华名小吃，因为三层装修，噪声灰尘整日不断，顾客往往乘兴而来，败兴而归，开业不久，便变得门庭冷落，门可罗雀。

陈川东只好指望三、四层尽快装修完毕，为此，更多的资金被抽调过来。为了给即将开业的美食大厦制造气氛，陈川东又花了100多万在报纸、电视上打广告。眼看着装修顺利进行，行百里者而九十九，只需要最后200万元，工程就可以全部完工。陈川东相信等美食大厦一开业，一切就都会好起来。然而，就是这最后的200万元，却卡住了陈川东的脖子。陈川东怎么也筹不齐这笔钱。四处融资，几次上当受骗，将陈川粤的最后一口气也弄断了。

2002年11月，陈川粤饮料厂首先倒塌，除了拖欠工人几十万元工资外，一根草也没给陈川东留下；接着，2003年3月，在众多供货商的愤怒声讨声中，法院查封了陈川粤美食大厦。此前此后，陈川东分布于全国各地的大酒楼也相继崩溃。除了一屁股债，什么都没有了的陈川东，最后连女儿的学费都付不出了。陈川东本以为自己抓了一手好牌，这手好牌最后却变成了一堆板砖，将陈川东砸得头破血流。有人指出，当初就是不出现这些问题，以群鹰商场长达10年，每年1000多万的租赁费用(陈川东与夫子池物业签订的是以租代售的合同)，陈川粤早晚也是个麻烦。百货超市遭到重百、新世纪的打压自不必说，在风云变幻，一日三惊的餐饮业，陈川东是否能够保证陈川粤的长盛不衰，在长达10余年的时间内持续赢利？这一点谁也没有把握，连陈川东自己都不敢打包票。所以陈川粤的倒闭，看起来好像是在意料之外，细想起来其实却在情理之中。问题就在于陈川东在财务上的冒进，将真金白银的现实投入，置放于谁也没有把握的未来预期赢利之上，而且投入大大超过能力，最后不得不拆东墙补西墙，造成陈川粤疮痍满身，后继乏力，最后油尽灯枯，扑地而亡。

王勇追的故事和陈川东类似。王勇追当初在湖南湘潭以修彩电起家，后来发展成湘潭市希凯实业总公司，旗下辖影碟租赁、家电售卖、旧家电市场三大业务，而且三大业务互联互通，互相促进，生意红火。一直到1996

年以前，王勇追的一切都显得顺风顺水，成为湘潭一方有名的能人和富人。1996年，王勇追寻思开拓一些新的业务，他的妻子向他提出，现在不少媒体天天都刊登着招商代理的广告，做代理不需要多少资金的投入，只需要一块较大一些的场地，因为代理大多以提供样品和垫货的方式进行。王勇追一听有道理，而且他也有一个想法，想将旗下的业务集中在一起。这样，他找来找去，就找到了位于湘潭市中心的北斗商场。他想将北斗商场盘下来，这样一方面可以做音像、家电业务，另一方面可以开一个代理商场，连商场的名字都想好了，就叫"新、奇、特"。北斗商场估价400万元，原来的业主主要是从银行贷款，同时拖欠了一部分开发商的款项，贷款和拖欠开发商的款项都没有还清，所以商场的真正主人，其实属于银行和开发商。经协商，银行同意对王勇追转贷，同时有一家银行同意凭购楼合同，对王勇追追加贷款50万元，开发商方面也同意王勇追分期付款。按王勇追的估计，首期支付200万元，银行转贷120万元，剩下80万元3个月内付清，问题不大，加上另外一家银行同意追加的50万元贷款，更有把握。这样，王勇追为筹集首期付款，开始从公司的音像和家电业务抽调资金。3个月后，他将首期200万资金凑齐，交给银行，希凯、银行、开发商三方签订合同。剩下3个月，他将交齐另外80万元。湘潭是个小地方，虽然希凯的业务一直以来都不错，但收入也有限。王勇追与银行、开发商签合同时，希凯店中商品大概值700万元，其中一半为供应商赊销，只有一半为王勇追自有。王勇追几百万的身家，在湘潭可能算个大富翁，放在全国实在算不得什么。王勇追为筹集首笔楼款，从公司大量抽调资金，使公司后继乏力，商品卖一件少一件，经营状况每况愈下。这时候原先答应凭购楼合同为他追加50万贷款的那家银行也不肯贷款给他了，但他们答应，只要王勇追先还他们50万元的贷款，就可以再另外放一笔贷款给他（王勇追原先在这家银行也有贷款）。王勇追病急乱投医，竟以全部库存商品为低押，找高利贷借了50万元还给他们。按王勇追的想法：先把50万元还给这家银行，这家银行再放一笔贷款给他，他用这笔贷款再还给高利贷，这样他就可以"打一个时间差"。没想到这一个"时间差"一下子把他自己给"打"了进去。那家银行在收到他的50万元还款后，立刻变了脸，原先的承诺统统作废（可能本来就是一个圈套）。而"高利贷"看他过了时间还不上钱，一下子就将他商品中价值300万元的商品全部拉走了。这时北斗商场的开发商也找上门来，告诉他如果过了3个月他还还不上款，就将按日收取他的租金。希凯其他几家商店的房东也来找他索取租金，供货商听到情况，又要他立即结款。王勇追一下陷入了水深火热之中，一些债主甚至以他女儿的性命为要挟，让他立刻还款。

后来，希凯实业倒了，王勇追的妻子也离他而去了。王勇追将女儿交给父母，只身南下打工。幸运的是，他遇上了一个识货的主儿，使他的打工生涯过得还算愉快。至于心中的隐痛，恐怕不足为外人道。

天底下黄金铺地，哪个人能够全得？一个人要学会控制自己的贪念。

史玉柱后来总结自己的经验时说，自己最大的失误，就在于不懂财务，失去了对风险的控制。吴炳新曾对史玉柱说：天底下黄金铺地，哪个人能够全得？一个人要学会控制自己的贪念。企业家的冒进，倒也可能并非全部出于贪念，但风险控制，尤其是财务上的风险控制，应该是一个企业家的基本功。企业因为冒进而死，往往都死在企业最为辉煌的时候，所以尤其令人可惜。

第八宗罪：游戏无规则

市场经济说白了是个信用经济，大家都要遵守游戏规则，在游戏规则内行事。中国的市场经济充其量还只是个发展中的市场经济，在这样一个转型时期，讲信用，遵守游戏规则就显得尤为重要。一些创业朋友刚上道，不知道规则和按规则游戏的重要性，视商场规则为儿戏，自己想怎么做就怎么做，横着来顺着去，自己爱怎么样就怎么样，只图自己一时畅心快意，全然不顾他人感受，最终招致市场的报复，自食其果，自毁前程，让人无话可说。

吴晓昌年纪不大，资历却不浅。从1988年大学英语系毕业以来，做过倒爷，办过夜总会，开过广告公司。1997年，又和老刘、小石（吴晓昌不愿意说出他们的名字）办起了一家青青商贸有限公司，专做食品、饮料、酒类产品的代理业务。青青商贸先后做过国内名牌啤酒燕京啤酒和国际名牌啤酒虎牌啤酒的河北某地区代理业务，做燕京啤酒代理赔了钱，做虎牌啤酒代理却让他们赚了不少钱，也为他们在业内积累了一定的名声。1998年，青青商贸成为四川古蜀酒厂古蜀纯粮液河北某地区的地区总代理。在其他代理商需要30多元/瓶出厂价的情况下，他们却获得了厂家17.5元/瓶的优惠，而市场销售价每瓶可达七八十元至上百元，厂家并且允许他们以1/3的现款，拉走100％的现货。古蜀酒厂之所以对青青商贸青眼有加，一是看中了青青商贸的实力，希望与他们诚心合作，长期合作，二是因为有人从中牵线搭桥，古蜀酒厂的营销顾问，同时又是青青商贸的营销顾问，是吴晓昌的老朋友。而青青商贸之所以看中古蜀纯粮液，是觉得这个酒品质不错，市场名声却还没有做起来，有经验的代理都知道，越是名牌产品，名声大的产品，留给代理商利越薄，越是名声小，品质又不错的产品，代理商获大利的可能性就越大，有点类似证券市场的"潜力股"。

有厂家的鼎力相助，加上天时、地利、人和，青青商贸在古蜀纯粮液上下足了功夫。仅仅一年多的时间，就在代理地区将古蜀纯粮液的市场打了开来。眼看丰收的季节即将到来，就在这时却发生了一件事，使他们的努力毁于一旦。古蜀纯粮液在国内主要有两个销售成熟地区，一是广州，一是扬州，青青商贸所负责开发的河北某地区只是古蜀纯粮液的一个新兴销售区。因为青青所拿货物比广州、扬州代理商所拿的货物价钱要低一半，扬州的代理商便向青青提出，从他们那里进一批货，行话叫做窜货，本是业内大忌。因为厂家根据各地不同情况，一般会有各种不同的销售策略，其中很重要的一点，便是表现在货物品种的提供和货品的价格上，窜货行为将打乱厂家的市场部署和市场策略，给厂家造成严重后果，历来为厂家所不容。当发现代理商之间的窜货行为后，厂家一般都会采取严厉的惩罚措施。

当扬州代理商向青青提出窜货的要求后，老刘、小石包括吴晓昌自己在内，都知道这种行为不对，但又想，厂家远在西南，扬州远在华东，而自己负责的片区却在华北，相隔天差地远，厂家应该不会发现他们的窜货行为。在每瓶16元的利润和扬州方面以现金结帐的诱惑下，尤其是后一点，青青尤为看重。因为经过一年来的市场开拓，青青的现金流已呈枯竭之象，而销售终端的回款，按规矩一般为批结或月结，但很少有能按时回款的，青青手头极为拮据，急需一笔较大数额的现金流，以便维持公司的周转，度过市场培育期。这样，青青答应了扬州方面的窜货要求。在一个静悄悄的晚上，扬州代理商从青青商贸拉走了一大批古蜀纯粮液，同时也为青青商贸留下了一笔可观的货款。

　　吴晓昌等人本以为此事神不知，鬼不觉，就此过去了。他们不知道精明的厂家早就提防着他们这一招，在他们的公司里早就布置下了自己的眼线。就在窜货行为发生后没几天，古蜀酒厂就找到了他们，谴责是免不了的。此外，厂家提出三点，一，协商免去青青商贸古蜀纯粮液河北某地区代理资格；二，在第一点未定情况下，将给青青商贸的古蜀纯粮液由每瓶17.5元提高到每瓶33.5元，与扬州地区、广州地区代理商等同；三，取消青青商贸部分预付款资格，从此以后青青商贸从古蜀进货必须全款。第一点将使青青商贸一年多的市场开拓前功尽弃，第二点将使青青商贸的赢利空间大大降低，第三点，也是吴晓昌等人最怕的，本来公司就没有钱，现在要全款进货，到哪里弄钱去？

　　这一来，又促使青青商贸三位股东之间的矛盾急剧恶化。吴晓昌、老刘、小石三人在青青商贸的股份本是3人平分，各占1/3，因为老刘在公司成立时，曾经许诺自己家族多年经营钢材、铁锭生意，有很多社会关系可用；第二，老刘曾经许诺今后在公司运作中遇到资金不够的时候，自己可以负责拆借；第三，三人中老刘年纪最大，公司成立时，老刘已经50岁，而吴晓昌、小石都是20几岁的毛头小伙子，两人就公推老刘担任了公司法人代表和公司总经理。老刘担任公司法人代表和总经理后，采取了对吴晓昌、小石封锁帐目的做法，连小石这个公司财务主管都看不到公司的帐簿，老刘还曾派人查过担任公司副总、销售经理的吴晓昌在经营虎牌啤酒时的帐。三位股东间本来早已心存芥蒂，现在需要用钱的时候，老刘又拆借不来钱，完全不能实现当时的承诺。争吵之中，吴晓昌、小石要求老刘离开青青商贸，老刘答应，但表示自己若离开青青商贸，将不分担公司债务，吴晓昌和小石表示同意。老刘走时几乎带走了青青商贸几乎所有的营销骨干。离开青青商贸没几天，老刘就另立了门户。剩下吴晓昌和小石继续撑持青青，但随后吴晓昌又与小石发生了争吵，原因还在于古蜀酒厂。原来古蜀酒厂在青青商贸还有一批存货，吴晓昌的意思，先不将这批货退给古蜀酒厂，有货在公司就可以维持。但小石认为，既然人家厂家已经提出退货要求，就应该将货物退还给人家。结果小石背着吴晓昌将货物退给了厂家。正在这时，又发生了几位业务员卷款而逃的事件，青青商贸雪上加霜，以一片挽歌声中彻底解体。

　　青青解体后，吴晓昌重新南下深圳打工，并写文章总结自己失败的经验教训。经验有两条，第一，青青商贸成立时，就没有对股东之间的权利、义务作明确的划分，股东之间的权利、义务不对等，导致后期股东纷争，埋下了失败的伏笔；第二，不应为图一时小利，与扬州代理商发生窜货行为，破坏了厂家的市场布局和营销策略，导致厂家报复，使青青在市场开拓已见成效，形势向好的情况下，嘎然死亡。总之，一句话，青青商贸是死于对游戏规则的藐视和对游戏规则的不尊重。这种对游戏规则的藐视和不尊重，表现在对内，在企业法人治理结构上，随心所欲，一厢情愿；对外，在市场开拓和市场营销上，对行业内默认的准则和纪律视若无睹，抱着侥幸心理。所以，青青商贸的死，是自杀，而非他杀，更非谋杀。

青青商贸的死，是死于企业自身的不守游戏规则，而百龙的死，则是死于由企业家的首先不守游戏规则而带来的群起效尤，群体性的对游戏规则的破坏。今天，当人们对葛优当年那句"这水，浇花养鱼都不活"依然记忆犹新的时候，百龙矿泉壶和生产它的"百龙绿色科技研究所"却早已淡出了人们的记忆。"百龙绿色科技研究所"由孙寅贵1991年创办。孙寅贵来自湘西，由出卖几项发明的专利起家。1991年，百龙绿色科技推出"几分钟内就可将自来水变成矿泉水"的百龙矿泉壶。为了使百龙绿色科技和百龙矿泉壶迅速获得市场的认知，孙寅贵一开始就采取了一些完全不遵守市场游戏规则的一些做法，其中最著名的是，他竟然组织了5名公司员工，到北京电视台当时影响巨大的《今晚我们相识》栏目组集体征婚，5名员工中，3名未婚，一名已婚，一名已有女朋友。节目播出后，百龙名声鹊起，孙寅贵达到了自己的目的，但在那名已婚和已有女朋友的公司员工家庭中，却引起了巨大的风波。事情的真相传出，百龙几乎遭到了人们的一致谴责，并引起了北京电视台的强烈反对，百龙广告遭到北京电视台的全面封杀，使百龙损失巨大。更为严重的后果却表现在百龙公司员工人心的涣散和行为上的上行下效上面，骗公司的钱款，骗公司的货物的事件在百龙层出不穷，以致孙寅贵最后不得不将其中罪行最为严重的6名公司管理人员送交检察机关处理。但是，孙寅贵对有些人可以送交检察机关，对有些人他却没有办法。就在百龙矿泉壶在市场上旺销的时候，孙寅贵在市场上发现了百龙矿泉壶的许多仿冒产品，其中出货量最大的唐山富豪矿泉壶不但从内芯结构上与百龙产品相差无几，仿冒痕迹明显，而且在外观上干脆直接打上了百龙绿色科技的标记。孙寅贵扬言要与对方打官司，对方却说，爱打官司您尽管打，等法院判决下来，还不知道要到几时。等法院判决下来了，我也就不做矿泉壶了。果然，等到后来孙寅贵将官司打赢了，矿泉壶在市场上也已经过气了。孙寅贵一分钱的赔偿没得到，反而白白花了上百万元的诉讼费用。另一方面，是孙寅贵亲属在公司内部的祸乱。孙寅贵有一个外甥，借口到新疆开拓市场，骗得孙寅贵以低价将矿泉壶批发给他，他却在公司仓库门口就地倒卖，赚了大笔的钱，等孙寅贵发现，这位外甥已挟着60万元的货款，不辞而别。他的全面负责百龙南方公司的弟弟从公司拿货从来不付钱，将公司规定的必须以前笔回款提取下笔货物的规定视若无睹，孙寅贵发现后，禁止他再从公司

提货，他这位弟弟竟然将他的保险箱拖到野外，用氧焊割开。气得孙寅贵要将他送上法庭，却被父母拦阻。就在这样以骗对骗，以无规则对无规则的情况下，百龙矿泉壶和百龙绿色科技迅速没落了。加上矿泉壶产品在科学上完全站不住脚，孙寅贵一场好梦刚开始做就结束了。孙寅贵后来也写了一本书，叫《总裁的检讨》来反省自己的失败。不过，那已经是后话。

俗话说"无规矩不成方圆"，做商人更要讲规矩。凭小聪明可以耍弄于一时，却一定难以长远。另一方面，我们相信，一个人的人品和他的事业是呈正相关的，品性高古的人不一定能将事业做大，但品行不端的商人，事业一定做不大。指甲尖般大的一点德性，想成就一番翻天的事业，这样的事情，我们从来没有看见过。

第九宗罪：嘴是两张皮

捐客就是那种靠嘴皮子吃饭的人。这种人的特点是，轻于许诺，却很少见到他们践诺。他们就像战国时的苏秦、张仪一样，整天扛着一张嘴周游列国，却不能像苏秦、张仪一样合纵连横，助人成就一番事业。他们只能毁人，不能成人；他们只能给别人坏事，却从来不能帮助别人成事。但是，在这个讲究"资本运作"和"关系运作"的年代，这种人却吃香得不行，很多刚刚创业起步缺乏经验和识辨能力的朋友，很多耳朵根子软的朋友，就栽在这种人的两片嘴皮子"乒乓"碰撞之下。

叶山鹰原来在海南发财。叶有金融业从业背景，曾做过海南某信托公司常务副总裁，这使叶颇谙资本运作之道。叶在运作"上海热宫"项目时使用的"四两拨千斤"、"空手套白狼"等手法也几乎是中国所有资本运作高手都会用和惯用的手法。1994年，海南泡沫破灭。叶转到上海寻求发展。叶初到上海时，并不受上海人的重视，但在叶包租了一架空军的直升飞机，领着上海有关部门的负责人沿着东海沿线飞了一圈，一番雄心勃勃的表述后，上海人开始对叶刮目相看了。上海人听到的是叶将投资10亿元人民币以上，在位于海浦东三甲港华夏旅游开发区内一块面积达250亩的土地上，修建一个"热带室内主题公园"，取名叫做"上海热宫"，这将是全世界最大的一个热带室内主题公园。在这个一年四季保持恒温的热带室内主题公园内，上海人将可以一年四季享受到自由冲浪的乐趣。这使得虽然面临东海，却因为地理环境，从来无海可下，无海可玩的上海人激动不已。"上海热宫"被誉为上海有史以来最好的一个旅游项目，受到上海政府有关部门的重视。在一份由上海有关机构出具，并受到上海浦东新区管委会批准的可行性报告上，人们可以看到这样的字眼：即使按最保守估计，"上海热宫"项目的年投资收益也可以达到17亿元，当年就可以收回全部投资。

在初战告捷，成功获取了上海有关方面的支持并调动其热情之后，叶山鹰接着又走了第二步棋：三招，即招标、招商、招聘。向海内外设计机构、设备供应、施工基建招标；向海内外大公司、国际集团招商；向全国招聘专业人才。"三招"活动引起巨大轰动，使叶山鹰成立不久的上海天信实业有限公司一朝成名天下知。海内外众多公司垫资垫设备，义无反顾地扑向"上海热宫"项目，各路人才络绎而来，归集到叶山鹰的旗下。叶山鹰本人亦在一夜间跨进了上海名流的行列。

众多海内外有实力的投资商闻风而至，要求与叶山鹰合作"上海热宫"项目。更多的公司包括国内一些上市公司，则出大价钱要求叶山鹰出让"上海热宫"项目的控股权。为启动"上海热宫"项目，叶前后只投入了2000万元人民币的资金，包括浦东华夏旅游开发区内那块250亩的土地，在他领着上海有关方面的负责人乘直升飞机考察项目的时候，这块土地尚不属于他，只是在"上海热宫"项目获上海有关方面的批准正式启动后，华夏旅游开发区代表政府以土地入股，占"上海热宫"项目10%的股份，这块土地才归到他的名下。如果趁着形势好的时候叶山鹰果断出手，将"上海热宫"项目的控股权出让，他将赚个盆满钵满，赢利至少要以亿元计算。可惜叶山鹰太贪了，大概他自己也没有想到形势会如此之好，以至于他死抱着控股权不放。在此后近两年的时间内都是如此，这使叶失去了许多机会。从这一点来说，叶还不算一个完全合格的玩家（这是捐客的第一个特点，能赚大的，不赚小的；能捞多的，不捞少的）。

时间到了1996年底，上海方面承诺为叶的"上海热宫"项目修建的所有配套工程均已完成，包括道路、水、电各项设施，"上海热宫"项目却陷入了窘境。由于拖欠负责"上海热宫"项目施工的某工程公司工程款近2亿元，引起工人罢工，上门闹事，使叶的声誉受到极大损害。但在叶的巧舌如簧之下，事情很快平息。一位民营企业老板，本来是为自己的公司上门讨要欠款的，在叶的三言两语之下，竟倒戈归降，卖掉了自己的公司，带着所有的资金和自己的私人小汽车投奔了叶，这样的事曾经发生多起。这就是捐客的本事，与古代小说里那些经常"凭臣三寸不烂之舌，说其来降"的说客相比，不遑多让（这是捐客的第二个特点，能言善辩，巧舌如簧）。

在叶山鹰最困难的时候，叶山鹰碰上了另一位捐客。这位郑姓捐客号称中国资本市场的一条隐身大鳄，曾经操纵过多支股票的涨跌。这次这位郑姓捐客看中的是"上海热宫"这一项目的知名度和上海市政府对这一项目的重视，想玩一把"资产重组"的游戏。"资产重组"是中国资本市场的一出老把戏，德隆、明天集团等赫赫有名的资本玩家都曾经玩过，也是一出常演常新、长盛不衰的把戏。"资产重组"概念和"资产重组"板块永远是股民关注的焦点。这一次，郑姓捐客就是看中了这一点。处地困境之中的叶当然也不会放过这一机会。已经囊空如洗的叶山鹰向一位属下职员借了2万块钱（这是捐客的第三个特征，好场面，重面子，即使穷到卖被子当裤子，在外人面前依旧出手大方，丝毫不露寒酸之相），请郑某在一家五星级酒店见面"晤谈"。两人很快达成协议，消息传出，由郑某控制的一家与此有关的上市公司的股票当即连拉了几个涨停板。郑某赚了不少钱，叶山鹰也获得了1500万的回报。叶山鹰在拿到这1500万元以后，一部分用来还了债务，一部分用来发放了拖欠员工的工资，剩下的他一古脑儿全部投放到香港的报纸上，又做了一批招商广告（这是捐客的第四个特点，赌性十足，心理素质极佳，永远抱着希望，永远也不放弃希望）。但广告打出，如泥牛入海，一点反响也没有。

这以后叶山鹰沉默了一段时间。2000年春节过后没几天，久未在公司露面的叶山鹰突然出现在公司。他告诉财务招集所有的员工，将他们拖欠的工资一次付清，条件是，要他们每人写一份辞职报告。因为拖欠工资为时已久，有的员工一次领到的工资有七八万元，使这些员工激动得热泪盈眶。他同时告诉召集那些在公司有欠债的个人投资者，一次性将欠他们的债务全部付清，并将当初承诺他们的高额利息也一次性全部付清。不用说，这些个人投资者同样激动得热泪盈眶。据说，叶山鹰为此次清偿工资和债务总共付出了600万元。从这一点来说，叶山鹰可谓捐客中的异类，万里难以挑一。其行为虽然令人难以索解，其行动却不无令人敬仰佩服之处。如果说将来能成大事，恐怕还是叶山鹰这一类捐客能成大事。

就在众人以为叶山鹰逢凶化吉，"上海热宫"项目即将柳暗花明之际，叶山鹰却永远地消失了。谁也不知道他到哪里去了，谁也不知道他下一次又将从何处露面。留下"上海热宫"一堆烂摊子在那里任凭风吹雨打。伴随叶山鹰上海财富之梦破灭的，还有他的上海天信实业有限公司，以及一堆或国营或民营的受牵连企业，包括执掌这些企业的企业家，像那位卖了自己的企业，开着自己的私人小汽车投奔叶山鹰的民营企业家。

捐客的故事大多有声有色，说来令人饶有兴趣，但是摊到当事人头上，恐怕就不这么有趣了。当初乔瀛靠一碗羊肉烩面起家，将一个红高粱做得红遍全国，并且要挑战麦当劳，要在若干年时间内，在全世界开上2万家红高粱连锁店。后来乔瀛碰到一个房地产公司，告诉他可以给他2000万，让他放心地去全国铺摊子。乔瀛的摊子铺完了，这家房地产公司却不见了，弄得乔瀛骑虎难下。后来又来了一个捐客，告诉他自己有本事可以帮他弄到大笔的钱，彻底解决红高粱扩张中的资金难题。这位捐客出得主意却是非法集资。弄得乔赢最后和这位被他任命为副总名字叫作弓建军的捐客，一起被法院判了4年徒刑，河南红高粱连锁有限公司也关门大吉。在我们前面谈过的林大兵一案中，我们也可以看见捐客的身影。那些捐客告诉林大兵尽管大胆地收钱，等他们帮助仪科惠光上市以后，一切问题都可以迎刃而解。一个道德上有缺陷的企业领导人，碰上了一些更不讲道德的捐客，这样的事儿还能落了好？结果林大兵就被警方追得四处乱跑，最后在上海落网，连带他的妻子和一个爱恋他的女记者也一起陷了进去。

如果明天你遇到一个巧舌如簧的人，告诉你他可以如何轻而易举将你的10万变成100万、1000万、1个亿，他可以如何轻而易举地将你的公司包装上市，他和多少个方面有关系，可以帮助你兼并收购，不费吹灰之力地

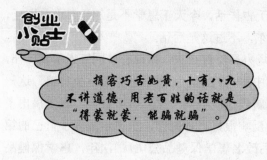

就将别人的公司或者国家的公司变成你的公司，使你一夜发大财，你可千万别信。这人十有八九是捐客！而捐客又十有八九是从来不讲道德的，老百姓的话，"得蒙就蒙，能骗就骗"，指得就是这种人。像叶山鹰那样的捐客，一万年也难得遇上一个。即便是叶山鹰，最后也没有企业从他手里落了好儿去。所以我们提醒各位千万小心。

捐客巧舌如簧，十有八九不讲道德，用老百姓的话就是"得蒙就蒙，能骗就骗"。

第十宗罪：捧杀和棒杀

一些传媒是这样一种东西：成事不足，败事有余。在中国，传媒业比较特殊，一方面在一定程度上承担着政治责任，代表政府说话，也能体现社会的道德良心；另一方面，随着体制改革的深入进行，越来越多的传媒被抛向市场，自负盈亏，需要自己养活自己，这使它们又具有商业化的属性。在社会良心、政府喉舌和市场利益面前，它们常常左右为难。在传媒这种骑墙式和夹缝式的生存中，许多奇怪的事情发生了，加上一些企业家自身心态的不成熟，使企业深受其害。这些年被传媒捧杀和棒杀的企业和企业家不在少数。

不知道大家还记不记得王恩学这个人，王恩学本是山东沂蒙山区的一个农民，80年代初改革开放后开始养鸡，赚了一些钱，后来因为市场疲软，又将赚的钱全部赔光。在走投无路之际，他看到报纸上一则消息，说是湖北新洲县有个养鸡场招租，便连人带设备全家一起迁徙至湖北新洲，到湖北新洲后，才发现招租的养鸡场已经全部拆除。时为1985年。王恩学再次陷入绝境。但王恩学并没有走回头路，脑瓜聪明的他发现当时新洲农民还不知道什么叫大棚蔬菜，不知道大棚蔬菜怎么个种法。于是，他又在湖北新洲搞起了大棚蔬菜种植，两年间赚了6万元，使他元气稍有恢复。此后，他在湖北新洲再次操老本行，办了一个养鸡场，通过广告之类出卖种鸡，生意还不错。有一个新疆客户看到广告，邀请其到新疆办养鸡场。王恩学此时也觉新洲本地市场太小，于是再次迁徙，赴新疆开拓事业。昔日孟母择邻而居，"孟母三迁"成为千古佳话，今天王恩学不是三迁，而是四迁，后来他又从新疆迁回了老家山东，不过这是后话。

王恩学到新疆后，将养鸡场办得红红火火。据说有一回王恩学到广州，无意中看见一个人提着一大包中华乌鸡精。王恩学也养了不少乌鸡，这一眼启发了王恩学的思路。回到新疆他就找到一家科研所合作，很快搞出了一个神州乌鸡素，推向市场后反响很好。1992年，王恩学成立了自己的第一家公司康乐制品有限公司(后改名恩学保健品公司)，次年，恩学保健品公司推出新一代乌鸡产品雪莲乌鸡素口服液，起初市场反响也算不错。但因为恩学保健品公司在关于这种产品的宣传中使用了诸多夸大、不实之辞，比如说雪莲乌鸡素可以治疗肝炎等等，遭到新疆自治区卫生厅的查禁。卫生厅下发了《关于立即停止对雪莲乌鸡素进行违法宣传的通知》。本来保健品这种东西就有"一分靠产品，九分靠宣传"的特点，自治区卫生厅的通知一下，等于判了雪莲乌鸡素口服液的死刑。雪莲乌鸡素口服液立刻在市场上变得无人问津。王恩学也陷入了窘境。正当王恩学彷徨无计之时，新疆某报率先刊发了王恩学遭自治区卫生厅"刁难"的消息，其他一些新闻媒体听到消息，也来"追踪报道"，一时报纸、电台、电视台将"雪莲乌鸡素口服液事件"吵得火热，一些报纸、电台、电视台还专门开设了专栏，对"王恩学现象"展开大讨论。事情甚至惊动了自治区领导。

在媒体的炒作下，新疆自治区卫生厅一次正常的执法行为被炒得变了味。王恩学也从中找到了借口，干脆扔下在新疆的公司和几十万债务，一跑了之，跑回了老家山东荷泽。王恩学这一跑，新疆的媒体炒得就更起劲了，有的媒体连这样的话都说了出来：新疆与王恩学失之交臂，使新疆失去了一次振兴新疆经济的机会。好像全然忘记了王恩学不过是个只有几十万资产的小业主。靠王恩学这样一个人来振兴新疆经济，岂非痴人说梦？然而，媒体就是有这样的力量，后来，连北京的一些中央级大报也坐不住了，专门派出记者，赴山东对王恩学进行了采访。

在媒体的炒作下，王恩学很快由一个小业主变成了一个大财神。他买下了荷泽市教育局属下的灵芝制药厂，继续生产他的雪莲乌鸡素品服液，又承包了张花园村卫生材料厂，说是半年后付款100万元。王恩学登高一呼，鲁西南的农户们便纷纷慷慨解囊，将自己的血汗钱送到他的手里，期望这位"大财神"为自己保值增值，带领自己脱贫致富。王恩学尝到了媒体炒作的甜头，哪里还有什么心思研究生产经营？雪莲乌鸡素口服液生产

老板是怎样炼成的

出来了，他竟然扔在那里，跑济南，上北京，忙着找记者为自己搞个人宣传。仅1994年，王恩学为搞个人宣传就花了1000余万元，这些钱大部分落到了媒体的腰包里。为了竞争1994年度"中国十大改革风云人物"，他曾一次就向某协会捐款200万元。王恩学用来搞自我宣传的钱，大部分是从农民那里"集资"来的，王恩学为了一己之名，害得多少农民倾家荡产。一个农民后来泣不成声地对记者说：王恩学害了我家三代人呀！我信了王恩学的话，借了五六万元买乌鸡苗饲养，前后欠债七八万元。厂子一垮，我致富不成，又欠债，父亲一急上吊了。我躲债在外，跑到大连给人家卸货，一个月才四五百元，除去吃喝，每月仅剩300元，我算算得10年左右才能还清人家的债。可那时我的孩子正是上大学的年龄，他们没钱咋上学呀……然而，该遭谴责的仅仅是王恩学一个人吗？

在追逐媒体和被媒体追逐的历程中，王恩学的制药厂垮了，他承包的卫生材料厂也完了，拖欠的农民集资款还不上。王恩学在荷泽再也骗不下去了，被迫转到了枣庄市。在枣庄，依靠他"显赫"的名声，王恩学再一次轻而易举地"搞"到了4000多万元的贷款。然而，就在这时，王恩学的生命嘎然终结了。王恩学的死，至今是一个谜，有人说是自杀，有人说是他杀……如果王恩学不死，还会有多少悲剧发生，你敢想象吗？

王恩学死后，有人从他的办公室里找到了他精心保存的历年来新闻媒体对他的报道：1992年11篇；1993年67篇；1994年118篇…… 王恩学的一位亲人这样评价王恩学：他会啥？算啥企业家？他不过花钱买了几篇报纸罢了。从小我就了解他，自幼他就爱吹牛皮。换到别人花这么多钱买名誉，不一定比他差。在这里还有一件事情值得一提，就在王恩学死之前不久，新疆的一家媒体找到他，原来这家媒体历年来对王恩学的宣传都采取的是"记账"的形式，现在他们找王恩学"结账"来了。王恩学说我现在没钱，要不然，你们拉一车雪莲乌鸡素去吧。这家媒体还真就租了卡车，拉了一卡车的雪莲乌鸡素到乌鲁木齐去。要是让孔老夫子看见这一情景，恐怕又少不得要说一声斯文扫地了。

媒体对企业的戕害，不但表现在对企业现金流的大量吞噬上，使企业因为失去现金流而陷入困境，不幸的至于死亡(这一点，从中央电视台历年来广告"标王"的下场就可以看出来，

创业小贴士

企业家的心态一旦变得浮躁、暴躁，企业离死也就不远了。

秦池酒厂厂长王卓胜那一句："我每天给中央电视送去一辆桑塔纳，赚回的是一辆豪华奥迪；我们每天给中央电视台送去一辆豪华奔驰，赚回的将是一辆加长林肯"已经成为业内笑谈）。更为严重的是，它严重淆乱了企业家的心态，使他们变得浮躁、暴躁。而企业家的心态一旦变得浮躁、暴躁，企业离死也就不远了。

当初宣国宜（北京百亭鱼乐园原总经理，北京百亭鱼乐园由浙江宁波慈惠农业有限公司投资，后来因为偿债，北京百亭鱼乐园连同其所竞买的两支天安门退役宫灯被一并归属到浙江宁波金鹰集团名下）以1380万元的天价竞得两支天安门退役宫灯时，媒体一片叹赏之声；后来这两支宫灯归于浙江宁波金鹰集团，又有媒体在没有弄清楚事实真相的情况下（宫灯并非金鹰集团直接竞买所得，而是因为浙江宁波慈惠农业有限公司偿债所得），就刊出这样的文章说，"金鹰"竞得宫灯后，"突出的感觉就是生意好做极了。人们不容置疑地相信金鹰有实力。前不久，金鹰集团在上海某大钢厂欲买钢材，因钢厂不了解这一新客户资信情况致使产品合同没有签成。宫灯拍卖以后，金鹰二次赴沪，对方闻听是买宫灯的企业，二话没说，立即签订合同。金鹰集团在近期有意向北京发展，想在北京找地建立总部大厦。无奈近期不再新批基建项目。北京一大股份公司手里有立好的项，只因资金缺乏而迟迟不能开工，当听说竞买宫灯的企业有合作意向后，两家立刻进行谈判，意欲合作。宫灯使企业赢得了意外的市场优势，其商业价值不言而喻。买宫灯后，金鹰集团接到了许多愿意与其合作的信息。最有意思的是广州、上海几家名望甚高的宾馆、饭店，愿意租借大红宫灯，开价每日租金3万元！如果以此计算，金鹰每年坐收1000多万元。"而且"自1月9日中国嘉德国际拍卖公司向传媒发布了一对天安门旧宫灯将被拍卖的消息，至2月19日这对宫灯拍卖至今，国内外有400至500家新闻媒介对此事进行了报道。如果金鹰刻意去做广告的话，将投入上亿元的资金。"所以"与花钱做广告相比，金鹰的这种传播方式才是真正一流的策划。"其凭空杜撰，令人不寒而栗。企业家如果听信并采用这种"真正一流的策划"，那么他不是昏了头，让手里的几个钱烧得，就是他的钱不是好来路的，不是凭自己的真本事，一颗汗珠子摔八瓣赚来的（建议有关部门去查查这种人的钱的来路）。企业如果听信这种媒体的话，不死难道还能有第二条出路？（后来北京百亭鱼乐园和浙江宁波金鹰集团真的都死了，前者是因为竞买宫灯大大超过企业承受能力使企业资金链崩裂而死；后者则因为其企业创始人犯金融诈骗罪和行贿罪遭到有关部门和国家法律惩处而死）！

对于企业来说，媒体是一把两刃刀，运用得好，可以大大帮助企业发展；运用得不好，不但对企业毫无帮助，反而会伤及自身。

对于企业来说，媒体是一把两刃刀，运用得好，可以大大帮助企业发展；运用得不好，不但对企业毫无帮助，反而会伤及自身。总之，一句话，媒体在市场化的过程中需要的是良知；而企业家在与媒体打交道的过程中，需要的则是明智。

创业企业的死亡原因和死亡方式多种多样，不是短短几句话所能包容。创业是一项系统性的工程，需要创业者作好充分的事前准备，如专业知识的准备，社会关系的准备等等。有些创业朋友认为创业是件十分简单的事情，只要自己肯吃苦耐劳就可以成功，结果满不是那么回事。有些刚开始创业的朋友，因为不懂起码的财务知识，不知道企业资金控制，看上去好像自己天天在赚钱，日进斗金，事后一盘算，才发现自己不但没赚到钱，白忙了一场，反而欠下了一屁股债。成都一位叫张国林的朋友就是这样。张国林是四川南充人，农民家庭出身。1992年的时候，21岁的张国林就凑了一些钱开始在南充做海产品生意，从武汉把龙虾、对虾、螃蟹等倒腾到南充来卖。

张国林做生意与众不同，当别人还在为菜市场的块儿八毛的赚头绞尽脑汁时，他就已经瞄准了一些大型酒楼和宾馆。做海产品不到一个月，他的月营业额就达到了10多万元，相当于别的商贩1年的销量。后来，他又向附近郊县启动海产品批发，生意飙升，两年后他的月营业额最高时达到了40万元。到1996年，短短四年时间，张国林已经赚足了100万元。这个数字，即使对现在大多数成都人亦可称之为富裕，拿到经济不甚发达的张的老家南充，有这样一份家产，简直堪称富豪。

1997年初，未满26岁的张国林，怀揣着更大发达的愿望，带着他在南充赚来的100多万元只身来到成都。在成都青石桥买了个20多平方米的门面，除了做老本行批发海产品外，还做批发冷冻食品和调味品生意。生意出奇的好，因为没有专门的财务管理，他也没有时间来算账，所以每天到底赚了多少钱，连他自己都说不清，只知道每天有大把大把的钱收进来。

几个月后，张国林觉得一个店赚得慢，他一口气在荷花池、府青路、南充、攀枝花等地开了6家分店。员工从几个人增加到了上百人。然而，规模越来越大后，问题就日益凸显出来，张国林说，当时7个店的经营中根本没有财务人员，甚至连进货和出货的现金流都没有账本，后来有些客户就利用他们的弱点推脱货款，让他们没有话说。

1997年7月，张国林7个店的欠货费就高达100多万元，当时也想重新理顺财务，但却迫于债务缠身，东拿西补，更造成恶性循环。至此，张国林原来从南充赚来的100多万元不但全部亏空，还负债500多万元，债主三天两头找上门来催账，搞得他像惊弓之鸟。回忆那段情景，张国林说："那段时间到处搬家，完全只有靠躲，精神上完全崩溃，对人生甚至产生了绝望。"

张国林在外面躲了大半年，越想越不甘心，整天都在琢磨，有没有什么项目可以让自己起死回生。正在这个时候，他听一个朋友说在广东、深圳的进口水果特别热销，价格虽高但购买者仍旧众多。张国林跑到广州一考察，觉得这个项目行。1998年6月，他就在成都百盛商场以每两个平方米5万元租金的价格租了一个柜台专卖洋水果。然后怀揣着从朋友那里东挪西借的1万元钱，飞到深圳进洋水果。第一回因为本钱不足，除了回成都的路费外，他只进了美国红提、山竹、榴莲等共4件水果，总重量还不到100公斤。

回到成都后，张国林的姐夫狠狠地骂了他一顿，说他简直是败家子：光成本就要50块钱1斤，这么贵的水果谁会买？你会买吗？姐夫的一顿臭骂，弄得张国林心里也没了底，但买回来的水果不可能不卖。第二天，张国林把水果搬进了百盛，水果刚摆好，就围了很多顾客看稀奇。当天，张国林以每斤180元的价格卖了6斤洋水果。第二天，生意意外的好起来，总共卖了40多斤，营业额达到7000多元。后来，买的人越来越多，营业额几天后就升到两三万元。

张国林这下心里有底了。20多天后，他又在太平洋百货、人民商场租了柜台，同时还在蜀都大厦开了个卖洋水果的门市。为了吸取"前车之鉴"，在管理财务上，这次张国林特别小心。管理跟上后，销量也一路叫好，平均每个柜台每天都达到了六七万元的收入。不到3个月，张国林就赚了600多万元，偿还了在青石桥欠下的所有债务。

中国人做生意喜欢跟风。1999年上半年，看到张国林的水果生意火爆的人纷纷效仿，进口水果大量涌向成都市场，价格从以前的每斤180元跌至每斤20元。张国林的水果生意受到巨大冲击，每天的总营业额一下降到几万元。面对洋水果市场受到的冲击，当年底，张国林毅然选择了退出。

张国林退出的另一个原因，是他早已看准了一个新项目。2000年3月，他在美国领事馆附近，投资七八十万元开了一家200多平方米的中餐馆。开始时情况很好，营业额每月都有8万元左右，但后来生意日渐萧条，到年底不但没赚钱还倒亏了几十万元。张国林左思右想，最后才搞清楚生意不好的原因，是因为地址位置不好，吃客少。他想动动地方也许会好些，但生性喜欢出新出奇的他，又不想简单地就这么动一动。他想来想去，一个想法跳进他的大脑：对，我何不搞一个餐饮业的另类。他的想法是开一个在成都餐饮业堪称"巨无霸"的自助火锅店。这样，2001年，张国林就在成都人南立交桥左侧建起了一个面积达5000平方米的大白鲨火锅超市，这是当时成都最大的火锅超市，能同时接待3000食客。张国林在经营中又搞得花样百出：只要顾客给了38元，百威、嘉士伯高档酒类、美国提子、山竹进口水果及石板鱼、昂贵海产品等都无限量免费提供。为制造人气，他还规定，大白鲨火锅开业当天的前3000人免费就餐，后3000人2个人吃38元；第二三天前1000人免费就餐；前10天，前1000人买一赠一，轰动了整个成都市，经常是里面几千人吃，外面几千人等。仅仅第一个月，张国林就赚了300万元。

张国林来自农村，尽管到大都市生活了这么久，仍旧特别怀念农村那种田园牧歌式的生活。为了能在成都享受到他向往的田园生活，他决定建一个生态农场，命名为国林生态观光农场。

2002年7月，张国林租用了双流县万安镇开元村2000余亩的土地，租期为30年。9月，国林生态观光农场在双流万安镇开元村正式开建，预计投资总额为1.5个亿。按照张国林的设想，国林生态观光农场将以农业生产过程、农村风貌、农民劳动、生活场景为主要旅游项目，首期投入5000万，然后依靠滚动式发展。

他的设想很好，谁知观光农场开业后，情况却不如他想象。每天的收入，尚不足以支持员工工资和管理开支，更别谈滚动发展，以场养场的计划完全落空。张国林不得不开始从别的渠道给观光农场输血，这样，他名下"大白鲨火锅城"和"811超市"的资金就被大批量地抽调到观光农场项目上，使火锅城和超市的运营资金日益紧张。正在张国林感到吃紧的时候，非典又突如其来，使他的大白鲨火锅城每天的营业额，从原来的20万元一下子降到了几万元，最低时甚至降到不足万元。这样一来，张国林的"血源"被掐断了。

为了保住观光农场，张国林无奈之下，把曾给他带来巨额财富的大白鲨火锅城和他的8家811连锁超市卖给了别人。最终结果是，张国林的火锅城没了，超市丢了，观光农场也没保住，被迫推上了拍卖台，还没人要。

在创业者中，像张国林这样的人不在少数。他们一心只考虑自己的计划，对事业的发展完全处于一厢情愿的状态，缺乏起码的如财务控制之类的专业知识，结果最后落得死无葬身之地。

创业两个字很迷人。我们衷心祈愿创业者，不但要看到迷人的花，还要看到花下扎人的刺。